Глава 1

Через раскрытое окно с верхнего этажа донеслись звуки фортепиано. Это заставило Анну Вернер оторваться от своего скучного, но ставшего уже привычным занятия.

Она положила перо на раскрытую страницу конторской книги и подняла глаза к потолку. Вместе с музыкой и даже порой перекрывая ее, до слуха Анны долетал голос Андрэ, повелительный и не допускавший возражений:

— Нет, нет! Мишель, это надо делать грациозно! Понимаете — грациозно! Боже мой, вы должны быть воздушной лесной феей, а не слоном в посудной лавке! Плавно поднимайте и опускайте руки. Вот так!

Анна улыбнулась и принялась растирать занемевшую спину. Она вспомнила свои уже далекие занятия с Андрэ. Сколько лет минуло с той поры?

Двадцать? Никак не меньше. Андрэ Леклер приехал в Малверн в 1717 году, чтобы обучать светским манерам и правилам приличия совсем еще юную и нескладную девочку. А сегодня на дворе 1737-й...

Но с тех пор Андрэ, казалось, мало изменился. Он по-прежнему энергичен и подтянут. Только чуть похудел и лицо немного вытянулось. Но это было малозаметно на фоне прошедших лет.

Темп музыки наверху изменился. Он стал медленнее и мягче, как бы приноравливаясь к соблазнительному дыханию весны за окнами, шевелившему кружевные занавески легким, нежным ветерком.

Невольно на Анну нахлынули грустные воспоминания. Полгода прошло, как не стало Майкла. И эта кровоточащая рана безвременной утраты никак не хотела заживать. Ее красивый и жизнелюбивый муж, которого Анна беззаветно любила, стал жертвой глупого несчастного случая.

Усталой рукой закрыв конторскую книгу, Анна поднялась из-за стола. Она почувствовала, что не в силах сосредоточиться на сухих цифрах, а потому продолжать работу было совершенно бессмысленно. Хотя оставалось еще много счетов, которые следовало проверить. Раньше этим занимался Майкл. Теперь же все свалилось на ее не очень сильные плечи.

Подойдя к открытому окну, Анна бросила взгляд на буйно цветущий сад, а затем долго смотрела вдаль, где раскинулись бесконечные поля, зеленые луга и живописные рощи. Она очень любила этот уголок, где прошли самые счастливые дни ее жизни. Любоваться им доставляло Анне ни с чем не сравнимое удовольствие. Тем более теперь, когда все это принадлежало ей одной. Да, Майкл умер. Но Малверн остался. И теперь она, Анна Вернер, должна заботиться об имении. Но только не сейчас, не сегодня... Пока еще память о прошлом слишком жива. Поэтому, подумала Анна, следовало бы на время просто запретить приход весны для тех, кто недавно перенес тяжелую утрату. Слишком много грустных мыслей и воспоминаний навевает это волшебное время года...

Легкий бриз ласкал лицо Анны, принося с собой запах цветов. А перед ее глазами стояла совсем еще юная девочка, какой она была в дни своего первого приезда в Малверн. Шестнадцатилетняя Анна Маккэмбридж, не по годам нервная и напуганная, успевшая на своем коротком веку пережить куда больше бед и страданий, чем многие зрелые женщины. Начиная с бегства из таверны того ужасного зверя — Амоса Стритча, которому ее продали в рабство.

Какой бы беспросветной и жалкой была жизнь Анны, не подружись она с Малкольмом Вернером! Не женись он на ней, несмотря на разницу в возрасте и социальном положении... В противном случае ей бы ни за что не стать хозяйкой Малверна! Этого замечательного поместья, которое Анна сразу же полюбила и владеть которым постоянно мечтала.

Ее мысли полетели еще дальше в прошлое. Она вспомнила, как еще совсем ребенком проезжала с матерью через Малверн на полуразбитой телеге, направляясь в Уильямсберг. Анна до сих пор помнила, с каким трепетом и восторгом смотрела на большой белый двухэтажный дом, сиявший под жарким солнцем Виргинии. Кругом росли развесистые деревья, отбрасывавшие уютную тень на прилегающую к дому зеленую лужайку и небольшие службы. От главной дороги к дому вела живописная аллея, у ее начала высились огромные, украшенные затейливым орнаментом ворота с вывеской «Малверн».

Кто бы мог тогда подумать, что бедная, измученная девочка-подросток осуществит свою мечту и станет хозяйкой всего этого великолепия?

Анна помотала головой, отгоняя мысли о прошлом. Малкольм Вернер мертв. Его хватил сердечный удар вскоре после свадьбы. Единственного сына Малкольма, Майкла, Анна полюбила со всей страстью, на которую была способна. И это чувство полностью затмило глубокую благодарность, которую Анна прежде испытывала к его отцу. Она вышла замуж за Майкла и родила ему дочку.

Но довольно думать об этом! Майкл погиб. Остались она и Мишель, их дочь. Надо жить дальше, независимо от того, что произошло. Мишель и роскошное поместье Малверн — вот что осталось Анне после смерти мужа. Им она решила посвятить свою жизнь, силы и энергию.

Она снова занялась счетами, хотя не была уверена, что сможет в них разобраться. Но через минуту встала и, поднявшись по широкой лестнице на второй этаж, направилась к большой комнате, отведенной под балетный класс.

Милый Андрэ! Он был таким преданным другом Майкла. И Анна считала, что ей повезло, когда он вернулся в Малверн и стал заниматься с ее дочерью. Точно так же, как некогда занимался с ней самой. Андрэ обучал Мишель музыке, манерам, следил за ее правильной осанкой, давал уроки танцев. Для девушки, выросшей в достатке, даже в роскоши и никогда не знавшей настоящей нужды, занятия с ним были сплошным удовольствием. Да и давались очень легко.

Что же до давнишних занятий Анны с Андрэ, то он смотрел на свою ученицу как на дикое, своевольное и совершенно невежественное существо, которое никакого понятия не имело ни о светских манерах, ни вообще о правилах поведения. Анна про себя улыбалась, думая, что Мишель тоже досаждает наставнику своенравием и упрямством. Время от времени ее дочь основательно портила настроение своему воспитателю. Впрочем, в прошлом так же вела себя по отношению к Андрэ и она сама...

Музыка раздавалась совсем громко, вырываясь в коридор через открытую дверь классной комнаты. Анна уже слышала, как скрипят по полу натертые канифолью балетные туфельки ее дочери.

Подойдя к двери, Анна заглянула в длинную, казавшуюся бесконечной из-за увешанных зеркалами стен комнату, залитую солнцем. Андрэ сидел за новым роялем, недавно купленным взамен старого инструмента, и кивал головой в такт музыке. Мишель в белоснежном хитоне крутила фуэте, грациозно проплывая из одного угла комнаты в другой.

При взгляде на свое единственное чадо у Анны перехватило дыхание. Ей казалось, что дочь хорошеет день ото дня. Наверное, она не ошибалась. Ведь для девушки семнадцать лет — пора расцвета. Один за другим распускались все новые и новые лепестки ее красоты, как весной раскрывается бутон прекрасной розы. Мишель смотрела на мать унаследованными от Майкла темными глазами, блестевшими из-под копны волос, таких же огненно-рыжих, как и у самой Анны.

— Раз, два, три! Раз, два, три! — выкрикивал Андрэ. — Ритм, Мишель! Соблюдайте ритм!

Он взял последний аккорд и театральным жестом поднял руки над клавиатурой.

Анна подумала, что жесты, как и вообще поведение Андрэ, с годами становятся все манернее.

Разрумянившаяся, со струйками пота на лице Мишель подплывала в танце к Анне. Ее локоны упали на лоб, грациозная фигурка отражалась в зеркалах, сплошь закрывавших три из четырех стен комнаты. Это придумал Андрэ: он хотел, чтобы во время занятий Мишель имела возможность видеть себя со всех сторон.

Семнадцать лет! — вздохнула Анна. Сама она уже в восемнадцать успела дважды побывать замужем, овдоветь и родить ребенка. А Мишель все еще выглядит такой юной! В возрасте своей дочери Анна, несомненно, была взрослее, выше ее ростом и... упитаннее.

Краем глаза Анна критически посмотрела на свое собственное отражение в одном из зеркал. Неужели она так сильно изменилась за эти годы? Да, конечно, набрала в весе и раздалась, особенно в бедрах. Андрэ при случае старался кольнуть ее этим. Но талия оставалась по-прежнему стройной, кожа — гладкой, а волосы — такими же пышными и блестящими, как в молодости. Еще раз взглянув в зеркало, Анна с удовлетворением заключила, что для своих тридцати семи лет выглядит совсем неплохо. Многие ее сверстницы уже начали заметно увядать, седеть, а их лица — худеть и вытягиваться. Анне явно повезло.

Мишель наконец подплыла к матери и поцеловала ее в щеку. На Анну пахнуло смешанным запахом здорового девичьего тела и обожаемых дочерью духов из розовых лепестков.

— Мама, ты видела? Это новый танец. Тебе нравится?

Анна обняла дочь за плечи:

— Я успела увидеть только самый конец. По-моему, очень недурно. Ты стала неплохо танцевать, Мишель.

Андрэ прищелкнул языком:

— Дорогая Анна! Умоляю вас не говорить ей комплиментов! Мишель только учится. И в ее танце еще полно ошибок и срывов. Поберегите свою похвалу до той поры, когда она будет по-настоящему ее заслуживать!

Мишель надула губы:

— Не слушай его, мама! Если серьезно относиться к тому, что говорит Андрэ, то я никогда не дождусь ни одной похвалы. А ведь каждого важно вовремя поощрить и ободрить.

Мишель бросила на Андрэ надменный взгляд, еще раз поцеловала мать и театрально выплыла в танце из комнаты.

Анна весело рассмеялась, глядя ей вслед.

— Если уж говорить о моральном поощрении, — назидательно проворчал Андрэ, — то вы, милая Анна, позволяете ей шалости, которые подчас сродни хулиганству. Вы уже испортили свою дочь! Понимаете — испортили!

Повернувшись к Андрэ, Анна виновато развела руками и вздохнула:

— В какой-то степени вы правы, дорогой друг! Возможно, я ее действительно немного испортила. Но не без вашей помощи! — Анна подошла к Андрэ. — Скажите, она действительно очень хороша, или это только кажется ее сумасшедшей матери?

Андрэ с надменным и рассудительным видом поднял голову. Но в его глазах заплясали веселые чертики:

— Да, миледи, сумасшедшая материнская любовь действительно присутствует в ваших суждениях. И это нехорошо. Но вместе с тем вы правы. Из Мишель получится первоклассная балерина. Я и раньше не раз говорил вам об этом. Под моим руководством она сделала большие успехи. Но умоляю вас! Мишель не должна об этом знать. Как все дети, она тщеславна. Уже сейчас она прекрасно танцует. Кстати, вы могли бы танцевать не хуже, если бы начали заниматься балетом раньше и не бросили его.

Анна покачала головой:

— Нет, Андрэ! У меня никогда не было такой грациозной и легкой походки. Даже в юности я была толстухой и дылдой. А у Мишель прекрасная фигура, природная грация и изящество.

— Это и подсказало мне идею, которую я уже давно обдумываю, — сказал Андрэ, став вдруг очень серьезным. — Анна, я уже говорил вам, что здесь для Мишель очень мало шансов полностью раскрыть свой талант и тем более получить широкое признание.

Анна с удивлением посмотрела на него:

— Да, вы мне это говорили. Но ведь Мишель любит танцевать и получает от занятий огромное удовольствие. Разве этого недостаточно?

Андрэ отрицательно покачал головой:

— Нет, дорогая Анна, этого мало! Во всяком случае, Мишель очень скоро перестанут удовлетворять наши занятия. Она ваша дочь, поэтому не лишена амбиций. И тоже захочет достичь чего-то в жизни. Это что-то — карьера балерины. Профессиональной танцовщицы!

— Но здесь, в Виргинии, так мало возможностей! Вы сами только что об этом сказали.

Андрэ поднял руку:

— Да, в Виргинии профессиональный танцор считается человеком второго сорта. Но в Европе — во Франции или Англии — артист балета воспринимается как носитель прекрасного искусства, глубокой духовности, а потому пользуется всеобщим уважением. Известные балетные труппы в Париже и Лондоне сочли бы за честь иметь в своем составе такую танцовщицу, как Мишель. Да и вам, Анна, полезно было бы посмотреть мир, а не жить добровольной затворницей. Я вам не раз об этом говорил.

Первым немедленным побуждением Анны было ответить Андрэ решительным отказом. Но он опередил ее и, не давая вымолвить ни слова, продолжал:

— Я уже обсуждал это с Мишель. Она очень хочет поехать в Европу. У меня осталось немало друзей в Париже, которые могли бы ей помочь. Со многими я до сих пор переписываюсь. Среди них — мадам Дюбуа. Она богата и пользуется влиянием во французской столице. После смерти мужа мадам Дюбуа живет в одиночестве и, не в силах его сносить, много раз приглашала нас приехать. Кроме того, эта дама может быть полезна Мишель своими связями и знакомствами. Да и вам, повторяю, совершенно необходимо хотя бы на какое-то время уехать из Малверна. Просто сменить обстановку. Сами увидите, как вам сразу же станет гораздо легче. — Андрэ взглянул на Анну и мягко добавил: — Я знаю, как вам тяжело. Вы ведь очень любили Майкла. Но поверьте, подобное путешествие если не вылечит совсем душевную боль, то, во всяком случае, смягчит ее остроту.

Тронутая его участием, Анна почувствовала, как к горлу подступает комок, а на глаза навертываются слезы.

— Но не вы ли однажды сказали мне, что не можете вернуться во Францию из-за каких-то личных неприятностей? — спросила она.

Андрэ как-то натянуто улыбнулся, а его брови поползли вверх.

— Я не уверен, что когда-либо выразился именно так. Хотя доля истины в этом есть. Но прошло так много лет, что мои юношеские шалости, наверное, давно забыты. Обещайте мне подумать, Анна. Хотя я уверен, что импульсивно вы тут же ответите — «нет».

Спускаясь по широкой винтовой лестнице на первый этаж, Анна услышала настойчивый стук огромного молотка, висевшего у входной двери. Кто-то приехал. Но кто?

Она слышала, как Дженни открыла дверь, и, сойдя вниз, увидела, что горничная спешит к ней с конвертом в руках.

— Это письмо только что доставили, — сказала Дженни, приседая и вручая конверт Анне. — С посыльным из Уильямсберга.

Анна с удивлением взяла конверт, каким-то внутренним чутьем догадываясь, что в нем нечто для нее неприятное. Бумага была дорогой, а каллиграфический почерк — элегантным и красивым.

Как только Дженни ушла, Анна вскрыла конверт и обнаружила внутри один-единственный листок. Это был какой-то финансовый документ, похожий на счет или вексель. Анна быстро, но очень внимательно просмотрела его, стараясь унять растущее в душе недоброе предчувствие. Да, это был действительно вексель — с уведомлением о том, что платеж по нему уже давно просрочен.

Анна взглянула на указанную в бумаге сумму. Она была огромной. В конце имелась краткая приписка: «Прошу Вас приехать ко мне при первой же возможности». Подписано: «Искренне ваш, Кортни Уэйн». И адрес в Уильямсберге.

Конечно, это какая-то ошибка. Но ведь указаны ее имя и фамилия! Миссис Анна Вернер... Малверн... Что все это значит?

Обеспокоенная Анна положила конверт в карман и поспешила в маленькую комнатку на первом этаже, где раньше проходили занятия Мишель. Со временем она превратилась в контору по управлению делами плантации.

Анна до сих пор еще толком не изучила всех деловых бумаг и документов, оставшихся после

Майкла. Аккуратно подшитые, они хранились в его отделанном мореным дубом кабинете. Анна была так потрясена неожиданной смертью мужа, что в первое время никакая сила не могла заставить ее войти в эту комнату. Да и сейчас она долго не решалась открыть эту дверь. Но все же необходимость заставила Анну войти в кабинет Майкла и порыться в его бумагах в поисках какого-нибудь документа, проливающего свет на зловещее и странное послание таинственного мистера Кортни Уэйна из Уильямсберга.

Проведя в кабинете Майкла больше половины дня и перерыв все его бумаги, Анна наконец нашла то, что искала. И тут ее охватил настоящий ужас. В руках она держала копию долговой расписки покойного супруга в получении астрономических размеров ссуды под залог Малверна. Документ был подписан Майклом совсем незадолго до смерти.

Анна почувствовала, как кровь отлила от ее лица. Почему он ничего не сказал об этом? Правда, она знала, что Майкл не ответил бы даже на ее прямой вопрос о ссуде. Потому что не считал нужным занимать жену скучными проблемами, связанными с управлением поместьем. Хотя на какое-то время после смерти первого мужа ей пришлось взять в свои руки бразды правления. Тогда Анне помогал Генри — бывший черный раб, оставшийся после получения вольной в имении в должности надсмотрщика.

Но когда Анна вышла замуж за Майкла и он взял все дела плантации на себя, Генри уже не было в живых. Майкл заявил, что справится со всеми делами сам, без надсмотрщика или управляющего. Анне же предложил заниматься домашним хозяйством и воспитывать дочь.

Ее интересовало, для чего Майклу понадобились такие огромные деньги. Может быть, причиной стал прошлогодний недород? В таком случае почему муж уверял озабоченную этим Анну, что все обстоит хорошо. Но если в полученном письме все правильно и нет никакой ошибки, то Анне и впрямь было о чем волноваться.

Ее мысли снова перенеслись в прошлое, когда еще были живы Майкл и его отец. А сама она еще и не помышляла о том, что когда-нибудь будет жить в Малверне. Позже Малкольм рассказывал ей о тех трудных днях. Майкл вырос сумасбродным и распущенным, погряз в азартных играх и наделал долгов. В конце концов отец и сын разругались, и Майкл ушел из родного дома. Назад он вернулся тогда, когда в Малверне уже появилась Анна.

Может быть, незадолго до смерти Майкл вернулся к своим прежним пристрастиям?

Анна заставила себя не думать об этом, посчитав подобные мысли святотатством. Кроме того, сейчас было уже поздно обвинять в чем-либо покойного супруга. Надо будет поскорее встретиться с этим Кортни Уэйном. До тех пор пока все не разъяснится, она никому и словом не обмолвится. Даже Мишель и Андрэ.

Покинув балетный класс, Мишель не спеша спустилась по лестнице в холл. Она вытирала лицо краешком хитона. Одежду все равно придется стирать: во время танцев с Мишель сходило семь потов. К тому же день обещал быть жарким.

Она знала, что сегодня Андрэ собирался поговорить с матерью о возможности их поездки во Францию, и очень волновалась. Согласится ли матушка? Нет, она просто должна сказать «да»! Ведь о Франции и о Париже Мишель мечтала с самого детства. Постоянные рассказы Андрэ заронили в юную душу желание увидеть собственными глазами эту страну, двор французских королей, балет, оперу, театры, испытать все восторги парижской жизни.

Сколько Мишель себя помнила, Андрэ всегда был ее наставником и другом. Она знала, что раньше, еще до ее рождения, точно такие же отношения связывали его с Анной, тогда совсем молодой женщиной. Когда же девочка чуть-чуть подросла и семья вернулась в Малверн, Андрэ остался в Бостоне, где продолжал содержать открытую ее родителями таверну. Анна рассказывала, что очень скоро Андрэ начал тосковать и в конце концов тоже переехал в Малверн. Мишель тогда только исполнилось шесть лет.

Хотя Андрэ был предан как матери, так и дочери и чувствовал себя в Малверне вполне счастливым, Мишель знала, что в глубине души он не чаял вернуться в Париж. В прошлом он как-то намекнул об этом Анне. И хотя та проявила к его намеку некоторый интерес, суливший надежды на дальнейшее развитие событий в желательном для Андрэ направлении, все же она не хотела даже ненадолго расставаться с Майклом.

При воспоминании об отце на глаза Мишель навернулись слезы, а к горлу подступил горький комок. С досадой она попыталась сдержаться и взять себя в руки. Почему так произошло? Как случилось, что ее отец погиб? Почему смерть настигла именно его, а не кого-либо из множества непорядочных и просто мерзких людей, продолжавших ходить по земле? Подобная несправедливость вызывала в душе Мишель настоящую ярость и боль в сердце. Несмотря на то что Мишель очень любила Малверн, она все больше и больше чувствовала необходимость уехать. Очутиться подальше от этих мест, где каждый камень, каждый поворот дороги напоминали о горечи безвозвратной утраты. Она не могла этого больше выносить. И уже деловито размышляла над тем, как бы покинуть Малверн, хотя бы на время. Предложение Андрэ нашло в ее душе горячий отклик, так как это была реальная возможность осуществить ее замысел. Ведь мать вполне могла бы на это время нанять кого-нибудь, кто занимался бы поместьем. И вообще, не слишком ли Анна много внимания уделяет Малверну?

Кроме того, Анне тоже бы не повредила поездка за границу. Поэтому она должна согласиться.

Войдя к себе в комнату, Мишель принялась нетерпеливо стаскивать потную одежду. Вслед за нижней юбкой и нательной рубашкой в угол полетели балетные туфельки.

Мишель налила холодной воды в широкую китайскую миску, окунула в нее полотенце и принялась обтирать потное тело. Прохладная влага доставляла ей несказанное наслаждение. Растерев спину, ноги, бедра и живот, девушка провела мокрым полотенцем по своей высокой груди и темным соскам. От прикосновения плотной материи они сразу же ожили, налились и сделались твердыми, как кораллы. Мишель почувствовала, как неожиданно затрепетало все ее тело. Это было приятное и в то же время смутившее девушку ощущение. Мишель на секунду замерла и оглядела себя в висевшем у двери круглом зеркале.

Ее алые щеки пылали, с ярким румянцем и взъерошенными волосами она выглядела настоящим мальчишкой. В минуты, когда ее тело начинало предъявлять свои пока еще не совсем осознанные требования, Мишель старалась отвлечься и думать о другом. О том, что не давало мыслям принять слишком опасное направление. Чаще всего это были размышления о ее будущем балерины. Обычно такие мечты помогали. Но сегодня они почему-то не действовали. Напротив, тело Мишель все больше воспламенялось, а грудь совсем окаменела...

Мишель отвернулась от зеркала и принялась растираться сухим полотенцем, отчего ее тело еще больше раскраснелось. О, она отлично понимала, что означают эти затвердевшие соски, хотя старалась убедить себя в обратном. Невольно в ее памяти ожили воспоминания, которые Мишель попыталась тут же подавить.

Это произошло примерно месяц назад на вечере, устраиваемом местной церковной общиной. Было много музыки, танцев и самых изысканных угощений. Естественно, не обошлось и без вина, которое мужчины пили на открытом воздухе, ибо на религиозном торжестве позволять себе подобное в доме выглядело бы кощунством.

Мишель много танцевала с Бо Томпкинсом — высоким, красивым сыном местного адвоката. Этот юнец весь вечер не отходил от нее. Весело смеясь и не давая ей опомниться, он увлек ее в танце во двор через широко раскрытую дверь.

Прежде чем Мишель успела что-либо возразить, он потащил ее под сень большого развесистого дерева и прижал к себе. Она смотрела в его лицо, чувствовала легкий запах дорогого вина и особый мужской запах, который отнюдь не показался ей неприятным.

В следующее мгновение его губы впились в ее рот, а руки стиснули ее грудь. Тогда Мишель почувствовала именно то, что и сейчас, стоя у зеркала: какое-то еще неизведанное наслаждение и вместе с тем — стыд. Конечно, она касалась своей груди и раньше — так же растираясь полотенцем, ворочаясь ночью в постели или во время игр на открытом воздухе... Но никогда не испытывала такого жгучего, загадочного чувства, которое охватило ее под сенью дерева в объятиях Бо.

Кончилось это тем, что Мишель оттолкнула чересчур осмелевшего ухажера и наградила его увесистой пощечиной. Правда, она тут же пожалела о содеянном, но было уже поздно. По лицу Бо разлилась краска стыда и обиды...

Этот случай имел прямое отношение к мечтам Мишель о будущем. Она твердо знала, чего хочет добиться в жизни и чего ни за что не допустит. Девушка страстно мечтала о карьере балерины. Профессиональной балерины, выступающей перед большой аудиторией, способной высоко оценить ее искусство.

Но она ни за что на свете не желала выходить замуж за сына какого-нибудь соседа-плантатора, поселиться в его доме, вести хозяйство и воспитывать детей. Такое будущее Мишель никак не устраивало. Хотя подруги и убеждали ее, что так повелось с давних пор. С раннего детства все подружки Мишель постоянно говорили между собой сначала о мальчиках, а повзрослев, о мужчинах. Венцом мечтаний была свадьба. В грезах каждая видела избранника, с которым пойдет к алтарю. Девочки играли в дочки-матери, в воображаемую семейную жизнь, в куклы. Одним словом, каждая из подружек Мишель по-своему готовила себя к исполнению самой заветной мечты — замужеству и материнству.

Мишель не привлекало ни замужество, ни материнство. С того самого дня, когда Андрэ преподал ей первый урок танца, балет стал главным в жизни девочки. Может быть, после нежной любви к матери и отцу. В глубине души она понимала, что все эти подспудные ощущения и чувства, заставлявшие трепетать ее тело, могут только сбить ее с пути и помешать осуществлению самой заветной мечты. Попасть в руки какого-нибудь неотесанного парня, вроде Бо Томпкинса, навеки погубить свой талант и стать одной из миллионов домашних хозяек, готовящих обеды и вынашивающих потомство, подобно племенным кобылам...

Нет! Такая жизнь не для нее. И если понадобится совладать с зовом пола, что ж, она это сделает! У нее хватит на это сил!

Но теперь надо чуть поостыть. Мишель взяла щетку и принялась приглаживать волосы. Они поедут во Францию. Матушка должна согласиться! И там, в Париже, для нее начнется настоящая жизнь!

Глава 2

На следующее утро, как только рассвело, Анна уже ехала по дороге в Уильямсберг. На то, чтобы добраться до городка, обычно уходило полдня.

Анна была одна в коляске. Впереди на козлах сидел кучер, пустивший четверку лошадей легким галопом. От быстрой езды сзади тянулся длинный шлейф дорожной пыли.

Первые полчаса вдоль дороги тянулись поля Малверна. Откинувшись на сиденье, Анна задумчиво смотрела по сторонам. Работавшие на полях мужчины и женщины были заняты своим делом и не обращали внимания на проезжавшую мимо них хозяйку. На протяжении многих лет в Малверне выращивали только табак, что истощало землю, после нескольких урожаев поля оставляли под паром. Это требовало много времени и сил, Майкл в последние годы стал засевать половину плантации хлопком. Для южных штатов это была сравнительно новая культура, хотя спрос на нее на рынке с каждым годом возрастал.

Главная трудность в выращивании хлопка состояла в том, что процесс получения волокна оставался очень медленным и утомительным. После сбора хлопка-сырца надо было отделить от него семена. За один день каждый работник собирал не более трехсот граммов волокна. И то при благоприятной погоде.

Выращивание хлопка — от сева до сбора урожая — занимало несколько месяцев и требовало неустанного тяжелого труда. Весной, летом и вплоть до самой осени, пока на нежных стеблях не появлялись коробочки с белоснежной воздушной ватой, необходимо было ежедневно ухаживать за посевами, которые могли легко погибнуть от засухи, нашествий насекомых, от проливных дождей или града. Именно так и случилось прошлой осенью незадолго до смерти Майкла. За две недели до дня сбора урожая посевы хлопка были почти под корень уничтожены жестоким градом.

Поэтому хлопок сеяли только на половине земель Малверна. Остальные поля либо пустовали, либо на них традиционно выращивали табак. Но Майкл до самой смерти продолжал верить в то, что будущее — за хлопком, что благосостояние всего американского Юга всецело зависит именно от этой культуры. «Придет день, Анна, — любил говорить он, — когда какой-нибудь талантливый парень изобретет механический способ отделения зерен от хлопкового волокна, и тогда наша земля станет источником несметного богатства».

Милый, дорогой Майкл, думала Анна с печальной улыбкой. Он всегда видел в жизни только светлую сторону! Несомненно, это и послужило причиной огромного займа, с помощью которого он хотел поправить дела плантации после прошлогоднего недорода. Майкл, как всегда, верил в будущее и не сомневался, что без особых усилий сумеет вовремя вернуть долг. Наверное, так бы и произошло, если бы он не умер...

Но теперь Анна оказалась перед совершенно реальной угрозой лишиться Малверна. И хотя утро было теплым и мягким, от одной мысли об этом на нее пахнуло пронизывающим холодом. Нет, она не может, не должна допустить такого! Потерять землю, которую так любила! Никогда! Непременно должен быть выход. Надо только его найти. И она найдет! Ведь в ее жизни бывали и более тяжелые времена!

Анна отлично знала, что многие соседи только позлорадствуют, если она разорится или вовсе лишится плантации. В недалеком прошлом Вернеры восстановили против себя большинство фермеров в округе, дав вольную работавшим в Малверне рабам.

В сущности, главным инициатором их освобождения стала Анна. Будучи сама некогда проданной в рабство, она на себе испытала ужасы подневольной жизни. Выйдя замуж за Малкольма Вернера, она сразу же принялась склонять его освободить невольников. Прошло совсем немного времени, и Малкольм дал вольную многим рабам со своей плантации. После его смерти Анна и Майкл продолжили это дело. И теперь в Малверне не осталось ни одного невольника.

Такое поведение Вернеров отнюдь не способствовало их теплым отношениям с соседями. В подавляющем большинстве последние считали рабовладение вполне нормальным. Но Анну это не очень расстроило. Она никогда не уступала давлению со стороны, если считала себя в чем-то правой. И не собиралась впредь изменять этому правилу.

Тем временем экипаж въехал на окраину Уильямсберга. Анна гордо выпрямилась, приготовившись ко всяческим неожиданностям.

Перед отъездом из Малверна она выспросила у своего чернокожего кучера Джона все, что тот знал о Кортни Уэйне. Из работников Джон был самым осведомленным о том, что происходило в соседнем Уильямсберге, и знал все о его обитателях. Во время редких наездов туда Анны он не только сидел на козлах и управлял четверкой лошадей, но самостоятельно делал большую часть закупок для дома. Кроме того, Джон поддерживал самые дружеские отношения со всеми владельцами тамошних магазинов, съестных лавок и складов. Это давало ему редкую возможность пользоваться всевозможными уступками, бережно расходуя хозяйские деньги. И уж конечно, он был в курсе всех сплетен и слухов!

Джону не так давно стукнуло шестьдесят. Высокого роста, с представительной внешностью, он отличался образованностью и смекалкой, а также умел хорошо, даже красиво говорить. В семействе Вернеров он работал с незапамятных времен. Во всяком случае, когда Анна только появилась в Малверне, Джон считался там старожилом.

— Мастер Уэйн — личность довольно загадочная, — задумчиво ответил он на просьбу Анны рассказать все, что знает об этом человеке. — В Уильямсберг он приехал меньше года назад. О себе рассказывать не любит. Но известно, что мастер Уэйн богат. Он купил прекрасный дом под свою резиденцию, нанял большой штат слуг и помощников. Но в обществе держится особняком. Никто ничего не знает о его прошлом. Уэйн прекрасно одевается и выглядит очень импозантно. А что касается возраста, то ему скорее всего лет под сорок.

— Но где источник его состояния? Каков род его занятий?

Джон пожал плечами:

— Трудно сказать. Известно только, что мастер Уэйн — человек со средствами. Конечно, рассказывают про него всякие небылицы. Например, что он получил богатое наследство от отца. Говорят также, что нашел клад. А в остальном — все покрыто тайной.

Анна фыркнула. И это человек со средствами! Настоящий джентльмен никогда бы не воспользовался финансовыми затруднениями Майкла. И не написал той мерзкой записки, что лежит сейчас у нее в ридикюле!

Экипаж замедлил движение. Анна выглянула в окошко и посмотрела по сторонам. Они ехали по тенистой улице, обсаженной развесистыми деревьями, в конце которой начинались деловые кварталы Уильямсберга.

Около внушительного двухэтажного здания из красного кирпича на краю зеленой лужайки, тщательно подстриженной и окруженной низенькой чугунной оградой, экипаж остановился. Джон открыл дверцу и помог Анне выйти. Она расправила чуть смявшуюся во время путешествия коричневую юбку, заправила под шляпку выбившийся локон и решительно поднялась по ступенькам к парадной двери. При первом же ударе молотка дверь открылась, и на пороге возник респектабельного вида чернокожий слуга в ливрее дворецкого.

— Будьте любезны, скажите мистеру Уэйну, что Анна Вернер просит ее принять, — сказала она каким-то трескучим голосом.

— Да, миссис Вернер, — тихо проговорил дворецкий, чуть склонив голову. — Прошу вас, проходите.

Анна удивленно посмотрела на черного великана. Неужели этот самый мистер Уэйн уже ждет ее? Прижимая ридикюль с запиской к груди, она пошла через длинный холл вслед за дворецким. Тот на мгновение остановился перед высокой дверью, за которой оказалась целая анфилада комнат, и, открывая двери одну за другой, сказал кому-то:

— Пожаловала миссис Вернер, сэр.

— Проси ее, Ной, — донесся из глубины комнаты густой, глубокий бас.

Ной отступил на шаг и с поклоном пропустил Анну. Она оказалась в просторной длинной комнате. Вдоль трех стен тянулись полки с книгами. Четвертая стена представляла собой высокие, от пола до потолка окна, выходившие в сад. Оттуда долетал легкий ветерок, наполненный дурманящим ароматом множества распустившихся цветов на роскошных, со вкусом оформленных клумбах.

Все это Анна увидела мельком. Ее внимание было целиком поглощено поднявшимся из-за стола человеком. Он был высокого роста, очевидно, привыкший повелевать, с копной тронутых сединой черных волос и пронизывающим взглядом голубых глаз. На красивом лице выделялся чуть длинноватый нос.

Хозяин кабинета был одет довольно изящно. Рукава его камзола и рубашку на груди украшали тонкие кружева. Костюм состоял из бархатных до колен панталон, жилета, черных чулок и башмаков с блестящими золотыми пряжками. В первую минуту этот наряд показался Анне фатоватым. Но волевые черты лица и властный взгляд тут же убедили ее в обратном. Нет, в мистере Уэйне не было ничего от фата!

— Миссис Вернер? Анна Вернер?

Немного помолчав, он представился:

— Я — Кортни Уэйн. Не согласились бы вы разделить со мной эту запоздалую трапезу?

Уэйн жестом указал в угол комнаты, и Анна только сейчас увидела стоявший у раскрытого окна стол под белоснежной скатертью, сервированный хрустальными бокалами, фарфоровой чайной посудой и серебряными приборами. Ее лицо вспыхнуло от негодования. Неужели он всерьез думает, что она сядет за один стол с человеком, который грозится отобрать у нее имение?!

— Я приехала отнюдь не за тем, чтобы позавтракать с вами, сударь, — резко сказала Анна.

В глазах Уэйна промелькнули смешливые искорки:

— Хотя бы чашечку кофе, мадам?

— Нет, благодарю.

Анна открыла свой ридикюль и, порывшись в нем, выложила перед Уэйном злополучный вексель. Он безучастно взглянул на него и сказал:

— Надеюсь, что вы не откажетесь принять мои глубочайшие соболезнования по поводу безвременной кончины вашего супруга.

— Соболезнования? Вы считаете это выражением соболезнования? — поджав губы ответила Анна и показала на лежавшие перед ней документы.

— Ах да, — вздохнул Уэйн. — Мне очень неприятно, миссис Вернер, но я человек дела. И только из уважения к постигшему вас горю не предъявлял своих претензий ранее. А если быть более точным, то ждал целых пять месяцев. Думаю, что мое письмо было бы излишним, если бы вы вернули долг вовремя и без всякого напоминания с моей стороны.

— Я ничего не знала об этой ссуде до получения вашего письма, сударь.

— Должен ли я предположить, что ваш покойный муж не ставил вас в известность о своих финансовых операциях?

— Да, мне ни о чем не было известно.

— Понятно. — И Уэйн со вздохом развел руками.

— С какой целью мой муж взял деньги под залог? Если, конечно, это действительно имело место.

— Вы сомневаетесь, что он действительно заложил поместье? Не верите моему слову? Но разве не копию нашего договора с мистером Майклом Вернером вы сейчас держите в руках с собственноручной подписью вашего супруга, мадам! У меня есть точно такая же копия этого документа.

— Вы не ответили на мой вопрос, сударь. С какой целью мой покойный муж занял у вас деньги?

— Не имею ни малейшего понятия, мадам. Если он даже вам не сказал об этом ни слова, то что же говорить обо мне? Может быть, вы хотите знать, почему он обратился именно ко мне, а не к кому-нибудь другому? Видимо, только потому, что я поставил в известность довольно узкий круг порядочных джентльменов, что располагаю кое-какими деньгами и готов отдать их в рост. Знаю, что ростовщики считаются... гм... ну что ли, непорядочными, отвратительными людьми. Ведь так? Может быть, такая характеристика вполне заслуженна. А возможно, и нет. Я же считаю, что этот вид бизнеса вполне допустим, если он ведется честно и между порядочными людьми. То есть между джентльменами.

— Джентльменами, сударь? — насмешливо переспросила Анна, скривив губы. — Мистер Уэйн, уж вы-то, во всяком случае, не являетесь таковым!

Уэйн вспыхнул, выпрямился и показался даже выше ростом.

— Возможно, ваш покойный муж имел некоторые основания скрывать от вас свои денежные затруднения. Или наделал больших карточных долгов, а может, содержал дорогую любовницу...

Рука Анны непроизвольно поднялась и отвесила мистеру Уэйну звонкую пощечину. Но вместо того чтобы привести хозяина кабинета в ярость, этот жест гостьи, напротив, охладил его. Уэйн слегка кивнул головой и спокойно сказал:

— Возможно, я и заслужил подобное наказание. Если так, то прошу принять мои искренние извинения, мадам. Но факт остается фактом: ваш покойный супруг был мне должен приличную сумму. А поскольку я ссудил ее под залог поместья, теперь этот долг целиком и полностью перешел к вам, как к унаследовавшей Малверн. И каким бы бесчеловечным ни показалось вам мое поведение, я все же вынужден настаивать на выплате долга точно в назначенный срок.

— Но мне необходимо время, сударь! Ведь я только что узнала о том, что поместье заложено. А собрать такие большие деньги за короткий срок невозможно!

Уэйн внимательно посмотрел на Анну холодными голубыми глазами и насмешливо скривил губы:

— Все это ставит меня перед нелегким выбором. Если я откажусь отсрочить уплату долга, то буду выглядеть в ваших глазах бессердечным человеком. Если же пойду на это, то рискую потерять деньги.

— Вы не понесете никаких убытков, мистер Уэйн. Даю слово, что найду способ с вами расплатиться. Мне уже пришлось бороться за Малверн и выиграть дело. Уверена, что не проиграю его и на этот раз.

Кортни Уэйн еле заметно улыбнулся:

— Я восхищен вашей решимостью.

Анна посмотрела на Уэйна, и ей показалось, что он принял какое-то решение. Уже в следующий момент она поняла, что не ошиблась.

— Хорошо, миссис Вернер. Я могу подождать еще два месяца. Но не больше. Надеюсь, вы понимаете, что это мое последнее и окончательное условие, не так ли?

Анна утвердительно кивнула, почувствовав, как гора свалилась у нее с плеч. Стараясь унять дрожь в голосе, она сказала:

— Вы получите свои деньги, сударь, как я уже обещала.

Положив вексель и закладную обратно в ридикюль, Анна встала и хотела уйти. Но Уэйн удержал ее.

— Мое приглашение позавтракать вместе остается в силе, мадам, — сказал он. — Теперь, когда наши деловые переговоры закончены, почему бы не поговорить о более приятных вещах?

Анна почувствовала, как у нее перехватывает дыхание от негодования.

— Спасибо, но мне пора, — процедила она.

Уэйн пожал плечами:

— Как угодно, мадам. Я попрошу Ноя вас проводить.

И он позвонил в колокольчик.

Кортни Уэйн с довольной улыбкой смотрел вслед Анне Вернер. Он всегда восхищался благородными и умными женщинами. В данном случае налицо было несомненное сочетание того и другого. Большинство женщин, с которыми ему приходилось раньше иметь дело, всецело подчинялись мужчинам, даже порой испытывая при этом отвращение. Поэтому особенно приятно было встретить женщину, умевшую постоять за себя.

Такими качествами до его встречи с Анной обладала лишь Катрин, в течение трех лет бывшая женой Уэйна. Конечно, внешне эти две женщины были совсем разными. Анна, крупная и крепкая, с рыжими волосами и бледным лицом, была не похожа на Катрин — маленькую и хрупкую брюнетку. Но обеих отличали красота души и высокоразвитый интеллект.

Вздохнув, Кортни повернулся к окну. Улыбка растаяла на его лице, и он долго смотрел в сад. Воспоминания о жене всегда навевали на него печаль. Дорогая, милая Катрин... Прошло уже десять лет с тех пор, как она умерла от желтой лихорадки. И ее останки покоятся в земле на одном из островов Карибского моря...

Он никогда больше не любил ни одну женщину. Ни после смерти Катрин, ни до нее. Хотя и дал торжественное обещание жене на ее смертном одре. Тогда, дрожа от озноба под несколькими одеялами и обливаясь холодным потом, она чуть слышно прошептала:

— Кортни...

— Я слушаю, дорогая. Но, умоляю, отдохни. Тебе вредно разговаривать.

— Я должна тебе кое-что сказать перед смертью.

— Не говори так, милая, умоляю! Скоро эта мерзкая лихорадка отпустит тебя. И все будет хорошо.

— Ты никогда не лгал мне, Кортни! Не делай же этого сейчас! — сказала Катрин с глубоким упреком. — Я прекрасно понимаю, что скоро умру. А потому хочу взять с тебя обещание.

— Все, что ты хочешь, Катрин. Проси о чем угодно. Я все исполню!

— Я хочу, Кортни, чтобы после моей смерти ты нашел себе женщину и женился на ней. Мужчина не должен жить один. Обещай, что сделаешь это.

Кортни ощутил чуть заметное пожатие ее уже совсем слабой и холодеющей руки.

— Я обещаю тебе, Катрин, — прошептал он. — И не нарушу своего слова. А теперь постарайся заснуть.

Катрин погрузилась в сон, чтобы уже больше никогда не проснуться.

С тех пор прошло довольно много времени. Но Кортни Уэйн не спешил исполнить свое обещание. Ведь до сих пор он не встретил женщины, достойной памяти Катрин.

Он стоял у окна, хмурясь и досадуя на самого себя. Боже, почему такие мысли пришли ему в голову именно сейчас? И почему он все же предоставил Анне Вернер двухмесячную отсрочку для уплаты долга? Деловые люди обычно так не поступают. Да, ему стало жаль женщину, оказавшуюся в затруднительном положении. Но это ли оправдание его неожиданной мягкости? Ведь по прошествии еще двух месяцев Анна Вернер будет по-прежнему не в состоянии уплатить долг. И тогда ему все равно придется проявить твердость. В этом не могло быть никаких сомнений. Способна ли сегодня одинокая и не такая уж молодая женщина скопить за два месяца пятьсот фунтов? А если точнее, то ей придется собрать и того больше. Полная сумма долга ее покойного мужа Уэйну составляла тысячу пятьсот фунтов. И Анна должна будет выплатить ее треть, чтобы продержаться до конца года, когда будет собран урожай.

Тут мысли Уэйна неожиданно приняли совершенно иное направление. Зачем он вернулся в Виргинию вопреки данной себе клятве, что никогда больше сюда не приедет? И все же он снова здесь! Видимо, пересилила ностальгия. Правда, после смерти Катрин он долго путешествовал, объехал чуть ли не весь мир. Но чувство одиночества и бездомности преследовало Уэйна повсюду. Кортни устал от бесконечных странствий и ощутил тоску по местам, которые мог бы назвать родным домом.

Уэйн решил, что лучше всего для этого подошел бы Малверн. Заполучив его, он стал бы мелкопоместным землевладельцем, провинциальным собственником. А потому, если надо будет проявить жестокость в отношении Анны Вернер и либо получить с нее причитающийся долг, либо плантацию Малверн, то он должен, черт побери, так и поступить! И нечего миндальничать!

За спиной Кортни раздалось негромкое покашливание. Он оглянулся:

— Чего тебе, Ной?

— Прикажете подавать?

— Да... Нет... Я передумал... Что-то пока не хочется есть. Лучше принеси мне бутылку бренди.

На лице Ноя появилось выражение крайнего неодобрения. Взглянув на слугу, Уэйн дал волю накипевшему раздражению:

— Черт побери, перестань на меня так смотреть! Делай, что приказано! В конце концов, кто хозяин в этом доме?!

Всю дорогу до Малверна Анну мучили сомнения. Будь проклят этот Уэйн! Где достать деньги, чтобы с ним расплатиться и спасти плантацию? Впервые она пожалела о том, что сторонилась соседей. Многие из них были состоятельными людьми и вполне могли бы ее выручить, веди она себя по-другому. Теперь же не след ей унижаться до того, чтобы просить у них денег. Надо выкручиваться самой. Но как?

Размышления Анны стали еще горше из-за противоречивых чувств, которые она начинала испытывать к Кортни Уэйну. Бесспорно, джентльменом его не назовешь. Чуждый сострадания, бессердечный ростовщик! И все же Анна нашла Уэйна внешне очень привлекательным. Впервые после смерти мужа она почувствовала чисто физическое влечение к мужчине. Хотя то, что им оказался этот процентщик из Уильямсберга, приводило ее чуть ли не в бешенство.

Анна по собственному опыту уже знала, что мир полон внешне очаровательными и милыми проходимцами, ворами и бандитами. А потому женщине нелишне внимательно присмотреться к мужчине, с которым она заводит знакомство, попытаться проникнуть за внешнюю, порой очень обманчивую оболочку и заглянуть в душу. Но с Уэйном подобная дипломатия была бы излишней. Он и так уже выдал себя с головой.

Экипаж подъезжал к Малверну. Анна постаралась выбросить из головы все мысли о Кортни

Уэйне. И с удивлением убедилась, что это далось ей нелегко. Но все же она пересилила себя и, как всегда при виде своего дома, испытала глубокое удовлетворение. Даже когда Анна уезжала всего на несколько часов, по возвращении в Малверн ее охватывало радостное чувство. Глядя на белые колонны, словно парящие в воздухе, она с гордостью говорила себе: это мой дом!

Но надолго ли? — думала Анна. Господи, надолго ли?

С такими мрачными мыслями она открыла парадную дверь и вошла в холл. Там ее уже ждали Андрэ и Мишель.

— Мама, Андрэ сказал мне! — воскликнула Мишель, радостно обнимая мать.

— Боже мой, что он тебе сказал? — спросила Анна, высвобождаясь из объятий дочери.

— О своем разговоре с тобой по поводу нашей поездки в Париж. И о том, что ты согласна!

— Он тебе так сказал? — переспросила Анна, хмуро посмотрев на Андрэ.

Тот простодушно пожал плечами.

— Я ничего ему не обещала и не давала никакого согласия, — ответила Анна. — Просто сказала, что подумаю.

— Дитя так мечтает об этой поездке, миледи, что принимает желаемое за действительное, — пояснил Андрэ. — Поэтому Мишель немного переиначила мои слова. Не надо на нее сердиться.

— Значит, ты не согласна, мама? — упавшим голосом спросила Мишель, сразу побледнев.

— Я этого не говорила. Мне нужно время подумать.

— Если ты не согласна, я поеду одна! — воинственно заявила Мишель, гордо подняв подбородок. — И тебе не удастся меня удержать, мама!

Анна несколько секунд внимательно смотрела на дочь, испытывая восхищение и вместе с тем раздражение. Как же Мишель похожа на нее! В ее годы и Анна поражала всех неуемным темпераментом и постоянным стремлением парить в поднебесье.

— Ты, конечно, можешь убежать из дома, если тебе неймется, — устало сказала она. — Но есть одно досадное обстоятельство. Билет до Парижа стоит больших денег, доченька. Интересно, где ты собираешься их достать?

— Где-нибудь...

Почувствовав себя совсем разбитой, Анна сухо ответила:

— Если деньги так легко достать, Мишель, то подскажи мне, как это сделать. Сейчас подобный совет с твоей стороны оказался бы очень кстати.

Анна повернулась и направилась в глубь дома к своему кабинету. Андрэ бросился следом. Его лицо выражало серьезную озабоченность:

— Анна, что произошло? У вас финансовые трудности?

Анна остановилась и некоторое время колебалась, открыть ли Андрэ всю правду. Он ее верный друг и доверенное лицо уже много лет. Но в денежных делах Андрэ был простаком, особенно если речь шла об огромных суммах. Вряд ли стоит забивать ему голову ее финансовыми проблемами. Поэтому Анна улыбнулась и, взяв ладони Андрэ в свои, сказала:

— Не стоит волноваться, Андрэ. Вы с Мишель можете ехать в Париж. Я благословляю вас обоих на это путешествие.

По лицу Андрэ расплылась радостная улыбка:

— Вы это серьезно, Анна?

— Конечно, серьезно! Разве я когда-нибудь обещала что-либо в шутку? — сердито бросила через плечо Анна, уже жалея о своем импульсивно вырвавшемся согласии. — Но я требую и от вас обещания. Мне понадобится несколько дней, может, даже неделя, чтобы собрать необходимые для поездки деньги. Прошу вас и Мишель не дергать меня поминутно. Договорились?

— Разумеется, Анна! — поспешил заверить ее расцветший от радости Андрэ. — Но разве вы не поедете с нами?

— Кто-то должен остаться здесь и наблюдать за работами на плантации. И потом, зачем я вам во Франции? Идите, Андрэ. У меня очень много дел!

Анна быстро проскользнула в кабинет и плотно закрыла дверь перед самым носом Андрэ. Здесь она без сил опустилась в стоявшее у стола кресло, совсем расклеившись. Зачем надо было давать поспешное обещание отпустить дочь и ее наставника в Париж? Хотя, в конце концов, какая разница? Она либо сумеет накопить деньги, чтобы расплатиться с Уэйном, либо нет. Если это удастся, то она без труда достанет деньги для оплаты поездки Мишель и Андрэ во Францию.

Вздохнув, Анна раскрыла счетоводные книги там, где закончила накануне, и принялась проверять их. Она занималась этим всю оставшуюся половину дня. Дважды в дверь стучал Андрэ и один раз — повар, предложивший госпоже поесть. Анна с раздражением отослала обоих прочь.

Наконец, уже под вечер, она откинулась на спинку кресла: со счетами было, слава Богу, покончено! Анна растерла себе шею, продолжая уже почти машинально смотреть на последние цифры. Финансовое положение поместья оказалось даже хуже, нежели она предполагала. Наличных денег под рукой не было никаких. Кроме того, Анна обнаружила немало не оплаченных в срок счетов от владельцев магазинов и съестных лавок. А заодно убедилась, что в Малверне нечего продать, дабы выручить деньги, необходимые для уплаты долга Уэйну. По иронии судьбы в этом была виновата и она сама. Обычно срочно нуждавшийся в деньгах плантатор продавал несколько своих рабов. Анна же не могла так поступить, поскольку все ее работники были теперь вольноотпущенниками. Более того, почти половина из них работали по найму, и им необходимо было платить зарплату...

Выбора у нее не было: придется занять деньги под новый урожай, расплатиться с Уэйном и отправить Мишель с Андрэ в Париж. Анна снова пожалела о том, что столь необдуманно дала обещание дочери и ее наставнику. Впрочем, Мишель заслуживала того, чтобы использовать предоставившийся ей шанс, если твердо решила посвятить себя балету. И Анна должна сделать все, чтобы дать дочери такую возможность.

Целых три дня Анна каждое утро ездила в Уильямсберг и часами пыталась найти кредитора. Однажды на улице она столкнулась с Кортни Уэйном. Он приподнял свою треуголку и слегка поклонился. По его улыбке Анна поняла, что Уэйн не только догадался о цели ее приезда, но и осведомлен, к кому она обращалась с просьбой о займе или даже только собиралась это сделать.

К концу третьего дня безуспешных поисков денег Анну охватило такое отчаяние, что она села в экипаж и велела Джону поскорее ехать домой. Под разными предлогами ей везде отказали. Но в настоящей подоплеке подобного отношения Анна уже не сомневалась: никто не хотел давать деньги в долг женщине.

Она подумала, не поехать ли в Джеймстаун, Норфолк или в только недавно возникший неподалеку городок Ричмонд. Но, поразмыслив, отказалась от этого намерения, ибо не сомневалась: результат везде будет одинаков. Если в Уильямсберге, где хотя бы слышали фамилию Вернер, ей дали от ворот поворот, то неужели совершенно незнакомые люди отнесутся к ней доброжелательнее?

Анна чувствовала себя страшно усталой, разбитой и обескураженной. Единственное, чего ей хотелось, так это поскорее принять теплую ванну. Но, повернув к дому, она издали увидела поджидавшего ее на ступеньках парадного крыльца Андрэ. Душу Анны наполнило чувство, напоминавшее откровенный страх. Ведь через несколько минут она должна будет объявить ему и Мишель, что их поездка в Париж не состоится. Анна понимала, каким ударом станет это известие для дочери. Но чем дольше она будет откладывать неприятный разговор, тем тяжелее он будет как для Мишель, так и для нее самой.

Опередив слезавшего с козел Джона, Андрэ подбежал к экипажу, открыл дверцу и помог Анне выйти. Потом наклонился и прошептал ей на ухо:

— Перед тем как вы войдете в дом, Анна, я хочу предупредить, что вас дожидаются.

— Кто?

— Не знаю. Какой-то господин. Он сидит в холле с самого утра. Я сказал ему, что вас нет дома. Но он упрямо твердил, что дождется. Более того, заявил, что вы непременно захотите с ним встретиться. Откровенно говоря, я представить себе не могу, почему он в этом так уверен. Должен заметить — очень неприятный тип!

И Андрэ скорчил страшную гримасу.

— Как его зовут? — спросила Анна.

— Жюль Дейд.

Она нахмурилась, чуть подумала и медленно покачала головой:

— Я никогда не слышала этой фамилии. Все же, думаю, надо будет хотя бы посмотреть на него. Тем более что он столько времени прождал.

— Если вы считаете, что это необходимо...

Андрэ пожал плечами:

— Я предложил ему подождать в дальней гостиной. От греха подальше. На всякий случай, пока вы станете с ним говорить, я буду неподалеку. Кто знает, может быть, вам понадобится помощь...

Анна прошла в дальнюю гостиную. Как только она открыла дверь, с дивана поднялся маленький тщедушный человек, одетый во все коричневое. Он сделал шаг навстречу хозяйке и снял шляпу, под которой оказался парик мышиного цвета. Двигался Дейд мягко и очень осторожно. Но при этом во всем его теле ощущалась какая-то скрытая нервозность. Лицо было широким и флегматичным. На вид Анна дала бы ему около пятидесяти лет.

— Миссис Анна Вернер? — глухо спросил гость.

Анна посмотрела ему в глаза. Они были серыми, скорее бесцветными. И ледяными. Анна почувствовала, как по ее телу невольно пробежала дрожь.

— Да, я Анна Вернер, — твердо и энергично произнесла она.

— А я — Жюль Дейд.

Он преклонил колено и сделал движение, как будто намеревался подмести пол своей треуголкой.

— Ваше имя мне неизвестно, мистер Дейд. Вы новичок в Виргинии?

— Я только недавно приехал в Уильямсберг, мадам. Но родом из этого штата. Долгое время занимался морскими перевозками в Норфолке. Затем отошел от дел.

— Все это очень интересно, сударь, — ответила Анна, — но вы не могли бы сказать о цели вашего визита?

— О да! — воскликнул Дейд, заложив руки за спину. — Я приехал, чтобы предложить вам свои услуги, мадам Вернер.

— Услуги? — удивленно спросила Анна, с подозрением глядя на гостя. — Какие?

— Мне стало известно, что вы ищете заимодавца, мадам, и я...

— Откуда вы об этом узнали? — остановила его Анна.

— А! — Дейд улыбнулся, обнажив ряд ровных белых зубов. — У меня есть свои источники информации. В настоящее время я занимаюсь предоставлением займов. Располагая вполне приличными средствами, я при любой возможности ссужаю деньги под умеренные, но все же выгодные для себя проценты. Мне известно, что ваши поиски кредитора пока закончились ничем.

— Вы, похоже, неплохо осведомлены о моих делах, сударь!

Дейд пропустил это ехидное замечание мимо ушей и продолжал:

— Миссис Вернер, я готов предоставить вам заем на очень великодушных условиях. Всего лишь под три процента годовых.

Он осклабился, хотя глаза по-прежнему остались холодными:

— Подумайте только: три процента! Вряд ли вам удастся найти что-нибудь более выгодное.

Несмотря на то что этот человек продолжал казаться Анне подозрительным, ее сердце радостно забилось, ибо предложение Дейда означало реальную возможность разом покончить с проблемой денег.

— Неужели только три процента? — переспросила Анна. — И ничего больше?

— Что ж, — ответил Дейд, переминаясь с ноги на ногу и продолжая держать руки за спиной. — Я хотел бы получить право на арест вашего имущества в случае неуплаты долга. Точно такое же, как у Кортни Уэйна, желающего наложить лапу на Малверн. Но в нашем с вами случае это условие будет чистой формальностью.

— Вы знаете мистера Уэйна?

— Мне кое-что о нем известно, мадам.

— Но дополнительное условие, которое вы... — с сомнением начала Анна, но Дейд тут же прервал ее.

— Вам нечего опасаться! — вкрадчиво сказал он. — Это просто защита от риска. Так поступают все заимодавцы. У меня же нет никаких сомнений, что вы сполна и в срок выплатите мне долг. У вас репутация честного и надежного партнера. Но давайте на секунду допустим, что с вами вдруг... что-то случится. Боже сохрани вас от этого! И все же, на всякий случай я хотел бы иметь гарантию, что мои деньги будут так или иначе возмещены... Вы согласны?

— Что ж, полагаю, другого выхода из создавшегося положения просто нет, — медленно проговорила Анна.

Где-то в глубине глаз Дейда на долю секунды вспыхнул живой огонек. Но тут же погас.

— Я боюсь, — спокойно ответил он, — что другого выхода действительно не существует. И вам следует воспользоваться моим предложением. В конце концов это бизнес. А бизнес всегда подразумевает какой-то риск. Да, бывают случаи, когда люди ссуживают друг друга деньгами из чисто дружеских побуждений. Но когда речь идет о деловых отношениях, бескорыстие неуместно. — Дейд широко развел руками и добавил: — Подумайте над моим предложением, мадам. Заметьте, что наше соглашение не предусматривает пункта о ежемесячной выплате части долга. Я сам плантатор и знаю, что ваше состояние зависит от урожая. Только собрав хлопок, вы сможете начать расплачиваться. А это произойдет не раньше осени. Но до той поры я не потребую от вас ни цента. Разве это не справедливо?

— Не знаю, — задумчиво сказала Анна.

Она отвернулась от Дейда и долго смотрела через раскрытое окно на поля Малверна, простиравшиеся чуть ли не до самого горизонта. Не подведут ли они ее? Затем снова повернулась к гостю. Что-то неприятное и даже отталкивающее было в Дейде. Но что именно — она не могла понять. Анна вообще неприязненно относилась к ростовщикам. Именно поэтому ей не нравился и Кортни Уэйн.

Решение пришло сразу. А с ним — и доверие к кредитору. Пожалуй, она согласится с его предложением!

— Хорошо, мистер Дейд, — твердо сказала Анна, почему-то перед этим оглянувшись по сторонам. — Я принимаю ваши условия.

— Прекрасно, мадам, прекрасно! — воскликнул Дейд, потирая руку. — Вы не пожалеете, я уверен.

Спустя несколько минут необходимые документы были подписаны. С договором в руках Анна открыла дверь гостиной и в меру вежливо выпроводила Жюля Дейда из дома.

Закрыв парадную дверь, Анна повернулась и громко позвала:

— Мишель! Андрэ!

Как по мановению волшебной палочки Андрэ возник из бокового коридора:

— Слушаю вас, миледи.

Сверху по лестнице сбежала Мишель:

— Да, мама?

— Укладывайтесь! Как только я закажу билеты, отправляйтесь во Францию!

Глава 3

На обратном пути из Норфолка, где Анна посадила Мишель и Андрэ на отплывающий во Францию корабль, она попросила Джона завернуть в Уильямсберг. Ей хотелось поскорее встретиться с Кортни Уэйном и вернуть ему долг. Этот человек почему-то упорно не выходил у Анны из головы. Наверное, уверяла она себя, из-за проклятого долга... Отдав деньги, думала Анна, она сразу же забудет и самого кредитора. И тогда можно будет всецело заняться сбором суммы, необходимой для расплаты уже с Жюлем Дейдом.

Когда слуга Уэйна открыл дверь на ее стук, Анна заявила, что сама доложит хозяину о своем приходе. Ной посмотрел в глубь холла и неуверенно сказал:

— Мастер Уэйн сейчас занят, миссис Вернер. Может быть, вы зайдете попозже?

Анна проскользнула за его спиной и небрежно бросила слуге через плечо:

— Это невозможно! Я живу достаточно далеко отсюда. Уверена, что мистер Уэйн не откажется принять меня, если узнает, по какому важному и неотложному делу я пришла.

При виде нарастающего волнения, отразившегося на лице слуги, Анна повысила голос. Но тут одна из дверей в холле открылась, и на пороге появился сам Кортни Уэйн, торопливо приводя в порядок одежду. Его волосы были растрепаны, лицо побагровело. Анне показалось, что за плечом хозяина дома мелькнуло чье-то бледное лицо. Кортни быстро закрыл дверь, но она успела заметить метнувшуюся в глубь комнаты обнаженную до пояса женскую фигуру.

— Что происходит, Ной? — спросил Уэйн.

При виде Анны он удивленно остановился и произнес, чуть наклонив голову:

— О, миссис Вернер! Рад вас видеть, мадам!

В душе Анна почувствовала некоторое удовлетворение, заметив на лице Уэйна смятение. В их прошлую встречу в его глазах можно было прочитать только крайнее раздражение. Но, подойдя поближе к нежданной гостье, он уже вполне овладел собой.

— Я должна извиниться, мистер Уэйн, за то, что оторвала вас от, по-видимому, очень важного дела, — с насмешкой сказала Анна.

Но Уэйн ответил совершенно спокойно, как ни в чем не бывало:

— Чем могу быть вам полезен, миссис Вернер?

— Я приехала вернуть вам первую часть своего просроченного долга, мистер Уэйн.

— Неужели? — удивленно спросил Кортни, приподняв брови. — Тогда не лучше ли нам будет поговорить у меня в кабинете? Может быть, хотите чаю, миссис Вернер? Или рюмку вишневки?

— Нет, спасибо.

Кортни взял Анну под руку, и она невольно вздрогнула, хотела было отстраниться, но почему-то не сделала этого. Уэйн сам отпустил ее локоть, отпирая дверь в кабинет и приглашая гостью войти.

Уэйн повернулся, чтобы закрыть дверь. Анна открыла ридикюль и вынула деньги. Когда Кортни подошел, она уже заканчивала их считать.

— Думаю, что здесь вся сумма первого платежа, — холодно сказала Анна. — Не угодно ли дать мне расписку?

Уэйн удивленно посмотрел на нее, почти машинально принимая деньги:

— Боюсь, что я не совсем понимаю, миссис Вернер. Как вам удалось?.. — Он неожиданно улыбнулся. — Вы, наверное, нашли тайник, где ваш покойный муж припрятал деньги?

Теперь настал черед удивиться Анне. Ей никогда даже в голову не приходила мысль, что Майкл мог скрывать от нее какие-то деньги. Неужели такое было возможно? Не раздумывая она честно сказала:

— Нет. Никаких денег я не находила, сударь. Просто заняла нужную сумму.

— Заняли? Но, насколько мне известно, никто не согласился предоставить вам заем. Разве не так?

— Вы, видимо, немало обо мне наслышаны, мистер Уэйн, — раздраженно ответила Анна. — Но все же вам известно не все!

— Возможно, это и так, — сказал Уэйн с грустной улыбкой. — Но я готов держать пари, что...

— Что никто не решился бы ссудить деньги женщине? — закончила за него Анна. — Вы это имеете в виду, сэр?

— Да. Мне казалось, что такое просто невозможно. Ни под какие проценты.

— И снова ошиблись.

— Видимо, так.

— Очевидно, вы невысокого мнения относительно деловых способностей женщин, сударь.

— Вы должны признать, мадам, что наше общество обычно не готовит женщин для подобного рода деятельности.

— Но ведь бывают исключения, — гордо заявила Анна. — Одним из них я имею смелость назвать себя.

— Все же... — Уэйн еще раз взглянул на пачку денег, которую держал в руке. — Все же мне трудно поверить, что какой-нибудь тупоголовый делец в Уильямсберге мог поступиться принципами и ссудить такую большую сумму денег женщине!

Тут Уэйн поднял голову и хитро посмотрел на гостью:

— Я, кажется, понял! Близкий и верный друг... Не так ли?

— Нет, не так. Вы снова ошиблись. Видимо, мистер Дейд больше верит в деловые способности женщин, нежели вы, сударь.

— Дейд? — переспросил Кортни, и его взгляд сразу же сделался острым как бритва. — Уж не Жюль ли Дейд?

— Совершенно верно.

Лицо Уэйна помрачнело, и он сказал с тревогой в голосе:

— Миссис Вернер, вы совершили огромную ошибку. Жюль Дейд — человек крайне дурной репутации. Он не брезгует никакими средствами, у него нет ни принципов, ни совести. Нажил богатство на ростовщичестве. При этом чужд всяких понятий об элементарной честности и морали.

Анна почувствовала, что оспорить подобную характеристику довольно трудно. Однако ее тут же охватило негодование:

— Он мне таким не показался, сударь!

— О да! — насмешливо хмыкнул Уэйн.

Но ухмылка Уэйна только распалила Анну.

— Вы не слишком уважаете женщин, мистер Уэйн, не так ли? — прошипела она, с ненавистью глядя на Кортни.

— Мадам, вряд ли другой мужчина может потягаться со мной в уважении и преданности прекрасному полу.

— Пока я вижу нечто обратное, сударь, — холодно парировала Анна. — Несколько минут назад за вашим плечом я ненароком заметила женское лицо. И мне показалось, ваше отношение к этой девице продиктовано отнюдь не чувством уважения. Вы лишаете женщин права мыслить и вести дела наравне с мужчинами. Что ж, я должна открыть вам, что однажды уже управляла Малверном. И не без успеха. Готова продолжить это занятие. Возможно, тогда вы измените свой взгляд на прекрасную половину человечества.

Уэйн задумчиво посмотрел на гостью:

— Вы можете не поверить, миссис Вернер, но я надеюсь, что так и будет. Говорю вам совершенно откровенно.

Анна несколько успокоилась и почти миролюбиво сказала:

— Одного я никак не могу взять в толк, мистер Уэйн. Вы уверяете, что не знаете, зачем моему покойному мужу понадобились такие большие деньги. Но почему он пришел за ними именно к вам? Я уже задавала этот вопрос в прошлый раз. Повторю и сегодня: почему Майкл Вернер избрал Кортни Уэйна своим кредитором?

— А я еще раз отвечу вам, миссис Вернер, что понятия не имею, какие соображения заставили его это сделать.

— Вы были прежде знакомы с Майклом?

— Нет, мадам. Я никогда до этого его не встречал. — Уэйн холодно посмотрел на Анну и спросил: — Вам ни разу не приходила в голову мысль, мадам, что мистер Вернер мог обратиться ко мне, ибо не хотел иметь никаких дел с мошенниками или бандитами вроде Жюля Дейда?

Анну вновь охватило негодование. Она со злостью посмотрела на Уэйна и выпалила:

— Я не вижу между вами никакой разницы, сударь!

— Думаю, со временем увидите, — бесстрастно ответил Кортни.

— Следующую часть долга я верну в срок, мистер Уэйн. Не сомневайтесь!

***

После ухода Анны на Кортни нахлынула непонятная меланхолия. Настроение сразу испортилось.

Действительно ли ему так досаждал Дейд? Уэйн думал, что тот все еще живет в Норфолке. Оказывается, он ошибался! Неужели Дейд переехал в Уильямсберг, узнав, что он, Кортни Уэйн, решил там обосноваться? Неужели до конца своих дней ему не удастся избавиться от этого Божьего наказания по имени Жюль Дейд? Вместе с тем Кортни интересовало и еще кое-что. Почему Дейд ссудил большую сумму денег Анне Вернер?

Ответ на этот вопрос напрашивался сам собой. Дейд жаждал респектабельности. А что могло бы лучше придать ему уважения, внушить почтение, чем владение такой плантацией, как Малверн? Предоставив крупную сумму Анне Вернер под залог плантации, Дейд, возможно, рассчитывал стать хозяином Малверна, если его владелица не сможет вовремя вернуть ему долг.

А ты сам не думал ли поступить точно так же всего несколько дней назад, подумал Кортни. Досадная гримаса исказила его лицо. Да, это так. Но лишь до той поры, пока он лучше не узнал Анну Вернер. После этого его умысел потерял для Уэйна всякую привлекательность. Так или иначе, но Анна, с ее огненным темпераментом и раздражающим упрямством, начинала ему нравиться. И он от души хотел ей добра. Его пожелания, несомненно, пригодятся, коль скоро Анна связалась с Жюлем Дейдом.

Кортни почувствовал, как его начинает душить ярость. Он встал, вышел из кабинета и спустился вниз, в комнату, в которой его врасплох застала Анна.

Почему Уэйн думал об Анне, когда в комнате его с нетерпением ждала очень миловидная девица, хотя и не совсем строгих правил?

— Слава Богу, ты пришел! — раздался голос полулежавшей на софе Бет Джонсон, как только Кортни открыл дверь. — Я уж думала, Корт, что не дождусь тебя!

— Извини, Бет, — сказал Уэйн, медленно освобождаясь от одежды. — Мне пришлось решать очень нелегкий деловой вопрос.

Бет Джонсон, как и Анна Вернер, недавно овдовела. Ее муж умер примерно в то же время, что и Майкл. Но, в отличие от Анны, Бет недолго оплакивала его смерть. Легкомысленная и похотливая, она больше всего на свете любила нежиться с кем-нибудь в постели. «Мой так называемый муж, — не раз говорила она Кортни, — был холоден, как рыба. Я вышла за него еще совсем девчонкой. И не знала, что такое настоящий мужчина, пока не овдовела...»

При других обстоятельствах Бет можно было бы назвать заурядной шлюхой. Но, по счастью, она получила от покойного мужа солидное наследство, заключавшееся в недвижимости, которое приносило неплохой доход. Поэтому Бет могла позволить себе быть разборчивой в отношениях с мужчинами.

Бет не только была неподражаема в постели, но и никогда ничего не требовала от своего партнера. Поэтому Кортни Уэйн был более чем доволен своей любовницей. Несмотря на данное Катрин обещание, он был далеко не уверен, что когда-нибудь снова женится. Но темперамент не давал ему покоя. А потому такая женщина, как Бет Джонсон, пришлась очень кстати.

Раздевшись, Кортни лег на софу рядом с Бет, которая тут же заключила его в объятия.

— Итак, на чем мы остановились, когда нас столь бесцеремонно прервали? — спросил он.

— На чем мы остановились? — переспросила Бет, залившись звонким смехом. — Постой, дай-ка вспомнить. Ага! Последняя поза была... Была вот такая!

И она показала, какая именно.

— Вот-вот! Именно так! Это просто замечательно!

***

Всю дорогу до Малверна Анна продолжала кипеть от злости. Сколько в этом Уэйне омерзительного чванства, самонадеянности и снобизма! И все только потому, что она — женщина! Кортни Уэйн вообразил, что имеет дело с глупенькой, пустоголовой дамочкой, совершенно неспособной к управлению имением. Мужчины, видимо, вообще считают, что женщина может быть полезной только на кухне и в постели! Даже Майкл не был лишен подобных предубеждений. Но в нем это было не так сильно развито, как у большинства мужчин. А она не только успешно управляла плантацией, но даже сумела с помощью Андрэ открыть и содержать в Бостоне таверну. Это заведение под названием «Великолепная четверка» пользовалось в городе большой популярностью...

Она может снова взять в свои руки управление Малверном. И непременно это сделает! Но у нее как-никак и так тридцать работников, которых надо кормить и одевать. Плюс десять человек домашней прислуги. Кроме того, предстоит выплатить долги по двум значительным займам. Увольнять же Анна никого не хотела. Все работники были неграми. А она, как никто другой, знала, что для чернокожего найти любую работу практически невозможно.

Особенно в Виргинии, где на вольноотпущенников смотрели как на изгоев. Анна чувствовала себя ответственной за судьбу своих людей.

По мере приближения к Малверну настроение Анны понемногу изменилось. Негодование после разговора с Уэйном утихло. Но ее охватили сомнения. Ведь она собиралась взвалить себе на плечи чудовищную тяжесть. И теперь далеко не была уверена в том, что сможет выдержать такую ношу. Ее не пугало управление плантацией. Здесь у Анны затруднений не будет. Но вдруг все пойдет из рук вон плохо, и она не сможет выйти из такой ситуации? Например, случится недород? Никто не в силах заранее предотвратить такое несчастье...

Но было и еще кое-что. Из головы Анны не выходило предостережение Кортни Уэйна относительно Жюля Дейда. Если этот человек ненадежен и бесчестен, как утверждает Уэйн, то что ей делать? Ко множеству других проблем теперь прибавится и эта...

Анна никогда не принимала быстрых и необдуманных решений. Но сейчас в ней крепла уверенность, что не все она сделала правильно, не до конца продумала. Неожиданная смерть мужа и открывшиеся огромные долги, которые надо было выплачивать, да еще деньги на поездку в Париж дочери и Андрэ — все это, несомненно, пагубно скажется на семейном бюджете. И результат может быть плачевным.

Что ж, ей приходилось рисковать чуть ли не всю жизнь. И пока из всех передряг Анна выходила победительницей. Удастся ли ей выиграть на этот раз?

Чтобы на время позабыть о своих проблемах, Анна вспомнила о странной, необъяснимой смерти мужа. С тех пор прошло уже полгода, и только теперь она могла размышлять о происшедшей трагедии более или менее объективно.

Майкл возвращался из Уильямсберга. Вместо того чтобы нанять экипаж, он почему-то поехал верхом. Говорили, что в тот день, закончив свои дела в городе, после полудня он поехал в Малверн и по дороге остановился у своей любимой таверны промочить горло. Анна говорила с хозяином заведения, который поклялся, что ее покойный муж пропустил тогда всего-навсего два стаканчика. Но сейчас, анализируя прошлое, Анна припомнила, что в разговоре с ней хозяин увиливал от прямых ответов. Не означало ли это, что Майкл был вдребезги пьян, когда выезжал из таверны?

Никто не мог сказать, что произошло с Майклом потом. Из таверны он выехал, когда уже стемнело, и предположительно направился в Малверн. Его тело было обнаружено случайным верховым милях в пяти от Уильямсберга в глубокой канаве, тянувшейся вдоль дороги. Чуть поодаль мирно щипал траву его любимый вороной жеребец. У Майкла была сломана шея. И прибывший на место трагедии констебль после внимательного осмотра тела пришел к выводу, что Майкл не смог справиться с почему-то взбунтовавшимся животным, которое сбросило седока на землю, и убился насмерть. На голове у него оказалась огромная шишка, которую констебль также объяснил ударом при падении.

Трудно было поверить, чтобы лошадь могла сбросить Майкла, который, как и Анна, единодушно считался искусным наездником. Такое могло произойти только, если он был сильно пьян. Вороной был горяч, а Майкл единственный среди местных наездников умел с ним ладить. Конечно, могло случиться, что он не смог почему-то справиться с лошадью. Но точно установить это было невозможно. Ведь Майкл ехал один, и никто не видел, как все произошло. Выслушав предположение Анны, что кто-то подло напал на ее мужа, констебль отрицательно покачал головой. И, наверное, был прав: во всей округе не было никого, кто ненавидел бы Майкла Вернера. Во всяком случае, до такой степени, чтобы пойти на убийство.

Анна тяжело вздохнула, когда экипаж повернул на ведущую к дому аллею. Огромный дом показался ей пустым и одиноким. За двадцать лет она привыкла к веселому смеху Майкла, счастливой беготне маленькой Мишель и неподдельному остроумию Андрэ. Теперь все это кануло в прошлое. А с отъездом дочери и ее наставника рядом вообще не останется никого, кроме слуг. На мгновение Анна пожалела о том, что не сможет уехать вместе с Мишель и Андрэ.

Усилием воли Анна заставила себя выбросить из головы мрачные мысли и стряхнула меланхолию, решив более не поддаваться чувству жалости к себе. Ей предстояло слишком много дел в наступающем году, чтобы предаваться унынию и позволить себе страдать от одиночества...

Экипаж остановился у парадного подъезда, и Джон спрыгнул с козел, чтобы помочь хозяйке выйти.

— Джон, — сказала Анна, — будьте добры, отведите лошадей на конюшню, задайте корма и напоите, а потом поднимитесь ко мне в кабинет. Надо поговорить.

— Слушаюсь, госпожа, — ответил Джон, наклонив голову.

Когда через некоторое время он пришел в кабинет, Анна предложила ему сесть и принялась подробно объяснять сложившееся положение. Она не утаила ничего, кроме своих подозрений о том, что Майкл, возможно, проиграл в карты большую сумму денег. И только спросила:

— Скажите, Джон, вы, часом, не знаете, что побудило моего покойного супруга залезть в столь чудовищный долг?

— Мастер Вернер никогда не обсуждал со мной деловых вопросов, госпожа.

Анне показалось, что в глазах Джона мелькнул какой-то странный огонек. Но она сделала вид, что ничего не заметила.

— Этот Жюль Дейд... Что вы о нем знаете?

— Ничего хорошего не могу сказать вам, госпожа. Хотя боюсь, что мое мнение об этом человеке не вполне объективно. Ведь мастер Дейд — работорговец. Или был им.

— Да, вы не ошибаетесь. Именно таким способом он нажил состояние.

— Я это понял. О, сам он в Африку не ездил. Но на принадлежавших ему кораблях оттуда привозили моих соплеменников. А здесь мастер Дейд продавал их на невольничьих рынках.

— Значит, деньги, которые я у него заняла, пахнут кровью?

— Госпожа, это можно сказать почти о всех деньгах, ходящих сейчас в Виргинии. Ведь хозяйство штата целиком зиждется на работорговле и использовании подневольного труда.

Анна удивленно посмотрела на Джона. Она не помнила, чтобы прежде он позволял себе так откровенно высказываться о рабстве. И поняла, сколько глубоких обид давно скопилось в душе этого человека.

— Скажите, Джон, вы действительно из тех несчастных, кто проклинает свой жребий?

Джон бросил на Анну саркастический взгляд:

— Если сравнивать выпавшую мне долю со многими другими, то она и впрямь может показаться не такой уж горькой. Во всяком случае, я никогда не позволю себе осуждать вас, госпожа. Это было бы черной неблагодарностью! Не важно, что я думаю вообще о рабстве. Вы дали нам волю. И не только это: благодаря вам все мы имеем хорошую работу. А Бесс перед смертью рассказала мне, сколько сил вы потратили, чтобы добиться ее освобождения. И еще поведала кое-что о вашей личной жизни. О том времени, когда вы были рабой Амоса Стритча.

На мгновение на лицо Анны набежало облачко грусти. Негритянка Бесс тоже была рабыней Стритча и работала на кухне в его таверне. Когда Малкольм Вернер выкупил Анну, она настояла и на выкупе Бесс. С тех пор они стали близкими подругами и оставались таковыми до самой смерти старой негритянки три года назад.

Анна горестно вздохнула и снова попыталась вырваться из цепкой хватки меланхолии, упорно не покидавшей ее.

— Если мне не удастся выплатить долги и выкупить Малверн, то здесь уже ни для кого не будет никакой работы. Это как раз то, что я хотела бы подробно обсудить с вами, Джон. Считаете ли вы, что мне следует поискать надсмотрщика?

— Надеюсь, вы не намерены решать все дела плантации самолично? — медленно проговорил Джон. — Если так, то я бы высказался против, госпожа.

— Почему?

— Работники, особенно мужчины, не привыкли получать распоряжения и указания от женщины. Даже если они будут исходить от вас, хозяйки поместья, передавать их работникам следует мужчине.

— Вы имеете в виду, что они охотнее выполняли бы приказания мужчины, нежели женщины?

— Совершенно верно.

— Почему? — спросила Анна, едва сдерживая раздражение.

— Так заведено издавна, госпожа, — ответил Джон, пожимая плечами.

— Но после смерти Майкла я осталась единственной хозяйкой в Малверне. И все работники плантации признали меня. Уже не говоря о домашней прислуге.

— Хозяйка дома вправе лично распоряжаться в своем доме.

— Но не на плантации? — с горечью сказала Анна. — Но, думаю, вы правы, Джон. Вы знаете всех, кто работает в поле. Скажите, есть ли среди них такой, кто мог бы занять место надсмотрщика?

— Нет, госпожа, — с уверенностью ответил Джон. — Никто из нас не может стать им. Это место для белого человека.

— Но Генри был чернокожим. И все работники подчинялись ему.

— Генри — это Генри. Такие, как он, наперечет. Я сейчас думаю о других плантаторах. Вы же знаете, что они не признают черных надсмотрщиков.

— Меня их мнение не интересует!

— Но вас оно должно интересовать, госпожа, — мягко возразил Джон. — Ведь это в порядке вещей. Или вам не довольно неприятностей из-за долгов, чтобы наживать себе еще и врагов среди соседей?

Плечи Анны бессильно опустились, и она тихо прошептала:

— Я знаю, что вы правы, Джон. Но все же... — Анна выпрямилась и уже другим, твердым голосом спросила: — Вы не знаете кого-либо из белых, кто согласился бы на эту работу?

Несколько мгновений Джон молчал, внимательно глядя на Анну. Затем отвел глаза в сторону и сказал:

— Я вроде бы слышал об одном человеке. Правда, не знаю, где он сейчас, но постараюсь разузнать. Но вы не должны никому говорить, что это я вам посоветовал взять его на службу.

Уже часа через четыре Анна беседовала в своем кабинете с неким Натаниэлем Биллсом, рекомендованным Джоном. Ему было чуть за тридцать. Кандидат в надсмотрщики был верзилой под два метра ростом. Его черные глаза горели огнем, лицо поражало почти классической красотой. На Натаниэле были высокие сапоги для верховой езды и костюм из грубой ткани. В правой руке Биллс держал хлыст, которым машинально постукивал себя по бедру. Прибыл он верхом на крупной лошади серой масти.

Натаниэля провели в кабинет Анны, которая с улыбкой поднялась ему навстречу из-за стола. Биллс бросил на свою новую госпожу оценивающий мужской взгляд, в котором было столько же смелости, сколько и откровенной дерзости. Анна почувствовала себя неловко, но поняла, что понравилась этому красивому мужчине. И это было приятно...

Они сидели за столом и пили чай. Чашечка из тонкого китайского фарфора тонула в большой ладони Биллса. А глаза продолжали внимательно изучать Анну. Она почувствовала, что краснеет, и поспешила начать деловой разговор:

— Вам известно, мистер Биллс, что у меня на плантации работают не рабы, а свободные люди?

— Я об этом слышал, миссис Вернер.

— И к ним надо относиться не так, как к невольникам.

— Пока они будут старательно и хорошо выполнять порученную работу, проблем не будет, — ответил Биллс, слегка пожав плечами.

— У вас есть опыт работы надсмотрщиком?

— Я прослужил в этой должности десять лет, миссис Вернер. В южных штатах. — И он выразительно посмотрел на Анну.

— Почему же сейчас оказались без работы?

— Из-за прошлогоднего недорода. Хозяева плантации, где я служил, были вынуждены продать почти всех своих рабов и уволить наемных работников.

Все это Анна уже знала от Джона. По его сведениям, Натаниэль Биллс пользовался репутацией хорошего, хотя и очень жесткого надсмотрщика, умевшего заставить работников прилежно трудиться. Действительно, плантации, на которых он работал раньше, неизменно процветали. Что же касается прошлогоднего неурожая, то искать виновных было бы глупо. Единственным недостатком Биллса называли его упорное нежелание долго задерживаться на одном месте. Ни на одной плантации Натаниэль не работал больше года. После этого его охватывало необъяснимое беспокойство, и он уходил.

— Я не смогу заплатить вам, пока мы не соберем и не продадим нового урожая, мистер Биллс, — предупредила его Анна. — И хочу быть с вами предельно откровенной. В настоящий момент я испытываю большие финансовые затруднения. Но после продажи хлопка вы получите все сполна. Это я вам обещаю.

Натаниэль снова пожал плечами:

— Сейчас мне нужен лишь кров и относительно приличный стол, миссис Вернер. До начала сбора урожая уже недалеко, и я обещаю работать с раннего утра до поздней ночи.

— Меня несколько тревожит лишь одно... — неуверенно начала Анна.

— Что именно, миссис Вернер?

— Ваш хлыст. Мне приходилось видеть такого рода орудия устрашения в руках надсмотрщиков, наводивших с его помощью дисциплину среди рабов, когда те бывали чем-то недовольны и отказывались повиноваться.

— Этот хлыст? — переспросил Натаниэль, поднимая руку с орудием устрашения и смотря на него так, будто впервые увидел. — У меня просто вошло в привычку везде таскать его с собой, миссис Вернер, — рассмеялся он. — Но я никогда и никого им не бью.

— Очень приятно это слышать, мистер Биллс. Я не позволяю бить своих людей. Если же кто-то проявит непослушание или недисциплинированность, скажите об этом мне. Понятно?

Черные глаза Биллса вновь принялись обшаривать Анну. Прошло несколько мгновений, прежде чем он ответил:

— Если мне будет доверено стать надсмотрщиком на вашей плантации, миссис Вернер, то я хотел бы иметь полномочия уволить любого работника, доставляющего хлопоты или недобросовестно выполняющего свои обязанности.

Анна утвердительно кивнула головой:

— Считайте, что вам уже даны такие полномочия, мистер Биллс. Я только не хочу, чтобы в Малверне к людям проявляли жестокость.

И она поднялась из-за стола, давая понять, что разговор окончен.

— Мы еще встретимся, мистер Биллс. Джон, мой кучер, проводит вас в вашу комнату. Надеюсь, что наша совместная деятельность пойдет на пользу плантации и всем ее обитателям.

Анна пошла вперед и проводила гостя до парадной двери. В этот момент со стороны аллеи раздался стук колес и к дому подкатил экипаж, запряженный лоснящимися, ухоженными лошадьми. Кучер соскочил с козел и услужливо открыл дверцу. Из кареты высунулась нога в новом дорогом сапоге, нащупывая подножку, затем рука, обхватившая ладонью скобку над дверью экипажа. И наконец — сам пассажир. Это был Кортни Уэйн. Он приподнял чуть примявшуюся шляпу, поправил одежду и направился к подъезду.

Выходивший из дверей дома Натаниэль вдруг повернулся спиной к подъехавшему экипажу, явно намереваясь что-то сказать провожавшей его хозяйке.

— Да, мистер Биллс? — спросила его Анна.

— Я с удовольствием буду трудиться на вашей плантации, миссис Вернер. И не сомневаюсь в успехе.

Он шаркнул ногой, взял руку своей новой хозяйки и поднес к губам. Анна непроизвольно бросила взгляд на другого мужчину, поднимавшегося по ступеням. И вдруг почувствовала какое-то удовлетворение оттого, что тот остановился на середине лестницы и с удивлением смотрит на Натаниэля Биллса, целующего ее руку.

Постояв несколько мгновений, Уэйн сделал еще два шага вперед, поднялся на верхнюю ступеньку и, сделав вид, будто только что увидел Биллса, повернулся к нему лицом.

— Мистер Натаниэль Биллс, позвольте представить вам господина Кортни Уэйна, — сказала Анна. — Мистер Уэйн, это мой новый надсмотрщик Натаниэль Биллс.

Пока мужчины пожимали друг другу руки, Анна успела уловить сразу же возникший между ними холодок. Она невольно смутилась и только спустя несколько мгновений догадалась, что причиной этой неожиданно возникшей взаимной неприязни двух впервые встретившихся людей была она сама...

Глава 4

Ровный деревянный пол закачался под ногами у Мишель. Она не успела уцепиться за спинку наглухо привинченного стула и, пролетев через весь салон, с такой силой ударилась о противоположную стену, что из глаз брызнули слезы. Андрэ же, сидевший на низенькой скамейке подле двери, вдруг скользнул куда-то в сторону, выпустив из рук концертино. Инструмент упал на пол с низким, жалобным стоном.

Когда огромный корабль снова занял устойчивое положение, Мишель неожиданно услышала чей-то смех. Она оглянулась и через распахнувшуюся дверь увидела молодого человека, который стоял у входа в салон и заливался смехом.

Горячая волна стыда и негодования захлестнула девушку. Она терпеть не могла представать перед кем-либо в смешном или просто невыгодном для себя виде, как и в репетиционном костюме. А тут еще боль в плече от удара о стенку каюты!

Мишель поднялась на ноги и посмотрела на невесть откуда взявшегося свидетеля ее невольного полета. Это был довольно молодой человек, возможно, всего на несколько лет старше ее самой. Его русые волосы переливались в лучах висевшего под потолком коридора фонаря.

Чем больше он смеялся, тем сильнее закипала ярость в душе Мишель.

— Послушайте, сэр! — воскликнула она. — Вас никогда не учили элементарным правилам приличия?! Как вы смеете за мной шпионить? Стыдитесь!

Молодой человек согнулся вдвое, стараясь сдержать новый приступ смеха.

— Прошу извинения, мисс, — задыхаясь, проговорил он, — но это было замечательно! Особенно запомнилось концертино. Инструмент издал совершенно необычный для него звук.

— Какое право вы имели подсматривать! — воскликнула Мишель. Несмотря на раздражение, она все же успела заметить, что молодой человек говорил со странным, но очень приятным акцентом.

Наконец он выпрямился, и Мишель отметила, что у него приятное лицо и сильный крупный нос над четко очерченными губами.

— Это вышло случайно, — поспешил оправдаться молодой человек. — Уверяю вас! Я проходил мимо, когда вы... когда с вами произошел этот... этот инцидент. Дверь была открыта, и я не мог удержаться, чтобы не остановиться...

По выражению лица свидетеля происшествия было очевидно, что он вот-вот снова разразится хохотом. Мишель почувствовала, что ее ярость уже достигла предела и готова вырваться наружу.

— В таком случае мне кажется, сэр, — сказала она, — что с вашей стороны было бы очень мило продолжить свой путь. Ни один джентльмен никогда не позволит себе задерживаться там, где его явно не хотят видеть.

— Конечно, мисс Вернер. Я уже исчезаю. Но перед этим хотел бы принести извинения, если, к несчастью, вас обидел. Право, я этого не хотел!

Поклонившись, он действительно исчез за дверью.

Мишель повернулась к Андрэ, который уже опять сидел на деревянной скамейке и держал в руках злосчастное концертино.

— Андрэ, — проговорила она сквозь слезы, — это невозможно! Я не могу работать в такой обстановке! Ведь этак ничего не стоит сломать ногу. А тут еще этот невежа! Как он посмел за мной подглядывать?! И еще смеяться при этом!

Андрэ подошел к Мишель и обнял ее за плечи:

— Успокойтесь, дорогая. Я уверен, что он не хотел быть бестактным. Скорее всего он действительно проходил мимо открытой двери салона как раз тогда, когда корабль сильно качнуло. И вы должны согласиться, что зрелище, представшее его глазам, было просто уморительным. Особенно если вспомнить, что все это происходило под аккомпанемент концертино!

Нарисованная Андрэ картинка вызвала у Мишель невольную улыбку. Но тут же напомнило о себе ушибленное плечо. Улыбка сползла с лица девушки, уступив место кислой мине.

— Это совсем не смешно, Андрэ! Тот нахал не знает, что я ушиблась. И довольно сильно! Он, конечно, не джентльмен. Кстати, откуда ему известно мое имя? Мы ведь никогда раньше не встречались.

Андрэ пожал плечами:

— Может быть, он заметил вас, когда мы поднимались на борт, а потом выспросил все у капитана. Ведь вы очаровательны и сами это знаете.

Мишель почесала плечо.

— Так или иначе, но он порядочный наглец. Кстати, у него какой-то странный выговор.

— Этот молодой человек — шотландец, Мишель.

— Понятно. Но все равно, я от души надеюсь, что больше мы с ним никогда не встретимся.

— Боюсь, что случится как раз наоборот, дорогая, — ухмыльнулся Андрэ. — Конечно, корабль очень велик. Но на нем всего лишь несколько пассажиров. И все они, включая нас, будут ежедневно встречаться за столом в кают-компании за завтраком, обедом и ужином. Кроме того, путешественники обожают прогуливаться по палубе.

Мишель бросила на своего наставника такой холодный взгляд, словно перед ней был недавний обидчик:

— Тогда я просто не буду обращать на него внимания. Может быть, это отобьет у него охоту к подобным выходкам. Но сегодня больше заниматься не буду. Корабль слишком качает, а салон очень маленький. Здесь даже нет места, чтобы по-настоящему поупражняться.

— Мишель, вы должны привыкать к различным условиям, в которых придется выступать. Поэтому крайне важно продолжать заниматься ежедневно. Этот салон, конечно, невелик. Но он — единственное место, где мы можем сейчас репетировать. Капитан настолько добр, что разрешил нам это. Плавание продлится не менее пяти или даже шести недель. И если вы все это время не будете регулярно упражняться, то вряд ли сможете достойно показаться Арно Димпьеру. Я написал ему, что вы — прекрасная танцовщица. Не заставляйте же меня перед ним краснеть!

— Нет, Андрэ, — тяжело вздохнула Мишель, — конечно, я не подведу вас. Вы правы: надо заниматься, несмотря ни на что. Даже если корабль будет раскалываться пополам. Я просто сейчас в дурном настроении из-за ушибленного плеча и того нахала.

Андрэ улыбнулся и поцеловал Мишель в щеку.

— Вы сегодня просто устали, милая. Был очень трудный день. Кроме того, вы еще не привыкли к морской качке. Но не расстраивайтесь. В конце концов, это наш первый день в море. Так что давайте на сегодня прекратим занятия. Но завтра мы обязательно возобновим их. Договорились?

Мишель кивнула головой в знак согласия.

— Может быть, я почувствую себя лучше, если немного прилягу. Если, конечно, смогу заснуть при такой качке. Но, слава Богу, у меня здоровый желудок, так что вряд ли меня одолеет морская болезнь.

Мишель приоткрыла дверь в свою маленькую каюту и сделала недовольную гримасу. Там было тесно и темно. Обстановка выглядела и вовсе спартанской: длинная узкая койка и стоявшая рядом с ней дорожная укладка Мишель занимали чуть ли не все пространство. Свет проникал из единственного небольшого иллюминатора прямо напротив двери.

Впрочем, Мишель отлично понимала, что ей даже повезло: все же каюта была отдельной. А ехавший палубой выше торговец с трудом достал билет в общую каюту. Андрэ же пришлось ютиться в двухместной каморке вместе с тучным угрюмым бизнесменом, пропахшим потом, которого все время мучил кашель.

Остальными пассажирами были супружеская пара почтенного возраста из Норфолка, с которыми она и Андрэ встретились во время посадки на корабль, а также два молодых человека, занимавших, как сказал Мишель помощник капитана, маленькую каюту на нижней палубе. Мишель с тоской подумала, что одним из них, несомненно, был тот самый нахал, с которым у нее произошла неприятная стычка.

Она в очередной раз почесала ушибленное плечо и вновь почувствовала приступ раздражения. Мишель знала, что слишком часто выходит из себя и выглядит при этом не слишком привлекательной. Во всяком случае, мать и Андрэ не раз говорили ей, что нельзя так остро реагировать на всякую ерунду. Однако сейчас Мишель считала, что в случае с молодым наглецом была абсолютно права.

Глубоко вздохнув, она легла на узкую койку, расслабилась и предоставила свободно течь мыслям. Ставшее мерным и плавным покачивание корабля больше не раздражало ее, а скорее успокаивало. Мишель мечтала о встрече с Парижем, о том, как будет танцевать на настоящей сцене перед огромной аудиторией. Овации... Буря оваций... Цветы... Море цветов... Восхищенные взгляды поклонниц и поклонников из зала... Крики «браво» и «бис»... Занавес взвивается и падает десятки раз... И все ради нее...

Дыхание девушки стало ровным. Веки смежились. И она заснула со счастливой улыбкой на лице...

Мишель проснулась и сладко потянулась. Наверное, она спала долго. За иллюминатором уже начинало заметно темнеть. Еще утром помощник капитана сообщил, что ужин будет не раньше шести часов вечера. Значит, надо переодеться, чтобы прилично выглядеть, и вообще привести себя в порядок.

Мишель решила, что поскольку это будет ее первый ужин на борту корабля, надо с самого начала произвести наилучшее впечатление на остальных пассажиров. Да и на команду тоже... Следует все обсудить с Андрэ! Он знает толк в подобных делах и сможет дать путный совет.

Раздался осторожный стук в дверь, и Андрэ собственной персоной появился на пороге каюты. На прямой вопрос Мишель, как ей одеться для вечера, он ответил не сразу. Проблема заключалась в том, что, по его же совету, Мишель взяла с собой только самые необходимые вещи. Это относилось и к одежде. Андрэ уверял, что плавание будет очень долгим, а со стиркой, несомненно, возникнут затруднения. Он также посоветовал взять только вещи потемнее, которые меньше пачкаются, а также те, что сделаны из прочного материала, не рвутся и не сильно мнутся. Но при этом забыл предупредить Мишель, что ей понадобятся по меньшей мере два вечерних платья, коль скоро придется ужинать вместе с капитаном корабля.

После довольно долгих размышлений Андрэ посоветовал своей воспитаннице надеть костюм из зеленой тафты с отделанной кружевными оборками юбкой. Мишель, закусив в раздумье нижнюю губу, согласилась. Не в последнюю очередь потому, что этот наряд был с очень небольшим кринолином. Мишель вообще терпеть не могла огромные обручи, непременные атрибуты вечерних платьев для торжественных приемов. На корабле же протиснуться в подобном наряде меж стен узких коридоров было бы почти невозможно.

Кроме того, костюм давал очень удобную возможность обойтись без тесных корсетов и шнуровки спереди и сзади. Но даже и теперь широкие юбки Мишель занимали всю каюту от койки до противоположной стены.

С трудом согнувшись, она посмотрелась в висевшее над низким рукомойником зеркало. После долгого и придирчивого осмотра своей персоны Мишель пришла к заключению, что выглядит неплохо. Зеленый цвет костюма прекрасно гармонировал с рыжими волосами и бледной кожей лица и придавал особый блеск ее светлым глазам. На секунду она недовольно скривилась, вспомнив, что тот гадкий невежа, наверное, тоже будет ужинать вместе с ними и даже, возможно, сидеть напротив. Ведь, как ей уже сообщили, все пассажиры ужинают в обществе капитана Хобарта. Впрочем, почему это так ее волнует?

Отвернувшись от зеркала, Мишель оценивающим взглядом окинула своего наставника. И убедилась, что Андрэ тоже успел позаботиться о своей наружности. На нем были бордовый камзол и серый шелковый жилет со вздымавшейся на груди пеной тонких кружев. Ноги облегали шелковые чулки, также серого цвета, туфли от парижского сапожника блестели серебряными пряжками.

— Вы прекрасно выглядите, дорогая, — сказал он, предлагая Мишель руку. — Теперь наберемся смелости и пойдем к роскошному столу, который сервировали для всех пассажиров по приказу капитана. Правда, я уверен, что кормить будут отвратительно. Но, дорогая, нам надо привыкнуть к этому и терпеть. Признаюсь, я захватил из дома корзину отличных бисквитов, пирожков, всяких закусок и вина на случай, если нам придется совсем туго.

Настроение Мишель сразу же поднялось. Андрэ мог быть невыносимо занудным и ершистым, но все же он, как никто другой, умел предвидеть всякие неожиданности и создавал вокруг себя уютную и веселую атмосферу. Это Мишель не могла не признать.

Сейчас он смотрел на свою воспитанницу с неподдельным восхищением.

— Вы прекрасно выглядите, — повторил Андрэ. — Зеленый цвет вам всегда был к лицу. Но я взял бы на себя смелость дать вам один совет. Пока мы плывем на корабле, не надевайте никаких кринолинов. Они будут только мешать. Даже такие маленькие, как тот, что сейчас на вас. Я успел заглянуть в столовую и убедился, что там крайне тесно. Да и в коридоре вам трудно будет с кем-нибудь разойтись.

Мишель опустила взгляд на свою юбку, ставшую непомерно широкой от поддетого обруча.

— Но ведь без кринолина юбка будет слишком длинной, — с сомнением сказала она, посмотрев на Андрэ. — Да и нижние тоже.

— Ничего страшного. Просто подберите их, когда пойдете. Вот и все. Это куда легче, чем мучиться с обручем. Долой кринолин! Разрешите, я помогу.

Вдвоем они быстро освободились от обруча.

— Я бы вообще никогда не носила кринолин, — с кислой миной на лице сказала Мишель, закрывая крышку чемодана. — Чувствую себя в нем так, будто нахожусь в центре шляпной картонки.

— Мода изменчива, милая, — засмеялся Андрэ. — Я лично не сомневаюсь, что настанет день, когда кринолины вообще перестанут носить. Но до тех пор нам придется следовать моде. Конечно, если мы желаем выглядеть современными.

Изысканным движением Андрэ вытащил из-за манжеты кружевной носовой платок, чуть коснулся им носа, выгнув при этом дугой брови, и надменно поджал губы. Мишель прыснула со смеху. Весь юмор заключался в том, что одним из наиболее характерных черт современного модника считалось умение жеманничать. Андрэ изобразил это очень талантливо. Мужчины, слишком усердно гнавшиеся за модой, казались Мишель смешными. Но у Андрэ все выходило очень естественно и изящно.

— Что ж, пойдем ужинать? — предложил он, театрально поклонившись Мишель.

Продолжая смеяться, она взяла наставника под руку, и они пошли по тесному темному коридору в кают-компанию.

Капитан Хобарт был крупным жизнерадостным моряком с пышными рыжими бакенбардами. Его багровое лицо не очень отличалось по цвету от бакенбардов, а потому казалось широким, хотя на самом деле было скорее длинным. Это придавало ему несколько комичный вид.

Хобарт тут же заметил очаровательную Мишель и разразился громкими комплиментами по адресу прекрасной юной пассажирки, после чего посадил ее рядом с собой. Мишель этому не очень обрадовалась, поскольку на соседнем стуле оказался тот самый несносный молодой человек.

— Слева от вас, мадемуазель, — обратился к ней капитан с умилением в голосе, — сидит мистер Ян Маклевен. Он — шотландец и возвращается к себе на родину. Рядом с ним — мистер Ангус Лурье, его напарник по путешествию.

Оба молодых человека дружно встали и поклонились. Взгляды Мишель и Яна Маклевена встретились. И она почувствовала, что краснеет, не в силах оторваться от глаз молодого шотландца, в которых прыгали озорные чертики. Товарищ Яна был чуть постарше. У него было твердое, но очень доброе лицо.

Тем временем капитан продолжал представлять пассажиров:

— Справа от меня сидят миссис и мистер Блейкли. Они плывут во Францию. За ними — господа Диринг и Леклер, согласившиеся ехать в одной каюте, а потому, видимо, уже успевшие хорошо узнать друг друга. И наконец, в торце нашего стола сидит мистер Хигтинс, мой первый помощник.

Симпатичного и несколько застенчивого первого помощника капитана Мишель и Андрэ уже знали. Он знакомил их с расписанием корабельной жизни и внимательно следил, чтобы они не пропустили завтрак, обед или ужин.

Чету Блейкли Мишель и Андрэ заметили, когда те поднимались по трапу на корабль. Средних лет супруги старались сохранить на лице крайне серьезное, даже суровое выражение. Казалось, что они просто боялись улыбнуться.

Миссис Блейкли была в сером шелковом платье, вышедшем из моды уже несколько лет назад, но как нельзя лучше подходившем к землистого цвета коже и испепеленным сединой волосам женщины. Лицо ее мужа покрывала нездоровая желтизна. А глубоко посаженные глаза казались совершенно безжизненными. Мишель даже показалось, что за столом сидит покойник. Она вздрогнула от этой мысли и перевела взгляд на соседа слева.

«Хорошо еще, что капитан не посадил меня рядом с этим Блейкли, — подумала она. — А то я бы навсегда лишилась аппетита!»

Еда же, вопреки мрачным предсказаниям Андрэ, оказалась вполне приличной. За большой тарелкой крепкого мясного бульона последовал жареный цыпленок, которого, в свою очередь, сменил ростбиф со свежими овощами. А на десерт подали ромовый торт, который Мишель, несмотря на осуждающие взгляды Андрэ, принялась уписывать с огромным удовольствием.

Разговор за столом был непринужденным и дружелюбным. При этом Ян Маклевен рассеял предубеждения Мишель. Он оказался очень милым, остроумным и интересным собеседником. В целом же ужин был приятным и доставил ей удовольствие.

После того как с едой было покончено и все встали из-за стола, Мишель спустилась к себе в каюту, думая о Яне Маклевене уже безо всякого раздражения.

***

Чтобы пересечь Атлантический океан, потребовалось шесть недель. Но время протекало вовсе не так медленно, как боялась Мишель.

Каждый день она занималась в маленьком салоне, а потом поднималась на палубу. Там Мишель наслаждалась, подставляя лицо теплым солнечным лучам, если позволяла погода, или подхваченным ветром из-за борта соленым брызгам, если небо было пасмурным. Ее вдруг неодолимо потянуло к морю. И она впервые в жизни поняла людей, которые посвятили ему всю жизнь.

С каждым днем Мишель находила все большее удовольствие в компании Яна Маклевена. Этот молодой человек единственный на корабле подходил ей по возрасту. Кроме того, только с ним, не считая Андрэ и капитана Хобарта, Мишель могла беседовать о чем-либо интересном.

Ян рассказал Мишель, что возвращается домой из кругосветного путешествия. В Шотландии он не был уже два года и теперь должен заняться семейными делами. О том, что это за дела, Маклевен предпочел не распространяться.

Мишель, в свою очередь, рассказала новому знакомому о Малверне, о ее увлечении балетом и цели поездки во Францию.

— Возможно, я вас там увижу, — сказал Ян.

Они мирно разговаривали, стоя на корме и любуясь великолепным закатом.

— Я часто езжу во Францию, — добавил Маклевен. — Где вы там намерены остановиться?

— У мадам Дюбуа, старой приятельницы Андрэ. Вам знакома эта фамилия?

Ян удивленно посмотрел на Мишель:

— Боже мой, конечно! Я даже был в ее салоне. Чрезвычайно интересная женщина! Кроме того, она водит дружбу со многими важными людьми и сможет помочь вам завязать необходимые связи в театральном мире.

— То же самое говорит Андрэ, — улыбнулась Мишель. — О, я с нетерпением жду приезда в Париж! Ведь я еще почти ничего не видела и еще меньше сделала!

Лицо Яна вдруг стало серьезным.

— Мой первый совет — не переодевайтесь слишком часто. Возможно, эти слова покажутся вам глупыми. Но, поверьте, жизнь в Париже сильно отличается от той, которую вы вели до сих пор, Мишель. Она слишком бурная. Порой даже чересчур.

Мишель посмотрела на Яна, тронутая его вниманием.

— Вы считаете меня наивной, не так ли? Думаете, что я обыкновенная сельская простушка?

На лице Маклевена появилось выражение обиды и даже разочарования.

— Вот, я опять вас рассердил, Мишель, — со вздохом сказал он. — Простите, но мне бы не хотелось говорить вам напыщенные слова или докучать нравоучениями.

Мишель насмешливо усмехнулась:

— Нет-нет, Ян! Я вовсе не рассердилась. Наоборот, благодарна вам за участие и полезные советы. Просто вы ошибаетесь, принимая меня за наивную провинциалку. В конце концов, я слушала рассказы Андрэ о Париже уже с шести лет. Кроме того, побывала в Бостоне и многих других городах своей страны. — Она не стала говорить Яну, что в Бостоне была совсем ребенком. — Я понимаю, что должна еще многому научиться. И буду прилежной ученицей. Чувства страха или неуверенности во мне нет. Но с вашей стороны было очень мило преподать мне небольшой жизненный урок.

Они стояли очень близко друг к другу, и Мишель неожиданно стало неловко. Ян на мгновение обернулся к океану и стал смотреть вдаль. Она бросила взгляд на его профиль и невольно залюбовалась правильными чертами лица молодого шотландца. Ян, несомненно, был очень красивым и умным и обладал большим чувством юмора. Жаль, что он возвращается в свою Шотландию, а не едет вместе с нею в Париж. Но, Боже, о чем это она думает?! Она, давшая себе клятву избегать всякого рода романтических встреч и сердечных волнений, которые могут помешать достижению главной цели в жизни! И все же Мишель почувствовала, как больно кольнула ее в самое сердце мысль о том, что после окончания этого путешествия они с Маклевеном, возможно, больше уже никогда не увидятся. Но ведь Ян сказал, что часто бывает во Франции. Может быть, они там и встретятся. Конечно, оставаясь при этом друзьями. Не больше!

Неожиданно Мишель заметила, что Ян придвинулся совсем близко и уже почти касался ее локтем. Она подняла голову и увидела перед собой его взволнованное лицо. В следующий момент его сильные руки сжали плечи девушки. Мишель почувствовала, как теплые губы Яна сливаются с ее губами в нежном, но настойчивом поцелуе. Все это произошло прежде, чем она успела что-либо сообразить.

Мишель захлестнул взрыв эмоций. Здесь было и негодование, и страх чего-то еще неизведанного и... И нечто неожиданно приятное. Но верх все же взял страх. Почувствовав себя в объятиях Яна, она изо всей силы оттолкнула его. Лицо Мишель загорелось от стыда и охватившего ее негодования.

— Как вы посмели! — задыхаясь, воскликнула она. — Кто дал вам право думать, что со мной можно позволять себе подобные вольности?!

Ян поднял вверх руки, как будто защищаясь от удара.

— Простите меня ради всех святых! — сказал он умоляющим тоном. — Я просто не смог сдержать своих чувств!

— Что за жалкая отговорка! Или так говорят все мужчины? А я-то думала, что мы друзья! Что с вами можно просто разговаривать!

Ян снова отвернулся и смущенно уставился на воду. Затем поднял голову и виновато произнес:

— Я ваш друг, Мишель, как бы вы теперь ко мне ни относились. А то, что случилось, это... Господи, да вы же сами знаете, как прекрасны и какой можете быть желанной! Быть рядом с вами, встречаться каждый день, смотреть на вас... Да ведь это же настоящая пытка! Неужели вы не понимаете, как действуете на мужчин?!

Мишель, все еще полная негодования, предостерегающе подняла руку:

— Довольно, сэр! Я не хочу вас больше слушать. Нам осталось плыть вместе всего несколько дней. Надеюсь, что за это время вы не позволите себе даже подойти ко мне.

Она повернулась с намерением уйти. Ян с отчаянием смотрел на Мишель.

— Но, Мишель, ведь я...

Но она не слушала его и быстро пошла к трапу. Спускаясь к своей каюте, Мишель продолжала предаваться праведному гневу. К сожалению, все оказалось так, как она и думала: с мужчинами невозможно поддерживать чисто дружеские отношения! И очень хорошо, что этот Маклевен едет к себе в Шотландию. А если он появится во Франции, она просто будет его избегать!

И все же, лежа на своей узкой койке, Мишель продолжала думать о Яне. Но утром от этих ночных грез не осталось и следа...

Пока богатая карета, которую мадам Дюбуа прислала на пристань, медленно пробиралась по оживленным улицам Парижа, Мишель не отрываясь смотрела в открытое окно, пытаясь сразу же увидеть все. И с каждой минутой убеждалась в том, что в разговоре с Маклевеном была не права.

Тогда она уверяла Яна, что не ждет каких-либо потрясений от встречи с Парижем, поскольку бывала в Бостоне и в некоторых других больших городах. Господи, какой же, наверное, темной деревенщиной, какой идиоткой она ему показалась! Как он удивился ее наивности, ибо не могло быть никакого сравнения между теми местами, в которых Мишель успела за свою жизнь побывать, и этим древним, волшебным городом с его элегантно застроенными центральными площадями, роскошными резиденциями французских королей, величественными соборами и выстроившимися вдоль набережной Сены дворцами. А удивительные по изяществу мосты через реку, по которой медленно плывут огромные корабли, баржи и легкие парусники!

Мишель не могла удержаться от восторженного восклицания при виде вырисовывающихся впереди очертаний Собора Парижской Богоматери, который она узнала по многочисленным иллюстрациям и рисункам в книгах домашней библиотеки. Повернувшись к Андрэ со щеками, пылающими от восторга и дувшего в окна кареты ветра, Мишель воскликнула:

— Господи, Андрэ! Как восхитительно! Даже больше, чем я могла себе раньше представить!

Андрэ удовлетворенно улыбнулся и похлопал ее по руке:

— Конечно. Но вы еще видели очень мало, Мишель. Когда мы устроимся, я покажу вам Париж. А ночью этот город вполне заслуженно называют столицей мира. Вы увидите все, дорогая Мишель, я обещаю вам это. А вот мы и приехали!

Экипаж свернул на обширную площадь и подкатил к внушительному особняку из красного кирпича и белого камня.

— Это дом мадам Дюбуа, который на некоторое время станет и нашим домом.

Особняк мадам Дюбуа стоял стена к стене с другими домами, окружавшими площадь. Между ними не было ни сантиметра пространства. Все строения были поразительно похожи друг на друга: в четыре этажа, сложены из красного кирпича вперемежку с белым камнем. Все это настолько отличалось от того, к чему Мишель привыкла в своем родном Малверне с его своеобразным сельским колоритом или в том же Уильямсберге, хотя и дышавшем очарованием старины, что у нее даже перехватило дыхание.

— Боже, какая прелесть, — только и сумела прошептать Мишель.

На ступеньках парадного крыльца, к которому подкатил экипаж, их поджидали горничная и слуга. Последний открыл дверцу кареты и помог Мишель выйти. Она спустилась по ступенькам экипажа и огляделась по сторонам, все еще не в состоянии прийти в себя. Свершилось! В этом роскошном доме начнется ее новая, прекрасная жизнь!

Горничная открыла парадную дверь и проводила гостей в просторный длинный салон, по углам которого на мраморных подставках стояли античные статуи, а на стенах висели большие картины в позолоченных рамах. Два антикварных столика у двери украшали дорогие, затейливо расписанные вазы. Но в целом привыкшей к скромной жизни в Малверне Мишель обстановка показалась излишне перегруженной дорогими вещами и антиквариатом.

Она едва успела оглядеться, как с другой стороны салона открылась дверь и на пороге появилась женщина с волевым, энергичным лицом. Она пошла навстречу Мишель таким решительным шагом, что та невольно отступила к двери.

Однако мадам Дюбуа — а это, несомненно, была она — оказалась довольно невысокой, даже чуть пониже Мишель, но с более пухлым лицом, широкими плечами и пышной грудью. На ней было изящное зеленое платье, под которым угадывался корсет. Голову мадам Дюбуа украшала высокая прическа, получившая не только во французских, но и в британских колониях название «Парижские локоны». Волосы хозяйки дома были, разумеется, обильно напудрены, а на щеках сиял вызывавший подозрение в своей естественности малиновый румянец. То же самое относилось и к пурпурному цвету ее губ.

Пока мадам Дюбуа приближалась, деликатно приподнимая широкие юбки, дабы не сшибить стоявшие тут и там статуэтки, Мишель отметила, что ее парчовые туфли на высоких каблуках подобраны точно в цвет платья.

— Рене! — воскликнул Андрэ. — Дорогая, вы остались все такой же юной и неотразимой!

Мадам Дюбуа в ответ всплеснула руками и сказала с доброй улыбкой:

— Андрэ! Наконец-то вы снова с нами! Боже мой, как мне вас недоставало все эти годы! Но вы мало изменились за время, проведенное в колониях среди тамошних дикарей.

Она потянулась к Андрэ и расцеловала его в обе щеки.

— Андрэ, сам Бог послал мне вас! Здесь так скучно и тоскливо, ведь я живу одна.

Низкий грудной голос мадам Дюбуа никак не соответствовал ее маленькому росту. Говорила она быстро, почти скороговоркой. Тем не менее Мишель понимала почти все.

— А это та самая Мишель — маленькая ученица, о которой вы мне писали? — продолжала мадам Дюбуа. — Она очаровательна! Я очень рада вам, милая! Надеюсь, вам у нас понравится! Чувствуйте себя как дома.

Мишель очутилась в мягких объятиях хозяйки дома и чуть не потеряла сознание от запаха духов и пудры, в изобилии осыпавшей плечи мадам

Дюбуа. А та еще раз восхищенно взглянула на нее и воскликнула:

— О, с вашим приездом здесь станет веселее! Ведь все эти годы я просто умирала от тоски. Теперь, уверена, все переменится! Для начала я устрою званый вечер и представлю вас своим друзьям. Это будет чудесно!

Мадам Дюбуа крепко сжала руку Мишель, которая уже до того опьянела от радостного возбуждения хозяйки дома, что только улыбалась в ответ.

Андрэ заметил ошеломленное состояние своей ученицы и поднял вверх палец:

— Хорошо, хорошо, Рене! Все это замечательно. Но девочка приехала сюда с определенной целью. Она должна работать, работать и работать!

Мадам Дюбуа скорчила скучную мину и досадливо махнула рукой. Только теперь Мишель заметила, что она далеко не молода. Конечно, пудра и грим в какой-то степени скрывали морщины и кое-где обвислую кожу. Но совсем скрыть возраст они были не в состоянии. У глаз и около губ дамы предательски собирались мелкие морщинки, а кожа под подбородком заметно отвисала вниз. И все же мадам Дюбуа выглядела очаровательно.

— Я все прекрасно понимаю, друг мой, — улыбнулась она Андрэ. — В конце концов, не мне ли удалось договориться с Арно, чтобы он принял и посмотрел ее? Сейчас месье Димпьер только и ждет от меня известия о вашем приезде. Я сообщу ему об этом сегодня же. Если Мишель сумеет понравиться Арно и он найдет ее талантливой, то возьмет к себе в труппу. Он это уже обещал. А Арно — джентльмен, он всегда держит данное слово. — Она повернулась к Мишель. — Вам повезло, девочка. Не каждой танцовщице выпадает счастье получить аудиенцию у Арно Димпьера. И если вы действительно так талантливы, как писал Андрэ, то все будет в порядке.

Мишель вдруг почувствовала неуверенность. Неужели она и вправду так талантлива, как считает ее наставник? Сможет ли она соперничать с танцовщицами европейской выучки? Ведь единственным ее педагогом был Андрэ.

Она вздрогнула, почувствовав на своем плече его руку.

— Мишель прекрасно танцует, Рене, — доверительно сказал он мадам Дюбуа. — Поверьте мне! Я не сомневаюсь, что испытание у Арно она с честью выдержит.

Девушка улыбнулась наставнику и его приятельнице, хотя отнюдь не была уверена в своем непременном успехе у маститого мэтра.

Мадам Дюбуа ласково похлопала ее по другому плечу:

— Но я заговорила вас. Столь долгое путешествие, несомненно, утомило вас. Необходимо поскорее освежиться и отдохнуть. Я распорядилась приготовить для Мишель Голубую комнату. Уверена, что ей там понравится. А вы, мой друг, разместитесь внизу, в Золотой комнате. Надеюсь, что вы будете чувствовать себя здесь как дома. В ваших комнатах уже стоят вазы с фруктами и по графину легкого вина. Мы ужинаем в восемь вечера. Устраивайтесь, Мишель. Мы снова встретимся вечером и будем долго-долго разговаривать. Ведь нам надо получше познакомиться!

Слегка смутившаяся Мишель с застенчивой улыбкой ответила:

— Мне бы тоже очень хотелось узнать вас поближе.

Она действительно ожидала очень многого от этого разговора. Мадам Дюбуа оказалась такой теплой и дружелюбной. Она, конечно, ответит на все бесчисленные вопросы Мишель о Париже, балете и вообще — о здешней жизни...

Горничная проводила Мишель в большую и богато обставленную комнату. Как явствовало из ее названия, все здесь было исключительно в голубых и синих тонах, ласкало глаз и наполняло душу покоем и безмятежностью. У стены стояла высокая кровать с пологом на четырех столбиках под голубым шелковым балдахином с вышитыми на нем серебряными розами. Из такого же шелка были и занавеси на высоких окнах. И только стулья и диван были обтянуты желтым бархатом, оттенявшим голубое и синее.

У окна расположился резной столик, и Мишель сразу же подумала, как удобно будет на нем писать письма матери. Пол устилал мягкий светло-голубой ковер, также в серебряных розах. А одну из стен украшали роскошные гобелены.

Мишель еще никогда не приходилось спать в такой замечательной комнате. И мысль, что, пока она останется в доме мадам Дюбуа, все это будет принадлежать ей, обрадовала девушку. И впрямь у Мишель были все основания считать себя очень удачливой. И даже счастливой...

Глава 5

В Малверне дела Анны шли недурно. С наступлением лета хлопок пошел в рост, и можно было надеяться на неплохой урожай. Погода тоже способствовала ожиданиям Анны: не было ни проливных дождей, ни града, ни ураганов, ни сколько-нибудь значительных нашествий насекомых.

Ее опасения относительно Натаниэля Биллса понемногу рассеялись. Надсмотрщик работал прекрасно. Безукоризненно знал свое дело и с утра до ночи всю неделю проводил на полях, но не требовал от работников трудиться наравне с собой. Насколько было известно Анне, Натаниэль отлично ладил с людьми. Хотя она и знала, что бывшие рабы с рождения привыкли хранить молчание и не жаловаться одному белому на другого. Чтобы быть постоянно в курсе всякого рода нежелательных инцидентов, Анна поручила Джону тут же докладывать о любых случаях жестокого обращения Натаниэля с ее работниками.

— Все складывается как нельзя лучше, госпожа, — докладывал Джон. — Мистер Биллс трудится без устали. Правда, иногда он теряет терпение и начинает кое-кого нещадно бранить. Но это касается только нерадивых и ослушников. И мистер Биллс никогда не допускает рукоприкладства. Только ругается, хотя и очень зло.

— Если он вдруг даст волю рукам, Джон, тут же доложи мне!

Итак, Анна была вполне довольна своей жизнью. Конечно, ей не хватало Мишель и Андрэ. Она с нетерпением ждала от них весточки. Но со дня их отъезда прошло слишком мало времени. Даже если бы Мишель или Андрэ сразу же по прибытии в Париж написали ей письмо, оно все равно не успело бы дойти.

Пожалуй, единственное, что постоянно угнетало Анну, так это неотступные мысли о Кортни Уэйне, хотя она не признавалась в этом даже самой себе. Ибо вопреки первоначальной взаимной неприязни Корт в последнее время стал частым гостем в Малверне. Редкая неделя проходила без того, чтобы его лошадь или экипаж не останавливались у парадного подъезда дома Анны.

Во время своего первого визита, совпавшего с появлением в Малверне Натаниэля Биллса, Кортни с очаровательной улыбкой сказал молодой хозяйке:

— Я вложил немалые средства в Малверн, мадам, а потому попросил бы вас разрешить мне время от времени его посещать. Присутствие в имении такой очаровательной женщины, как вы, значительно скрасит мое пребывание здесь.

Анна чуть было не лишилась чувств, услышав о намерении Уэйна часто появляться в Малверне. Но была вынуждена согласиться, правда, с большой неохотой. Однако раз от разу Кортни становился все приятнее и понемногу очаровывал ее, оказавшись интересным собеседником. Правда, всякий раз, когда речь заходила о его прошлом, Кортни осторожно старался перевести разговор на другое. Порой можно было подумать, что до приезда в Уильямсберг его вообще не существовало на свете. Прямые вопросы Анны он либо пропускал мимо ушей, либо отделывался избитыми отговорками вроде:

— Мое прошлое очень скучно и уныло, Анна. Уверяю вас, что в нем нет абсолютно ничего интересного!

В конце концов Анна все же призналась себе, что в присутствии Кортни ее сердце начинает лихорадочно колотиться. Она уже с нетерпением ожидала его еженедельного приезда. И в присутствии

Уэйна все реже вспоминала покойного мужа. Боль утраты с каждым днем становилась глуше. Она старалась уверить себя, что так и должно быть. Нельзя же постоянно страдать и убиваться женщине в самом расцвете сил!

Как-то раз погожим июльским утром Анна с особым нетерпением ждала приезда Кортни. Они решили отправиться на верховую прогулку к протекавшему неподалеку от ее дома ручью. Уэйн слыл прекрасным наездником. В конюшне Малверна стояли несколько отменных лошадей. Но Кортни из всех предпочитал вороного жеребца Майкла, на котором тот возвращался из Уильямсберга в роковую для себя ночь. С тех пор никто не осмеливался сесть на коня. Некоторые из конюхов, попытавшиеся это сделать, были тут же сброшены на землю норовистым животным. При жизни Майкла вороной не признавал другого хозяина. А после его смерти совсем вышел из повиновения. Но как ни странно, Кортни Уэйна он признал сразу. Иногда даже казалось, что жеребец ожидает приезда соседа из Уильямсберга с не меньшим нетерпением, нежели его хозяйка...

Анна очень любила верховую езду, но в последнее время не позволяла себе этого удовольствия. Ей не нравилось скакать одной, без компаньона, ведь в свое время рядом неизменно бывал Майкл. Теперь же Анна старалась использовать каждую возможность, чтобы проехаться верхом в компании Кортни Уэйна.

Вот и сейчас она в амазонке стояла на крыльце, с нетерпением вглядываясь в ведущую к дому аллею. Через несколько минут в конце ее и впрямь появился экипаж, подкативший к самому дому. Дверца открылась и на землю спрыгнул Кортни Уэйн — как всегда, в элегантном костюме для верховой езды, облегавшем его худую, но мускулистую фигуру. Он всегда был без шляпы и парика. Во всяком случае, когда катался верхом в обществе Анны. Она также ни разу не заметила, чтобы Кортни пудрил волосы.

— Анна, дорогая, милая Анна! — воскликнул он, склоняясь над рукой молодой женщины. — Как вы сегодня очаровательны! Впрочем, как всегда!

— Спасибо, Корт, — пробормотала в ответ немного смутившаяся Анна. — Едем? Лошади уже под седлом и ждут нас.

Кортни предложил ей руку, и они направились на конюшню. Грум уже держал под уздцы приготовленных для них лошадей. Вороной, завидев Уэйна, захрапел и дико завращал сразу округлившимися глазами. Кортни подошел к нему, ласково похлопал по шее и что-то сказал в самое ухо. Животное тут же успокоилось. Кортни повернулся к

Анне и подсадил ее на любимую коричневую кобылу. Грум распахнул ворота, и они поехали по дорожке, пересекавшей пастбище.

Анна вдруг вспомнила, как лет двадцать с лишним назад ехала верхом через этот же луг. Тогда под ней был отец того вороного, на котором сейчас восседал Кортни Уэйн. Но тот конь был куда своенравнее. Он тут же сбросил сидевшую у него на спине девушку и убежал. Анна тогда больно ударилась о землю и потеряла сознание. Очнулась же на руках Малкольма Вернера. Он нежно заботился о ней, пока Анна совсем не выздоровела. А вскоре после этого она стала его женой.

— Вы все время отстаете, — прервал воспоминания Анны голос Кортни Уэйна.

Анна рассмеялась и пустила лошадь в галоп. Скоро всадники сравнялись и быстро понеслись вперед, туда, где виднелись деревья, росшие по берегам пересекавшего плантацию ручья. Густые длинные волосы Анны свободно развевались по ветру, щеки горели румянцем, ноздри раздувались. Можно было подумать, что она только что выпила бокал-другой хорошего вина. И все же, когда они подъехали к деревьям, жеребец опережал кобылу Анны почти на три корпуса. Очутившись под густой сенью развесистых дубов, Анна отпустила поводья.

Кортни тут же подхватил их и заставил кобылу остановиться.

— А вы мне пока еще не соперник, Анна. Причем даже во время обычной верховой прогулки. Как же вы надеетесь выиграть на скачках? Или сейчас просто не пытались обойти меня?

— О нет! Я могу быть очень серьезным соперником на любых скачках. Только если очень этого захочу. Давайте как-нибудь попробуем? Но скажите, Корт, как бы вы отнеслись к моему выигрышу? Насколько я знаю мужчин, почти все они в таком случае приходят в ярость.

— Во всяком случае, Анна, я не стал бы этому противиться. Разумеется, если бы это была честная победа. И от всей души поздравил бы вас.

Кортни спешился и помог сойти на землю Анне. Затем привязал лошадей к дереву, где они тут же начали с удовольствием щипать высокую сочную траву. Чуть ниже, под невысоким обрывом, журчал и пузырился, прорываясь меж камней, родник, превращаясь в ручей.

— Катрин, моя жена, умершая много лет назад, была очень серьезным соперником. Причем старалась обойти меня не только на скачках, но и везде, где это представлялось возможным. Увы, она была тщедушного сложения и отличалась очень слабым здоровьем, не то что вы. Поэтому безвременно скончалась. Конечно, ей редко удавалось обойти меня. Я подчас играл с ней в поддавки, но Катрин быстро разгадывала мою хитрость и очень обижалась. Она не терпела ни малейшей лжи.

Кортни стоял чуть поодаль от Анны, задумчиво глядя на воду. Она же ничуть не обижалась на его теплые слова о покойной жене, на то, что считал Катрин более хрупкой, нежели сама Анна. Ибо отлично знала, что обладает крепким здоровьем, и отнюдь не считала себя слабой.

Кортни надолго замолчал, и Анна затаила дыхание, не желая спугнуть его неожиданные откровения о прошлом. Он впервые заговорил с ней об этом. Анна прежде даже не знала, что Уэйн был когда-то женат.

Однако уже в следующее мгновение она поняла, что Уэйн не расположен продолжать разговор о себе. И спросила:

— У вас были дети, Корт?

Он нахмурился и коротко ответил, глядя куда-то вдаль поверх ее головы:

— Нет, Анна. Детей у нас не было. Хрупкое здоровье не позволило Катрин рожать.

Уэйн снова замолчал и загляделся на бегущий внизу ручей. Затем резко повернулся и взял Анну за руки. Его холодные голубые глаза потеплели, а голос стал низким и хриплым:

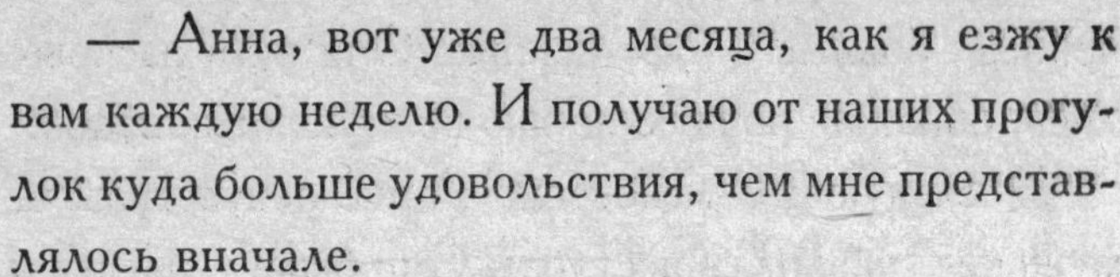

— Анна, вот уже два месяца, как я езжу к вам каждую неделю. И получаю от наших прогулок куда больше удовольствия, чем мне представлялось вначале.

— И я, Корт.

Анна вдруг почувствовала, что у нее перехватило дыхание. Она попыталась было рассмеяться, но из этого ничего не вышло. Стушевавшись, молодая женщина ответила:

— А я испытываю удовольствие от наших встреч еще и потому, что имею дело с человеком, в руках которого — судьба Малверна.

Улыбка угасла на лице Кортни, уступив место унылому, почти безнадежному выражению:

— Вначале я внушал себе, что просто езжу сюда по делам, пытаясь понять, могу ли надеяться на возвращение долга. Но этой ночью я признался сам себе в истинной причине моих посещений.

— Какова же она, Корт?

— Я ни разу не вышел из вашего дома, чтобы объехать плантацию. Я приезжаю в Малверн с одной-единственной целью — увидеть вас, Анна, вас и никого более!

Его руки крепко, до боли сжимали плечи Анны и все ближе притягивали ее к себе. Анна как зачарованная смотрела в глаза Кортни, забыв обо всем. Затем перевела взгляд на его губы, красиво очерченные, полные и чувственные. Они чуть раскрылись, обнажив ровную линию белоснежных зубов.

В следующее мгновение Анна почувствовала мужские губы на своих губах. Они были теплыми и зовущими. И их прикосновение взбудоражило ее кровь. Анна понимала, что должна противиться Уэйну, но тщетно. А губы Кортни все крепче прижимались к ее рту. И вот уже все тело Анны затрепетало от нахлынувшего желания, горячего и непреодолимого. Она чувствовала сильные и в то же время удивительно нежные руки Уэйна и забыла о сопротивлении.

Он так крепко прижал ее к себе, что Анна через одежду почувствовала его богатырскую стать. Молча, не отрываясь от ее губ, Кортни обнял ее за шею левой рукой, а правой погладил ее растрепанные волосы. Он чуть слышно пробормотал:

— У вас роскошные волосы, Анна, мягкие как шелк.

Он гладил ее по голове, вновь прильнув к губам. Его другая рука медленно двигалась по ее спине вниз, нежно поглаживая гладкую кожу. Как обычно, собираясь на верховую прогулку, Анна не надела корсета. Она чувствовала сквозь тонкую ткань платья теплую ладонь Кортни, все настойчивее обнимавшую ее, ласковое прикосновение его пальцев.

Тело Анны напряглось, как натянутая струна, когда рука Уэйна коснулась ее бедер и спустилась еще ниже. Прикосновение, сначала осторожное, в следующий миг стало настойчивее и требовательнее. Тело Анны невольно выгнулось ему навстречу и тут же ощутило твердую мужскую плоть Кортни.

У нее перехватило дыхание. Анна вдруг ослабела и окончательно поняла, что не может и не хочет противиться настойчивому напору. И если Кортни сейчас попытается овладеть ею прямо на берегу ручья под деревьями, она не устоит. Будучи всегда страстной и чувственной, Анна после кончины Майкла не знала ни одного мужчины. Поэтому одно только прикосновение губ Уэйна пробудило в ней невыносимое желание.

Тем временем губы Кортни, оторвавшись от ее рта, побежали по обнаженной шее Анны, прикоснулись к мочке уха и остановились в горячем поцелуе на щеке. Почувствовав прикосновение его языка к своей коже, Анна застонала и открыла глаза...

И вдруг увидела стоявшую меж деревьев крупную лошадь черной масти, на которой сидел Натаниэль Биллс и пристально смотрел на них. На лице надсмотрщика не было даже тени улыбки, глаза горели бешенством. Их взгляды встретились. И только тогда губы Натаниэля насмешливо скривились. Он учтиво коснулся пальцем шляпы, слегка тронул лошадь хлыстом и исчез еще до того, как его увидел Уэйн.

В ту же секунду Анна вырвалась из объятий Кортни, покраснев от стыда и обескураженная происшедшим. Отступив на два шага, она взволнованно прошептала:

— Нет, Корт, нет!

Лицо Уэйна вспыхнуло, он в изумлении посмотрел на Анну:

— Что это значит? Ведь вам понравилось. Вы отвечали на мои ласки, не отпирайтесь, и не сомневаюсь, что наше желание было обоюдным.

— Может, это и так. Но все равно нехорошо.

Глаза Кортни сделались колючими и холодными.

— Почему же? Мы взрослые люди. Без предрассудков и предубеждений. И притом совершенно свободные. Во всяком случае, последнее в полной мере относится ко мне. А если вы были со мной до конца откровенной, то и к вам тоже. Тогда в чем дело? Разве нас не влечет друг к другу?

Анна вновь отрицательно замотала головой.

— Нет, это дурно!

— Не разыгрывайте передо мной невинную девочку, Анна! — отрезал Кортни. — Вам же понравилось! А потому нечего со мной кокетничать. Это вам не к лицу!

Анна почувствовала, как в ней нарастает раздражение.

— Я никого не разыгрываю, сударь! Но я не давала вам повода обращаться со мной так же, как с потаскушкой, которую я видела у вас в доме!

— Я отнюдь так не считаю, мадам, — ледяным тоном ответил Уэйн. — Если же ненароком обидел вас, то приношу самые глубокие извинения. И позвольте вас уверить, что впредь не стану вас тревожить своими наездами в Малверн.

Он круто повернулся и пошел к лошади, мирно щипавшей траву под дубом. Анна растерянно смотрела на его прямую спину и не могла поверить, что Кортни Уэйн сможет вот так просто покинуть ее. Но он вскочил в седло и тронул поводья. Жеребец вздрогнул и понесся через пастбище.

— Корт! Остановитесь! — крикнула она вслед. Но Уэйн уже пустил лошадь в галоп и скорее всего даже не слышал ее голоса. А если и слышал, то решил не обращать внимания на этот отчаянный призыв.

Анна так разозлилась на себя за глупое поведение, а заодно и на подсматривавшего за ними Натаниэля, что долго еще стояла и смотрела вслед ускакавшему всаднику. Вместо того чтобы ехать домой, она присела на берегу ручья и задумчиво смотрела на воду.

Конечно, она несправедлива по отношению к Натаниэлю! В конце концов он надсмотрщик и вправе ездить по поместью когда и куда угодно.

Ведь это входило в его обязанности. Но почему он оказался именно здесь? Поблизости не было ни полей, ни работавших на них людей. Анна припомнила, что и до этого не раз замечала, как Натаниэль издали провожал взглядом ее и Корта, когда тот приезжал в Малверн. Может быть, ее первая мысль была верна и Биллс подсматривал? Но зачем? Чего ради?

Все же она решила, что Натаниэль скорее всего чисто случайно наткнулся на свою хозяйку и ее гостя. И теперь не знала, злиться ли на него или, наоборот, в глубине души поблагодарить за прерванное свидание. Если бы не Натаниэль, то дела у них с Кортом, несомненно, зашли бы очень далеко... Но разве не этого она втайне хотела?

Анна пока не могла с уверенностью ответить на этот вопрос. За последние два месяца ее отношение к Уэйну решительно изменилось. Она находила его общество очень приятным. Кроме того, ее влекло к Кортни чисто физически. Происшедшее только подтвердило это, неожиданно для нее самой. Анна вспомнила, что Уэйн ни разу не напомнил ей о долге, разве что вскользь, скорее в шутку. Казалось даже, что его вовсе не заботит возвращение ссуды, взятой Майклом.

Она встала и, усевшись в седло своей гнедой кобылы, медленно поехала через луг к дому. В последнее время Анна стала постепенно привыкать к отсутствию дочери, хотя порой и тосковала по ней. Но и в этом случае жизнь ей скрашивали постоянные визиты Кортни Уэйна. А что же теперь? Приедет ли Уэйн после того, что между ними произошло, на следующей неделе? Или теперь она никогда больше не увидит его?..

Тем временем, возвращаясь в Уильямсберг, Кортни Уэйн клялся, что ноги его больше не будет у Анны Вернер. Вот чертова баба! Возбудила его, заставила кипеть кровь в его жилах, а затем вильнула хвостом и дала ему от ворот поворот! Кортни терпеть не мог подобных вертихвосток! И вообще гордился тем, что знает женщин лучше, нежели другие мужчины, сколько бы те ни хвастались. А он-то считал себя искусным соблазнителем и мастером любовных игр! Происшедшее с Анной глубоко уязвило его самолюбие, прежде всего потому, что Кортни всегда мог точно определить, готова ли женщина сдаться. В данном случае он мог поклясться, что Анна уже переступила черту... И все же...

Нет, теперь он встретится с Анной Вернер только однажды. В тот день, когда она отдаст ему долг. А после вычеркнет из своей жизни.

И тут Кортни вдруг бешено захохотал. Он смеялся над собой. Ведь что, в сущности, произошло? Да только то, что его гордыне нанесли удар! И все! Ничего больше! Возможно, он слишком переоценил собственную неотразимость. Или поторопился и откровенно пошел напролом. Нет, он, конечно, снова поедет к Анне!

Кроме чисто чувственной привлекательности, эта женщина все больше нравилась Кортни Уэйну, и это было необъяснимо даже для него самого. Но ничего не попишешь: он думал об Анне куда чаще, чем в прошлом о любой другой женщине, с которой имел дело после кончины Катрин. Да, конечно, он приедет в Малверн! И может быть, на этот раз она не отвергнет его!

А пока ему все же была нужна женщина. Он еще чувствовал совершенные формы тела Анны под своими ладонями, ощущал вкус ее губ, чистый запах волос и восхитительной кожи. Все эти совсем свежие воспоминания окончательно возбудили Уэйна. К тому же уже более двух недель у него не было женщины...

Экипаж достиг окраины Уильямсберга, и Кортни высунулся из окна и окликнул возницу. Когда чернокожий наклонился к нему, Уэйн приказал завернуть к дому Бет Джонсон...

***

Наконец пришло первое письмо от Мишель. Анна схватила его и бросилась в свою комнату, чтобы прочесть без помех. Волнуясь, она разорвала конверт.

«Дорогая мама, — писала Мишель. — Я пишу тебе в самой роскошной спальне, какую ты можешь себе представить. А сижу за старинным столиком, у самого окна с великолепным видом на просторную городскую площадь. Дом мадам Дюбуа — просто чудо! Здесь много прекрасной мебели. Только мне, может быть, с непривычки, кажется, что ее слишком уж много. Впрочем, мне сказали, что в Париже сейчас это в моде.

Мадам Дюбуа очень добра и гостеприимна и делает все для того, чтобы мы чувствовали себя покойно в ее доме. Андрэ просто на седьмом небе! Я только теперь начинаю понимать, как он тосковал, живя столько лет вдали от родины. Завтра он намерен представить меня господину Димпьеру, который и оценит мои способности. Я очень волнуюсь и, наверное, проведу ночь без сна. Конечно, постараюсь ему понравиться. И обо всем тебе напишу при первой же возможности.

Париж — огромный город. И очень красивый. Здесь есть куда пойти и что посмотреть. А для меня он открывает широкие возможности учиться любимому делу. Мамочка, я бы так хотела, чтобы ты была рядом! Я чудесно провожу время, но все же тебя очень не хватает. Надеюсь, что дома все в порядке. А ты, как всегда, с головой в делах и потому очень счастлива. Может быть, если дела в Малверне и дальше пойдут хорошо, ты все же сможешь приехать во Францию. Для меня это — предел мечтаний!

Береги себя, родная! И напиши мне письмо на адрес мадам Дюбуа. Я тоже обещаю часто писать тебе. Андрэ шлет свои наилучшие пожелания. Милый, я просто не знаю, что бы без него делала!

Будь здорова, дорогая мамочка! Твоя любящая дочь Мишель».

Анна вздохнула и еще раз перечитала письмо. Боже, как было бы чудесно отправиться в такую страну, как Франция! За всю свою жизнь Анна только раз покидала пределы Виргинии. Это было двадцать лет назад. Тогда она ездила в Бостон, чтобы купить кое-какую одежду для работников. Правда, пришлось много побегать и потрудиться, чтобы выбрать все необходимое. И все же эта поездка произвела на нее неизгладимое впечатление. Как приятно, должно быть, постранствовать без забот, в свое удовольствие!

Что ж, может быть, эта мечта и осуществится. Если только наступающий год будет удачным для нее и для Малверна...

Глава 6

Балетные классы Арно Димпьера находились в одном из торговых кварталов города, на верхнем этаже большого здания, низ которого занимали модные магазины.

Пока Мишель взбиралась по крутым ступеням, значительно опередив Андрэ, ее сердце бешено колотилось от волнения и предвкушения встречи со знаменитым балетмейстером. Понравится ли она Арно Димпьеру? Сможет ли хорошо показаться? А если окажется, что она приехала в Париж только для того, чтобы выслушать отрицательный вердикт? Одна эта мысль заставила ее сердце чаще забиться, а горло — пересохнуть...

— Вот мы и пришли, милая, — ободряющим тоном сказал Андрэ. — Теперь остановись, успокойся и сделай глубокий вдох. И не бойся. Ты очень хорошо подготовлена. Верь в свои силы, Мишель. Не позволяй Арно себя запугать. Он человек с сильным характером, довольно суровый и не похож на большинство балетмейстеров. Но я его знаю еще с тех пор, когда он танцевал в кордебалете. А потому могу поручиться, что, несмотря на внешность мизантропа, он добрый человек. Так что выше голову, дорогая, держи спину и помни все, чему я тебя учил.

Мишель в точности выполнила инструкции Андрэ. Гордо задрав подбородок, расправив плечи и изобразив на лице улыбку, она подождала, пока Андрэ откроет перед ней дверь, и торжественно вошла в танцкласс. Хотя в душе продолжала трепетать от страха.

Такого большого репетиционного зала она никогда в жизни не видела. Огромные окна и стеклянный потолок делали его светлым даже в самый пасмурный день. Одна из стен, от пола до самого потолка, представляла собой огромное зеркало. Вдоль остальных тянулись перила станков и деревянные скамейки. В углу стоял рояль, за которым сидел седовласый человек.

Более десятка юношей и девушек в легких костюмах выстроились в ряд у станка. И только балетмейстер, выглядевший значительно старше остальных, стоял в центре зала и давал указания. Мишель поняла, что это и есть знаменитый Арно Димпьер. Увидев вошедших, он повернулся и пошел им навстречу. Каждое его движение было отточенным и грациозным. Мишель также отметила, что он отлично сложен. У Арно были очень красивые широкие плечи и гибкая, почти женская талия.

Из-за яркого света, брызнувшего ей в глаза из расположенных прямо напротив входной двери окон, Мишель не сразу рассмотрела черты лица балетмейстера. Но когда он подошел ближе, поняла, что Арно уже не молод. Наверное, он был ровесником ее матери. А может быть, и чуть постарше. Его лицу придавали мужественность слегка выдававшиеся скулы и упрямый подбородок. Из-под темных бровей сверкали светлые глаза. Парика он не носил, а седая прядь, зачесанная со лба на затылок и резко выделявшаяся на фоне совершенно черных волос, придавала его облику некоторую театральность. Голос же оказался низким, глубоким и несколько грубоватым.

— Андрэ, друг мой, сколько лет, сколько зим! — воскликнул он, подавая руку наставнику Мишель. — Наконец-то вы вернулись в родные края! Надеюсь, надолго?

Андрэ слегка поклонился, и на его лице появилась ироничная улыбка:

— Да, Арно, блудный сын вернулся домой.

Димпьер расцеловал Андрэ в обе щеки, потом отступил на шаг и похлопал его по плечу.

— Я, право, очень рад вновь видеть вас, мой друг. Мне было приятно узнать, что, несмотря на решение закончить карьеру танцовщика, вы все же сполна используете свои знания и опыт на педагогическом поприще. Насколько я догадываюсь, эта девушка — мадемуазель Вернер, о которой вы мне писали?

— Да, — с гордостью ответил Андрэ, обняв Мишель за плечи. — Не правда ли, она очаровательна?

На сосредоточенном лице Димпьера не отразилось никаких чувств. И это больно кольнуло Мишель. Она уныло подумала, что все дифирамбы Андрэ в ее адрес, по-видимому, не произвели впечатления.

— Согласен, — так же холодно ответил Арно. — Но в этом зале главное — не красота и обаяние, а умение танцевать. — Он обернулся и посмотрел на Мишель: — Вас не смутит, мадемуазель, если я попрошу вас станцевать в присутствии остальных учеников? Или вы бы предпочли танцевать только в моем присутствии? Ваше право решать.

Мишель очень хотелось ответить балетмейстеру, что присутствие остальных ни в коей мере ее не смутит. Но это было бы неправдой. Поэтому, стараясь унять дрожь в голосе, она ответила, присев в легком реверансе:

— Если позволите, месье, я бы предпочла танцевать перед вами без зрителей, потому что очень волнуюсь.

Мишель сказала это без тени кокетства, очень ровным и независимым тоном. И по выражению лица балетмейстера поняла, что тем самым уже заслужила его уважение.

— Как вам будет угодно, мадемуазель, — ответил он, слегка кивнув головой, и повернулся к ученикам: — Все пока свободны. Прошу покинуть зал. Мадемуазель Вернер сейчас покажет мне свой сольный номер. Потом мы продолжим репетицию нового балета. Так что прошу не расходиться.

Искоса поглядывая на новенькую, ученики Арно вышли за дверь. Мишель облегченно вздохнула. Она заметила, что они с первой минуты начали полушепотом ее обсуждать. Причем это обсуждение явно носило отнюдь не дружественный характер. Впрочем, и она сама успела кое-что подметить. В частности, и то, что многие ученицы Арно были значительно моложе ее. Конечно, Мишель знала, что танцоры должны быть молоды, и в первую очередь — девушки: их средний возраст обычно не превышал семнадцати-восемнадцати лет. Здесь же было несколько совсем еще девчушек. Некоторым нельзя было дать и тринадцати лет. Но даже и на их личиках, когда они смотрели на новенькую, читалось не столько любопытство, сколько опасение из-за появления новой соперницы. И это вызвало у Мишель неприятное чувство: если только ее примут, ей будет нелегко.

Димпьер повернулся к Мишель и кивнул в сторону сидевшего в углу пианиста:

— Вы будете танцевать под аккомпанемент моего концертмейстера или предпочитаете своего? Я имею в виду сидящего за инструментом месье Дюваля или же вашего наставника?

— Пусть играет Андрэ, месье, — вновь очень решительно ответила Мишель. — Я привыкла к нему. Если не возражаете, я покажу вам отрывок из балета «Любовь Марса и Венеры».

Димпьер слегка пожал плечами и утвердительно кивнул. Андрэ сел за рояль и разложил на пюпитре ноты. Мишель на мгновение закрыла глаза, глубоко вздохнула и постаралась вообразить, будто танцует дома, в своей классной комнате.

Андрэ взял первый аккорд. Мишель открыла глаза и начала танец. Она сразу же почувствовала себя спокойно, уверенно и с первых тактов поняла, что делает все именно так, как надо.

Когда танец кончился, Мишель долго не смела поднять глаз на балетмейстера, боясь увидеть на его лице выражение неудовольствия или даже полного неприятия.

Последний аккорд давно отзвучал, а Арно Димпьер продолжал хранить молчание. Наконец обернулся к сидевшему за роялем Андрэ и сказал:

— Ваша ученица очень изящна и пластична, Андрэ. Она умеет движением и жестом выразить не только чувство, но и мысль. Но ей надо еще очень многому учиться.

Мишель почувствовала, как у нее учащенно и тревожно забилось сердце. Она подняла глаза на балетмейстера, ожидая прочесть в его глазах еще более суровый приговор, нежели тот, который только что услышала. Но увидела в них лишь задумчивость. Арно внимательно рассматривал фигуру Мишель, ее ноги, руки, изгиб шеи. Затем снова обернулся к Андрэ:

— Долгие годы вы не имели возможности следить за развитием балета, Андрэ. За это время многое изменилось. Появились всякого рода новшества, иные танцевальные стили, иной стала техника. Тем не менее ваша ученица, несомненно, талантлива. И с вашей помощью солидно подготовлена для того, чтобы стать профессиональной балериной. Поэтому, думаю, ей не составит особого труда наверстать упущенное.

Он посмотрел на Мишель и жестом подозвал ее к себе:

— Мадемуазель, прошу вас быть здесь завтра утром ровно в восемь часов. Опозданий я не терплю. Наденьте что-нибудь удобное и очень легкое, чтобы можно было бы нормально репетировать. Должен предупредить, что вы непременно вспотеете. Захватите с собой что-нибудь из еды и питья. Мы будем очень много работать с раннего утра и до полудня. Ах да! Чуть было не забыл: принесите большое полотенце, чтобы укрыться и не замерзнуть, дожидаясь своей очереди танцевать. А теперь прошу меня извинить, я должен продолжить занятия. Андрэ, завтра вечером я свободен. Мы можем встретиться, вспомнить былое и обо всем поговорить.

— Я был бы очень рад, Арно! — ответил Андрэ, вставая из-за рояля со счастливой улыбкой. — Мы встретимся здесь или прямо в нашем любимом кафе?

— Здесь, ровно в пять часов вечера.

— Хорошо. Значит, завтра в пять часов. Благодарим вас, Арно, за то, что уделили нам время. И за терпение — тоже!

Димпьер кивнул, как показалось Мишель, довольно холодно и проводил их до двери. В коридоре на них с любопытством смотрели возвращающиеся в репетиционный зал ученики.

Когда они спустились на несколько ступеней, Андрэ неожиданно громко рассмеялся:

— Вы приняты, милая! Приняты в студию самого лучшего и известного во всем Париже балетмейстера. Теперь ваше будущее обеспечено!

Мишель же чувствовала себя прескверно и раздраженно ответила:

— Он не выказал никакого удовлетворения от моего танца!

— Дорогая девочка! — воскликнул Андрэ, обнимая Мишель. — Пусть вас не вводят в заблуждение холодность Арно и его довольно грубые манеры. Он всегда такой. А его слова можете воспринимать как самый высокий комплимент.

— Но ведь он сказал, что мне надо еще многому учиться!

— Совершенно верно, дорогая! И для этого у вас есть все данные. То, что сказал Арно, справедливо. Я научил вас только тому, что умею сам. Но я уже очень давно не был в Париже и не мог следить за состоянием современного балета в Европе. Но ведь Арно сказал, что вы легко наверстаете упущенное.

— Димпьер очень высокомерен. Ведь он просто-напросто приказал вам прийти на свидание с ним завтра вечером. И даже не соизволил поинтересоваться, удобно ли вам это время.

— Это в его духе, дорогая. Не взвинчивайте себя понапрасну. Вам необходимо просто выполнять все его указания. И Боже вас упаси разговаривать с Арно в таком тоне, в каком вы сейчас говорите со мной. Не позволяйте себе этого, умоляю!

Мишель недовольно хмыкнула, но продолжать разговор не стала. Ее приняли в студию, она должна быть довольна и благодарна этому Димпьеру. Но в душе Мишель чувствовала смущение и неуверенность. Впрочем, чего еще она ждала от этой встречи? Все вроде бы устраивалось как нельзя лучше. Но чувство неудовлетворенности не покидало девушку. Может быть, причиной тому был далеко не дружественный, скорее враждебный прием, оказанный ей другими учениками Арно. Ведь Мишель ожидала, что к ней отнесутся приветливо, по-доброму. На деле же произошло обратное. Ну ладно! Ее похвалил сам Арно Димпьер! Она будет работать изо всех сил, добьется новых успехов, и ее давнишняя мечта стать балериной исполнится!

— Дамы и господа! Прошу внимания. Я хотел бы кое-кого вам представить.

Голос Димпьера гулко раздавался в просторном репетиционном зале. Все ученики подошли ближе и кольцом окружили балетмейстера. Он держал за руку Мишель, которая под взглядами десятков любопытных глаз растерялась и сконфузилась.

— Я хочу, — продолжал между тем Димпьер, — представить вам новую ученицу. Ее зовут Мишель Вернер. Она приехала из Виргинии — английской колонии в Северной Америке. Надеюсь, вы будете к ней доброжелательны и окажете помощь делом и советом. Лично познакомиться с ней вы сможете чуть позже, во время обеденного перерыва. А теперь прошу всех занять места у станка.

Будущие балерины и танцовщики быстро разбежались по своим местам вдоль деревянных перил. Для Мишель осталось единственное свободное место в конце зала, очень далеко от балетмейстера. Она с грустью поняла, что призыв Арно к ученикам отнестись к новой однокашнице с максимальной доброжелательностью не был услышан. Что ж, ничего не поделаешь. Придется ей просто держаться от них подальше. К тому же, кроме Арно Димпьера, ей здесь никто не нужен...

Гордо подняв голову, Мишель заняла место у станка и во все глаза уставилась на балетмейстера.

— Начнем с плие, — объявил Димпьер. — Дюваль, вы готовы? Итак, присели — встали! Присели — встали! Еще раз...

Мишель, не отрывая взгляда от Арно, старательно делала упражнения...

Прошло три часа. Девушка, обливаясь потом, тяжело дышала и, как ей казалось, была готова упасть в обморок. Но тут как раз Димпьер объявил обеденный перерыв.

С трудом отдышавшись, Мишель отерла носовым платком пот с лица и осмотрелась. Она с удовлетворением отметила, что другие девушки устали не меньше. Значит, она выдержала очередное испытание!

Туго обвязав плечи толстым полотенцем, Мишель присела на деревянную скамью. Но тут же заметила, что остальные, вместо того чтобы подойти к ней и познакомиться, дружно бросились в раздевалку, где оставили принесенные из дома еду и напитки...

Мишель стало совсем горько и обидно. А в душе нарастало глухое раздражение. Она не привыкла к подобному отношению. Всю жизнь, включая и годы, проведенные в Виргинии, она пользовалась всеобщим вниманием и уважением. Что происходит? Может быть, будущие балетные звезды опасались за свое положение в студии и потому боялись сказать доброе слово новенькой? Возможно...

Чувствуя себя совершенно опустошенной и смертельно усталой, Мишель дождалась, пока раздевалка опустела, и спустилась туда за своей корзинкой с провизией, приготовленной поваром мадам Дюбуа.

Корзинка оказалась очень вместительной и аппетитно пахла. Мишель взяла ее и собралась пройти в маленькую комнатку напротив, чтобы без помех перекусить. Но в этот момент перед ней вырос один из танцоров студии. Молодой человек был не высок, но пропорционально сложен, с копной растрепанных черных волос на голове и светло-зелеными глазами.

Юноша низко поклонился Мишель:

— Мадемуазель Вернер, разрешите представиться: Луи Ласкот — всегда к вашим услугам.

Мишель, чуть покраснев, присела в реверансе:

— Рада знакомству, месье Ласкот. Вы — единственный из всей студии, кто осмелился подойти ко мне.

Луи уловил горестные нотки в голосе девушки. Он улыбнулся, и его лицо при этом сделалось совсем мальчишеским:

— О, другие сторонятся вас только потому, что считают не совсем приличным проявлять слишком явный интерес к новенькой. Кроме того, быть вежливым сейчас не в моде. А вообще-то все просто сгорают от любопытства. И хотят узнать о вас как можно больше. Но я постараюсь опередить их.

— Каким образом?

— Перекусив сейчас вместе с вами и задав несколько довольно дерзких вопросов. Вы согласны?

Мишель утвердительно кивнула головой:

— Конечно. Мне будет очень приятно пообедать с вами. К тому же повар положил в эту корзинку столько всякой всячины, что впору накормить всю труппу.

Луи рассмеялся и взял корзинку из рук Мишель.

— Пойдемте, мадемуазель Вернер. Найдем укромное местечко подальше от остальной компании и отлично поедим. А они пусть умирают от любопытства, думая, что мы с вами делимся какими-то секретами.

Мишель, приободрившись, последовала за Ласкотом в соседнюю комнату с нишами у стен, где стояли столики и стулья. Луи выбрал самую дальнюю нишу, после чего они сели за стол и вывалили на него все содержимое корзинки. Мишель сразу же почувствовала голод. Запах вкусной еды напомнил ей, что утром она почти ничего не ела.

— Чудесно! — воскликнул Луи после того, как Мишель развернула половину жареного цыпленка.

Затем она откупорила небольшую бутылку легкого белого вина, вытащила из пакета полдюжины груш, сливы, большой сладкий пирог, батон воздушного французского хлеба, солидный кусок сыра, баночку маринованных луковиц и разрезанный на кусочки марципан.

— Все это вы должны съесть вместе со мной, Луи, — сказала она, протягивая ему цыпленка. — И в первую очередь — вот эту птичку. А также сыр. Должна признаться, что я проголодалась. Но не настолько, чтобы справиться со всем этим в одиночку.

— С удовольствием, — улыбнулся Луи. — Мои собственные припасы сегодня довольно скудны.

Мишель и Луи с такой жадностью набросились на еду, что очень скоро на столе не осталось ничего, кроме остатков вина в маленькой бутылке. Мишель настояла, чтобы Луи его допил.

— А теперь, — сказала она, перегнувшись к нему через столик, — я попросила бы вас оказать мне честь и ответить на несколько вопросов.

Луи похлопал ладонями по своему животу.

— На какие угодно, милая, не стесняйтесь. Ведь теперь я ваш вечный должник. Боже мой, что это была за еда! Ни с чем не сравнимое наслаждение! Хотя я теперь вряд ли смогу станцевать хотя бы одно па!

— Расскажите мне об остальных членах труппы. Как их зовут, чем они занимаются в свободное от занятий время. Каковы их успехи, что они танцуют и на что могут рассчитывать в будущем.

Луи неожиданно рыгнул, даже не успев прикрыть рот ладонью, и откинулся на спинку стула.

— Извините, дорогая! Это от обжорства. Ну а теперь перейдем к вашим вопросам. Кстати, ответы на них дать нетрудно. Я начну с себя.

— Прошу вас!

— Итак, я — Луи Ласкот, премьер труппы.

Мишель сразу же выпрямилась и с любопытством посмотрела на своего визави:

— Серьезно? Вы — премьер труппы месье Арно Димпьера?

Луи тихо засмеялся:

— Почти что так. Хотя официально нашим премьером считается вон тот нахальный долговязый парень, что стоит сейчас, прислонившись к стене. Его зовут Ролан Марэ.

Мишель бросила взгляд по направлению указательного пальца Луи и увидела высокого, с крепкими руками и ногами молодого человека с соломенного цвета волосами. Выражение его лица, равно как и поза, в которой он стоял, действительно дышали самовлюбленностью и надменностью. Каждое его движение, казалось, было призвано продемонстрировать, что существование Ролана Марэ на этом свете не только очень важно, но и крайне необходимо для всего человечества.

— Простите меня за грубость, — шепнул Луи, — но этот тип, помимо всего прочего, первый среди ублюдков. Постарайтесь держаться от него подальше. Ибо он очень ревниво относится к каждому, в ком есть хоть искра таланта.

Мишель тем временем продолжала разглядывать молодого человека с соломенными волосами, которого Луи назвал «первым среди ублюдков». И нашла его пусть холодным и самовлюбленным, но все же вполне представительным и даже красивым. Затем она перевела взгляд на Луи и неожиданно спросила:

— Значит, вы думаете, что я талантлива?

Луи ехидно улыбнулся:

— Разве я что-нибудь сказал? Что ж, это, наверное, невольно сорвалось у меня с языка. Боже мой, какая неосмотрительность!

Он снова повернулся к стоявшим и сидевшим поодаль танцорам.

— Вон ту молоденькую девушку, что стоит за Роланом, зовут Дениз Декок. Она одна из лучших наших танцовщиц. Вторая после прима-балерины Сибеллы, которой сегодня здесь нет. Но эта Дениз — холодная, злая фурия с сердцем заводной куклы. Думаю, что подобные качества характера она унаследовала от своей матери — еще большей ведьмы, нежели ее дочь. Тем не менее она поддерживает очень тесные отношения с Роланом Марэ. Это о чем-то говорит...

Девушка, о которой говорил Луи, была яркой блондинкой маленького роста и очень хрупкой. На вид ей было лет шестнадцать. Наружность Дениз скрашивали большие холодные серые глаза и тонкие изящные губы. Мишель в душе согласилась с оценкой Луи: от Дениз так и веяло жесткостью и неискренностью.

— У нас есть еще два великолепных танцора, — продолжал Луи. — Один из них — ваш покорный слуга. Надеюсь, вы не сочтете меня нескромным. Другой же — Морис Деколь, которого обычно называют «Кафе о Лэ»*. О причинах такого прозвища вы, думаю, догадались.

Мишель проследила за взглядом Луи и увидела еще одного высокого молодого человека, цвет кожи которого действительно напоминал кофе с молоком. Волосы у него были курчавыми, а губы — полными, что наводило на мысль о негритянском происхождении юноши. Мишель вопросительно посмотрела на Луи. Тот пожал плечами:

— Его отец — очень важная и знатная персона, он принят при дворе. Мать — писаная красавица, мулатка. Профессиональная балерина. Отец

---

* «Кофе с молоком» *(фр.)*. — *Примеч. ред.*

очень о нем заботится и поддерживает материально. Но официально за сына не признает.

Мишель только хотела расспросить Луи о хорошенькой шатенке, о чем-то разговаривавшей с мулатом, как дверь открылась, и с порога раздался густой бас Арно Димпьера:

— Перерыв окончен. Прошу всех вернуться к станку.

Пока труппа переходила в репетиционный зал и растекалась по своим местам у станка, хорошенькая шатенка подошла к Мишель и, улыбаясь, сказала:

— Я хотела бы с вами познакомиться. — И, осторожно взяв Мишель за руку, шепотом добавила: — Меня зовут Мари Рено.

Ее улыбка была открытой и дружественной. Мишель не могла не улыбнуться в ответ.

— Я очень рада, — ответила она.

— Давайте как-нибудь поболтаем с вами подольше, — вновь зашептала Мари. — Может быть, на днях, во время перерыва. И тогда вы мне расскажете об английских колониях в Северной Америке. Это меня очень интересует.

— С удовольствием, Мари, — ответила Мишель.

Но уже начался урок, и продолжить разговор не удалось.

***

Следующие две недели были до отказа заполнены занятиями и репетициями. Труппа работала над новым балетом, который Димпьер намеревался показать в ближайшее время, поэтому он заставлял всех репетировать до седьмого пота.

Мишель танцевала в кордебалете. С отчаянной завистью смотрела она на прима-балерину Сибеллу Манэ. Сибелла, по подсчетам Мишель, была всего на год старше ее. Но отличалась редкой грациозностью и отлично владела своим телом. Слишком высокая для балерины, она обладала изящными длинными ногами совершенной формы, красивым торсом и гибкими, казавшимися лишенными костей руками. Ее прямые темно-каштановые волосы были расчесаны на пробор и откинуты назад, открывая классические черты ее лица. Сибелла и после занятий держалась и выглядела как настоящая балерина. Мишель с тайной завистью мечтала добиться такого же совершенства.

Поскольку Ролан Марэ уже танцевал в двух спектаклях, Димпьер назначил исполнителем главной роли в новой постановке Луи. Его партнершей должна была стать Сибелла. Наблюдая их парный танец на репетиции, Мишель убедилась, что Луи просто замечательный танцор: сильный, с атлетической фигурой и вместе с тем в высшей степени грациозный. С Сибеллой они составляли исключительную пару. Мишель не уставала ими восхищаться, втайне думая о том, чтобы когда-нибудь стать партнершей Луи вместо Сибеллы. Но очень скоро заметила, что не только она мечтает об этом. Маленькая блондинка Дениз Декок холодными серыми глазами, полными зависти и ненависти к Сибелле, напряженно следила за танцующей парой. В этот момент она была похожа на бешеную кошку.

Несмотря на напряженное расписание занятий и невероятную требовательность Арно Димпьера, Мишель получала огромное удовольствие от уроков и репетиций. Постепенно она становилась полноправным членом труппы, знакомясь день за днем с остальными ее участниками. Отношение их к новенькой тоже заметно теплело. Мишель особенно подружилась с Мари Рено, которая могла часами слушать ее рассказы о жизни в Америке.

Мишель чувствовала, что ее дела идут совсем не плохо. Она медленно, порой испытывая раздражение, догоняла своих партнеров по студии, разучивала партии в уже идущих на сцене балетах. И надеялась, что скоро Димпьер разрешит ей танцевать в этих спектаклях хотя бы в кордебалете.

На знакомство с Парижем или на светскую жизнь времени у Мишель почти не оставалось. Тем не менее однажды вечером мадам Дюбуа сказала, что ей уже пора выезжать в свет и показывать себя. В ближайшее воскресенье мадам Дюбуа намеревалась устроить большой прием в своем салоне, который пользовался успехом в парижском свете. Мишель и Андрэ должны были присутствовать на нем в качестве почетных гостей. Были приглашены многие старые друзья Андрэ, и он с нетерпением ждал встречи с ними. Мишель же не терпелось узнать, что такое великосветский прием. Особенно в самом Париже. Поэтому она ждала приближающегося воскресенья с радостным волнением...

Погода в воскресенье выдалась ненастной. Но это не помешало гостиной мадам Дюбуа сиять бриллиантами и блестящими туалетами многочисленных гостей.

Мишель чувствовала, что она, хотя и излишне пышно одетая, все же не лишена элегантности и не посрамит столь роскошное собрание. Накануне она показала свой туалет мадам Дюбуа. Та заставила ее одеться, внимательно осмотрела со всех сторон платье цвета морской волны и неодобрительно покачала головой:

— Дорогая, цвет хорош. И ткань — тоже. Но позвольте моей модистке исправить кое-какие мелочи.

Подобное замечание обескуражило Мишель. Ее платье было сшито лучшим портным Виргинии за несколько дней до отъезда в Европу. И он уверял ее, что такой фасон сейчас считается криком моды не только в Париже, но и во всем мире. Мишель обиженно посмотрела на мадам Дюбуа и, надувшись, спросила сквозь зубы:

— Что вы имеете в виду?

— Сейчас в моде широкие кринолины. Ваше платье для них не подходит. Надо значительно расширить юбку.

— Но мой портной в Виргинии уверял, что это последний парижский шик.

— Да, милая, — усмехнулась мадам Дюбуа, — это было бы именно так, если бы речь шла о парижской моде, какой ее представляют в Америке. Но вы должны понять, что проходит много месяцев, прежде чем наша последняя мода достигает берегов Нового Света. После чего требуется еще немало времени, чтобы ее скопировать, скажем, в той же Виргинии. Сегодня широкие кринолины в большем почете у парижанок. Кроме того, в вашем наряде есть и некоторые недоделки, которые исправят за несколько минут. Тогда вы будете выглядеть действительно модно одетой и приведете в восхищение сливки парижского общества. Поверьте мне, милая.

Еще следует попросить мою первую камеристку подыскать для вас хороший парик и сделать вам макияж. Она все это умеет. Я хочу, чтобы вы выглядели сногсшибательно. С вашей природной красотой это будет совсем нетрудно.

Хотя Мишель была очень благодарна мадам Дюбуа за участие к ее внешнему виду, парик она решительно отвергла. Он показался ей неудобным и совсем не красивым. Она настояла на том, чтобы ей разрешили оставить свои собственные волосы, уложив их в замысловатую прическу.

После этого мадам Дюбуа и Джинни потребовали, чтобы она хорошенько напудрила волосы. Пришлось согласиться...

Итак, на следующий день Мишель, одетая по последней моде, причесанная, напудренная и нарумяненная, сидела в парадном зале среди многочисленных гостей мадам Дюбуа, исподтишка бросая любопытные взгляды на собравшихся.

Все это пестрое и говорливое общество напоминало ей стаю экзотических птиц, усевшихся на ветках огромного раскидистого дерева. Мужчины в напудренных париках и шелковых камзолах, в облегающих бедра панталонах и чулках всевозможных оттенков, не говоря уже о каскаде кружев на манишках и рукавах, соперничали своими разноцветными нарядами с женщинами, утопавшими в осыпанных драгоценностями платьях с необъятными кринолинами.

Мишель заметила, что Андрэ сегодня выглядит особенно импозантно. На нем были элегантный камзол из пурпурного бархата с выглядывавшими из-под рукавов дорогими манжетами, ослепительно белый шелковый жилет с кружевной манишкой, обшитые серебряной тесьмой панталоны и туфли с блестящими пряжками. При этом он казался еще жеманнее и изнеженнее, чем в Малверне. Заметная и ранее женственность его движений и жестов стала еще очевиднее. Правда, такими же были и манеры некоторых других присутствовавших на вечере мужчин. Наблюдая за ними и за Андрэ, Мишель подумала, что они выглядели столь же утонченными и очаровательными, как и женщины. И решила, что ей больше по вкусу мужские одежды, принятые в Виргинии. В них представители сильного пола по крайней мере выглядели мужественно. За исключением, пожалуй, Андрэ, в котором и там проскальзывало какое-то едва уловимое женское начало. Сейчас же его лицо просто-таки сияло от счастья. Ведь он вновь оказался среди своих соотечественников и друзей.

Рассмотрев как следует мужскую половину салона, Мишель принялась изучать присутствующих женщин. Большинство дам приехали в бархатных масках, которые они снимали только в дверях гостиной. Этот маскарад объяснялся опасением, как бы резкие порывы ветра не окрасили румянцем их столь бледные лица, ведь бледность высоко ценилась в аристократических кругах. Все женщины были в париках и роскошно одеты. Но никто из них не мог соперничать по красоте и изысканности наряда с хозяйкой салона — мадам Дюбуа.

Ее белое атласное платье было богато расшито золотыми узорами. Можно было только удивляться, сколько времени пошло на его создание и обработку. Оборки нижних юбок повторяли очертания покатых бурых холмов, поросших развесистыми деревьями, высокой сочной травой, цветами и кустарником, из-за ветвей которого тут и там выглядывали забавные мордочки разных зверюшек. Рукава и все остальные детали платья были расшиты виноградными листьями, цветами настурции и жимолости и множеством других растений, встречавшихся в природе или же выдуманных сказочниками. Листья некоторых деревьев окаймлялись серебряными нитями, а силуэты древесных стволов — золотом. Вообще при взгляде на платье мадам Дюбуа можно было представить себя на лесной опушке, освещенной лучами солнца, пробивающимися сквозь листву и ветви деревьев.

Мадам Дюбуа была в таком огромном кринолине, что с трудом проходила в дверь. А ее парик искрился бриллиантами, соперничая с платьем. Лицо было сильно, но очень искусно загримировано. Правую щеку украшала крошечная мушка.

Глядя на мадам Дюбуа, Мишель вдруг почувствовала себя неловко. Как будто женщина, которую она хорошо знала и успела искренне полюбить, неожиданно куда-то исчезла, а вместо нее возникла совсем незнакомая, холодная и непонятная особа.

Однако глубокий, несколько хриплый голос хозяйки дома остался прежним. Это немного успокоило Мишель, и она постаралась прислушаться к тому, что говорила мадам Дюбуа. Оказалось, что та развлекала гостей довольно пошлым анекдотом из личной жизни Людовика XV. Но все слушали ее с большим вниманием. И это несколько шокировало Мишель. Она почувствовала, что стала пунцовой от стыда, и принялась яростно обмахиваться веером.

Из этого состояния ее вывел раздавшийся над самым ухом мужской голос:

— Вижу, что сказочки, которыми потчует гостей мадам Дюбуа, не слишком вам по вкусу. Не так ли?

Мишель обернулась и увидела стоявшего у нее за спиной элегантного молодого человека в костюме из светло-голубого атласа. У него было худое порочное лицо с измученными серыми глазами, в которых тем не менее прятался сарказм. Мишель, решив, что молодой человек все же заслуживает ответа на свой вопрос, бесхитростно сказала:

— Боюсь, что я не привыкла к подобным анекдотам. Скажите, пожалуйста, французы часто злословят о своем короле?

Молодой человек громко и искренне расхохотался, что никак не вязалось с его рафинированной внешностью:

— О, боюсь, что это так, мадемуазель. Откровенно говоря, для парижского света нет большего удовольствия, нежели посудачить по поводу личной жизни его величества. Обсуждается буквально все: что он делает в данную минуту, кто его любовница и сколько их, кого он соблазнил на днях. Не говоря о сотнях всякого рода мелких грешков, львиную часть которых выдумывают сами собиратели сплетен. Впрочем, так было всегда. Разве вы этого не знали? У нас считают, что чуть ли не первейшая обязанность короля — давать обильную пищу для непристойных разговоров о нем. И надо отдать должное нынешнему королю: он эту обязанность выполняет безупречно!

Мишель тоже от души рассмеялась. Молодой человек, видимо, был большим шутником. Но она не знала его имени и тут же постаралась восполнить этот пробел:

— С кем имею честь и удовольствие разговаривать, месье?

Он поклонился так низко, что даже при своем маленьком росте Мишель не могла не отметить чрезмерное количество пудры на его парике, чистота и свежесть которого все же вызывали сомнение...

— Меня зовут Альбион Вильерс, мадемуазель, — ответил он, поднеся к своему носу маленький кружевной платочек. — Всегда к вашим услугам. А вы, если не ошибаюсь, прелестное создание, чье имя — Мишель Вернер? Вы — гостья мадам Дюбуа и ученица моего старого друга Андрэ Леклера?

— Как, вы друг Андрэ? Это замечательно! Может быть, вы расскажете мне о нем? Видите ли, я очень мало знаю об Андрэ, кроме того, что он считался членом нашего семейства еще до моего рождения. Каков он был в молодости, здесь, в Париже?

Альбион опустился на стоявший рядом хрупкий стул и вынул из кармана инкрустированную драгоценными камнями золотую табакерку. Открыв ее, он взял щепотку ароматного зелья и левой рукой заправил в свою правую ноздрю. Покончив с этой процедурой, месье Вильерс несколько раз от всей души чихнул, вытер нос все тем же кружевным платочком и только тогда ответил:

— О, об этом человеке можно немало рассказать, мадемуазель. Я даже затрудняюсь, с чего начать.

— Вы давно с ним знакомы?

— С детства, мадемуазель.

Мишель уже поняла, что ее собеседник — завзятый сплетник, а потому решила выудить у него все об Андрэ. И в первую очередь узнать, почему он в свое время покинул Париж. Это ее всегда интересовало, но Андрэ каждый раз либо уходил от разговора, либо ограничивался недомолвками.

— Когда вы в последний раз с ним виделись? — спросила она Альбиона.

— За день до отъезда Андрэ из Парижа в ваши колонии. При этом я даже не мог себе представить, что расстаюсь с ним надолго! Но как ни грустно, а Андрэ сам был во всем виноват. Я ведь давно и не раз говорил ему: «Андрэ, оставь в покое этого юношу. Много других молодых людей домогаются твоей любви. Зачем подвергать себя ненужной опасности?» Так нет же! Он не хотел ничего слушать. Впрочем, влюбленный обычно глух к советам окружающих и даже самых близких друзей. А отцом того юноши был очень высокопоставленный вельможа, который и настоял на том, чтобы Андрэ немедленно покинул Францию. Жаль. Андрэ был на взлете своей карьеры и считался в Париже первым танцовщиком. И вот...

Мишель подумала, что ослышалась. Альбион говорил о каком-то юноше? Нет, такого не могло быть... Но он сказал еще, что Андрэ был премьером парижского балета. И Мишель тут же уцепилась за эту фразу:

— Вы говорите, что Андрэ в то время был лучшим танцовщиком балетной труппы?

Альбион дугой выгнул брови. В его усталых глазах зажегся нездоровый огонек. И Мишель поняла, что своим вопросом дала ему повод для очередной грязной сплетни.

— Он вам ничего не рассказывал? Как же он невнимателен! Вы никогда не задумывались о том, почему Андрэ стал таким прекрасным педагогом?

— Нет. Я всегда воспринимала Андрэ таким, какой он есть. Как и все остальные.

На лице Альбиона появилось хитрое выражение. Мишель почувствовала, что он собирается доставить себе удовольствие и сообщить ей нечто шокирующее. Она уже жалела о том, что начала этот разговор. Но было уже поздно. Однако Мишель тут же решила не показывать вида, что ей неприятно и даже огорчительно его слушать.

Тем временем молодой человек подвинулся вместе со стулом к ней поближе:

— Неужели вы не знали, что Андрэ — любитель мальчиков? Не может быть! Вы должны были об этом догадаться!

Мишель попыталась что-то ответить, но не могла. Она слышала слова, что говорил ей Альбион, но не понимала их смысла.

— Что это значит? — наконец переспросила Мишель.

— Хорошо, попытаюсь все объяснить. Когда король Людовик был еще юношей, его и нескольких приятелей такого же возраста поймали как-то раз в версальском лесу за занятием... Ну как бы это выразиться? В общем, они занимались любовными утехами друг с другом.

— Мальчики?!

— Да, именно мальчики. Тогда скандал потряс всю столицу. Конечно, все другие юноши, участвовавшие в подобных развлечениях с королем, тут же были лишены доступа во дворец, а их заводила, маркиз де Рамбур, даже угодил в Бастилию. Кстати, за последние годы в высшем свете Парижа стало много любителей подобных ощущений. Андрэ тоже принадлежал к их числу. Разве вы не знали?

Мишель была потрясена. Как? Андрэ занимался любовью с юношами?! Она была глубоко шокирована. Ее душила ярость, готовая выплеснуться прямо в лицо этому грязному сплетнику. Как она могла его слушать? И этот слизняк называет себя другом Андрэ! Воистину, при таких друзьях враги становятся совершенно лишними!

Мишель чувствовала себя отвратительно. Но разве не она сама спровоцировала Альбиона на подобный разговор?

Молчание затянулось. Мишель заметила, что Альбион внимательно следит за ней с выражением отвратительного удовлетворения на лице. Несмотря на попытки девушки скрыть свои чувства, он явно понял, что сумел ее больно задеть. Мишель же безумно хотелось ударить этого мерзавца, хотя она и знала, что никогда не сможет этого сделать. Наконец она собралась с силами и ответила твердым, суровым тоном:

— Разумеется, мы все об этом знали! Я же сказала вам, что всегда воспринимала Андрэ таким, какой он есть. И относилась к нему как к члену своей семьи.

— О, я в этом уверен, — сухо сказал Альбион. — Извините, мадемуазель, но я вынужден оставить вас, поскольку увидел человека, с которым непременно должен поговорить.

Встав, он низко поклонился и тут же присоединился к группе гостей, окружавших мадам

Дюбуа. Мишель же со вздохом откинулась на спинку кресла. Возможно, что излишнее любопытство — тоже грех! Еще раз она пожалела о том, что затеяла с Альбионом Вильерсом разговор об Андрэ. Но тут же отбросила эти мысли, заметив, что мадам Дюбуа кивком указывает на нее двум дамам из своего окружения. Лицо одной из них было Мишель знакомо.

Глава 7

Мишель не долго мучилась, стараясь вспомнить, где видела молодую девушку, стоявшую рядом с пожилой дамой и мадам Дюбуа. Как только все трое подошли ближе, она узнала в ней Дениз Декок. В вечернем платье та выглядела гораздо лучше, чем в привычной для Мишель одежде для репетиций.

На голове Дениз, как и у других женщин, был напудренный парик, лицо покрывал толстый слой пудры и румян, а наряд был тщательно продуман. Розовое парчовое платье очень шло Дениз, но раскрашенное лицо делало ее гораздо старше своего возраста. Во всяком случае, ей было никак нельзя дать шестнадцать лет.

— Мишель, дорогая, — проворковала мадам Дюбуа, — вы, конечно, узнали свою юную подругу из балетной студии Арно Димпьера.

Мишель изобразила на лице искусственную улыбку, как бы согласившись со словами мадам Дюбуа. На самом же деле она с первых дней пребывания в студии испытывала инстинктивную антипатию к этой девице, которая была чуть моложе ее. И в первую очередь потому, что та почти не обращала на нее внимания и не сделала ни одной попытки подружиться. Более того, Мишель постоянно ощущала со стороны Дениз почти откровенную враждебность.

И все же сегодня Мишель улыбнулась ей и присела в реверансе перед другой женщиной, значительно старшей по возрасту. По ее сходству с Дениз Мишель сразу же поняла, что перед ней ее матушка — мадам Декок. И не ошиблась, поскольку мадам Дюбуа тут же представила ей Мишель.

Мадам Декок оказалась такой же холодной и надменной, как и ее дочь. Впрочем, Луи уже предупреждал Мишель об этом. Выслушав мадам Дюбуа, госпожа Декок без тени улыбки на лице небрежно кивнула Мишель. Ее лицо было до такой степени загримировано, что казалось фарфоровым. Мишель же оно напомнило манекенов, которых время от времени присылали из Парижа в североамериканские колонии для демонстрации последних французских мод.

— Я оставлю вас, чтобы дать возможность без помех поболтать, — сказала мадам Дюбуа, похлопав по плечу Мишель, которая почти с отчаянием посмотрела ей вслед. Она просто не знала, о чем говорить с этими двумя женщинами.

Но разговор начала мадам Декок:

— Мадам Дюбуа сказала мне, что вы приехали из английских колоний, причем североамериканских.

Тон мадам Декок почему-то сразу же стал агрессивно-обвинительным. При этом матушка Дениз почти не шевелила губами. Мишель подумала, что она просто боится испортить слой белил и румян на своем густо наштукатуренном лице. Голос же мадам Декок, казалось, исходил из самого нутра.

— Да, я действительно приехала оттуда, — ответила Мишель как можно вежливее. — Мы живем в штате Виргиния.

Мадам Декок снова утвердительно кивнула головой, не соизволив хоть чуточку улыбнуться. Дениз же продолжала молчать и только внимательно смотрела на Мишель серыми и холодно-оценивающими глазами.

— Вам повезло сразу попасть в труппу Арно Димпьера, — чуть ли не с осуждением продолжила мадам Декок.

— Вы правы, — скромно ответила Мишель. — Мне действительно очень повезло.

Мадам Декок выгнула дугой свои насурьмленные брови.

— Дениз занимается в этой студии с двенадцати лет, а в тринадцать она уже танцевала ведущие партии.

Взгляд матушки Дениз явно побуждал Мишель к дискуссии по этому поводу. Но та твердо решила не поддаваться на подобные игры. Она спокойно посмотрела на Дениз и тихо сказала:

— Это просто замечательно, мадам Декок!

— Она бы уже давно стала прима-балериной, если бы не любимчики месье Димпьера.

— Любимчики? — удивленно переспросила Мишель. Она просто не могла понять, о чем говорит эта женщина.

Мадам Декок в очередной раз закивала головой, причем так яростно, что ее парик чуть было не съехал набок.

— Я имею в виду эту штучку Сибеллу. Она — любовница месье Димпьера. И все об этом знают. Но в конце концов она ему надоест, и тогда Дениз займет в труппе то место, которое давно заслужила.

Поскольку Дениз продолжала хранить молчание, Мишель решила сменить тему разговора и спросила ее:

— Скажите, Дениз, вы всегда мечтали танцевать?

— Всегда, — ответила та каким-то странным детским голосом. — С тех пор как я себя помню, мне безумно хотелось стать самой знаменитой балериной в мире.

— Ни для кого не секрет, — сказала с вызовом мадам Декок, — что в Париже нет балерины лучше Дениз. И мир очень скоро в этом убедится.

Мадам Декок опять с вызовом посмотрела на Мишель, явно вызывая на спор. Та же просто не знала, что ответить. Видимо, она должна была восхищаться преданностью Дениз своей мечте. Мишель видела ее на занятиях в классе. И должна была признать, что техника ее младшей одноклашницы почти совершенна, а движения отточенны. Кроме того, в Дениз чувствовались огромная воля и решительность. Что ей мешало, так это природная холодность, которая проявлялась и в танце, делая его механическим и бездушным. Впрочем, она была еще очень юной и со временем могла все исправить. Может быть, приобретенный опыт согреет и ее сердце. Но пока и она сама, и ее мать были переполнены яростной злобой. Глядя на них, Мишель решила не оставлять без ответа явно брошенный ей вызов.

— Я думаю, нет танцовщицы, которая не мечтала бы о лаврах прима-балерины, — холодно сказала она.

Мадам Декок бросила на Мишель негодующий взгляд:

— Возможно, это так. Но Дениз не просто танцовщица, как вы. Моя дочь гениальна!

Мишель почувствовала, что едва сдерживается. Она плотно сжала губы, боясь сказать в ответ что-нибудь, что еще больше разозлит эту даму. А Мишель ни в коем случае не хотела стать причиной безобразной сцены, которая испортила бы вечер мадам Дюбуа. И тут она увидела Андрэ, который направлялся прямо к ней, как будто его послало само небо. Наверное, еще никогда она не была так ему рада!

Андрэ одарил мадам Декок самой очаровательной улыбкой, на которую только был способен:

— Мадам, если позволите, я оставлю вас тет-а-тет с вашей дочерью. Я хотел бы представить кое-кому мадемуазель Вернер.

Мишель быстро вскочила со стула и крепко ухватилась за руку Андрэ. Затем обернулась к своим собеседницам и сказала сладким голосом:

— Мне доставила огромное удовольствие беседа с вами, мадам.

Отойдя на несколько шагов, Мишель наклонилась к Андрэ и шепнула ему на ухо:

— Вы просто не представляете себе, как меня выручили!

Андрэ посмотрел на нее и хитро подмигнул:

— Очень даже хорошо представляю, дорогая. Я умею читать выражение вашего лица даже через комнату. Потому и бросился вам на выручку.

— У этих двоих совсем нет сердца. Когда я впервые встретилась с Дениз, то подумала, что более холодной особы в мире просто не существует. И думала так до тех пор, пока не познакомилась несколько минут назад с ее мамочкой. О Боже!

Андрэ рассмеялся:

— Да, эти дамочки себе на уме! Я знаю Мадлен с давних пор. Еще до того, как она вышла замуж за Декока. Эта дама и тогда была такой же. Сегодня же она — сущая ведьма! — Его лицо вдруг сделалось серьезным. — Но не стоит их недооценивать, дорогая. И Боже вас упаси разозлить! Это может создать для нас с вами серьезные трудности. Мадам Декок пользуется большим влиянием в парижском свете. Так что не вздумайте нажить себе опасного врага!

— Но они так недоброжелательны и даже грубы! Вряд ли я сумею сдержаться, если они посмеют меня оскорбить!

— Терпение, дорогая, терпение. А сейчас давайте поговорим о чем-нибудь приятном. Как вам этот вечер?

Мишель неопределенно пожала плечами:

— Я только и успела что поговорить с мадам Декок и ее дочерью. А еще с отвратительным типом, который представился как Альбион Вильерс. Он говорил, что друг вам.

— А, так вы уже встретились с Аспидом! — рассмеялся Андрэ. — В былые времена мы прозвали его так за ядовитый язык.

— Подходящее прозвище, — фыркнула Мишель. — И, судя по нашей беседе, он его все еще заслуживает. Альбион назвался вашим другом, но тут же рассказал про вас такое, что я никогда не решусь повторить.

Улыбка сбежала с лица Андрэ.

— Могу себе представить, что он вам наговорил. И слишком давно знаю вас, Мишель, чтобы не догадаться, как это вас шокировало. Мы поговорим об этом позже, когда останемся вдвоем. А сейчас я хотел бы представить вас некоторым очень приятным и интересным людям. Надеюсь, это вас развлечет и поможет забыть о всех мерзостях и неприятностях.

После этого Мишель была представлена почти всем гостям салона, многие из которых вполне заслуживали лестной характеристики, данной им Андрэ. Мужчины рассыпались в комплиментах, которые доставляли ей удовольствие, хотя Мишель и не совсем им верила. При этом все рассказывали смешные анекдоты и забавные истории.

Но постепенно напудренные и нарумяненные лица, неестественный смех и манерность большинства гостей стали ей надоедать. Хотя Мишель все же было небезразлично внимание, которое ей оказывали, и очевидный всеобщий интерес к себе.

Она бойко болтала с каким-то молодым красавцем, который уверял, что скоро предстанет перед судом, когда почувствовала на себе чей-то взгляд. Продолжая улыбаться молодому человеку, Мишель осторожно повернула голову и увидела неподалеку Арно Димпьера, стоявшего у стены со скрещенными на груди руками. Их взгляды встретились. И лицо Арно осветилось улыбкой.

Мишель поняла, что он узнал ее, несмотря на бальный наряд. И тоже улыбнулась мэтру. При этом чуть дольше задержала взгляд на его фигуре. Как же он красив! Стройная талия, длинные изящные ноги... Одет в простой костюм из темно-серого бархата. На голове — скромный серый парик с маленькой косичкой на затылке.

Мишель снова обернулась к молодому человеку. Но краем глаза продолжала наблюдать за балетмейстером. Он отделился от стены и медленно направился к ним. Мишель почувствовала, как ее охватывает волнение. В первые дни их знакомства она побаивалась Арно. Но постепенно страх уступил место глубокому уважению. На нее производили огромное впечатление не только глубокие познания Димпьера в области балета, но и его широчайшая эрудиция. И конечно, Мишель восхищалась им как педагогом.

На занятиях в репетиционном зале он очень редко позволял себе заговаривать с ней, ограничиваясь, как правило, двумя-тремя словами. Да и те не выходили за рамки обычных педагогических замечаний и указаний на ошибки, допущенные при исполнении того или иного танца. При этом Мишель еще ни разу не слышала от Димпьера ни одного комплимента!

Мишель знала, что большинство занимавшихся в студии девушек ловили на лету каждое слово Димпьера и прямо-таки напрашивались на его похвалу. Но выслушивали ее очень редко. Мишель тоже жаждала услышать от Арно хоть одно доброе слово, хотя не признавалась в этом даже самой себе. И вот сейчас в гостиной салона мадам Дюбуа они неожиданно встретились как равные! Знаменитый Арно Димпьер смотрит на нее своими глубокими черными глазами, не обращая никакого внимания на разговаривающего с ней молодого человека! Последний заметил это и умолк на полуслове.

— Мадемуазель Вернер, — сказал Димпьер, слегка наклонив голову, — как приятно видеть вас на этом прекрасном вечере.

Мишель наклонила голову, стараясь выглядеть по возможности такой же холодной и рассудительной, как и ее новый наставник:

— Я тоже очень рада видеть вас здесь, месье Димпьер.

— Вам нравится этот салон?

— Здесь очень... интересно, месье. Все так не похоже на то, к чему я привыкла у себя дома.

— Я это уже заметил.

Молодой человек, убедившись, что на дальнейшее внимание со стороны Мишель ему рассчитывать не приходится, вздохнул и с явной неохотой отошел в сторону. Арно же взял ее под руку и сказал:

— Здесь становится душно. Кроме того, от всех этих парфюмерных запахов у меня закружилась голова. Вы не возражаете против небольшой прогулки по саду? Там мы по крайней мере подышим свежим воздухом.

Не дожидаясь согласия Мишель, Арно решительно повел ее к двери.

В саду было довольно свежо. Но Мишель прохлада была приятна. Сад выглядел довольно жалко: живая изгородь и несколько цветочных клумб. По мере того как они продвигались в глубь аллеи, Мишель все сильнее ощущала присутствие рядом Димпьера. Ей причинял немалое неудобство кринолин, за которым надо было поминутно следить, чтобы не зацепиться за ограждение клумб. Тучи на небе понемногу рассеялись, и лучи заходящего солнца мягко ласкали цветы, листву деревьев и песчаные дорожки. Все это пробудило в душе Мишель воспоминания о родном доме. Ей захотелось снова увидеть живописные лужайки Малверна, совсем не похожие на подстриженные газоны и симметричные клумбы сада мадам Дюбуа.

Арно остановился и с наслаждением вздохнул. Затем вытянутой рукой описал круг в воздухе:

— Как здесь хорошо! Там, в гостиной, совершенно нечем дышать от облаков пудры и запахов духов. Кто-то сказал, что всю парижскую чернь можно накормить мукой, которой знать посыпает себе головы. Я начинаю в это верить!

Арно говорил очень небрежным тоном, и Мишель поняла, как глубоко он презирает гостей из салона мадам Дюбуа. Это еще более разожгло ее любопытство.

— Мне кажется, что вы не очень-то жалуете светскую жизнь, месье, — сказала она, скорчив довольно кислую мину.

Мишель еще не была до конца уверена в том, что может говорить на равных с этим человеком. Но Арно лишь рассмеялся:

— Вы имеете в виду светскую жизнь, которую символизирует этот салон? Да!

— Но в таком случае зачем вы сюда пришли?

— Потому что вечная борьба за выживание сделала меня трусом. Мне нужна поддержка мадам Дюбуа, других подобных ей дам или высокопоставленных особ мужского пола, без которой содержание моей труппы и балетной школы станет невозможным. Может быть, подобное подобострастие и не делает мне чести, но труппа и студия — часть моей жизни. Я сделаю все возможное, чтобы не дать им погибнуть. Видите ли, мадемуазель, мое несчастье заключается в том, что я люблю балет больше, чем ненавижу сборища знатных вельмож и их жен. Я — раб своего искусства!

В этом человеке было что-то завораживающее. И Мишель смотрела на него с восхищением. Но иногда, почувствовав непонятное смущение, отводила глаза. Заметив это, Арно взял ее за руку:

— Пойдемте. Я не должен был говорить с вами обо всем этом. Ведь это ваш первый выход в свет. Простите меня. Наверное, это старость.

— Старость, месье? Это вы-то говорите о старости? С вашей энергией и живостью? Мне кажется...

Но Арно не дал ей договорить и залился громким смехом:

— Благодарю, дорогая Мишель! Но иногда я все же кажусь себе чуть ли не стариком, ископаемым. Сколько вам лет? Семнадцать? Значит, я вам в отцы гожусь! Ну, ладно! Довольно об этом. Есть куда более приятные вещи, о которых можно поговорить. Скажите лучше, как вам нравится наш замечательный город, который все называют столицей мира? Только честно!

Мишель не могла выдержать подобного напора. Ее язык, казалось, стал заплетаться, дыхание сперло. Она почти с отчаянием смотрела на Димпьера.

— Да вы никак боитесь! — воскликнул он. — Вот уж никогда бы не заподозрил Мишель Вернер в робости!

Последняя фраза и вовсе выбила Мишель из колеи. Заикаясь и нервно потирая руки, она ответила дрожащим голосом:

— Париж очень интересен... И...

Тут Мишель постаралась взять себя в руки и ни в коем случае не показывать Арно, что с ней на самом деле происходит.

— И? — переспросил Арно.

— И вместе с тем он кажется мне каким-то странным... чужим... Парижане ведут очень расточительную и даже легкомысленную жизнь. Во всяком случае, большинство тех, с кем мне уже довелось познакомиться, не выглядят серьезными людьми. Они больше всего на свете интересуются удовольствиями... Простите, но у меня на родине отношение к жизни совсем другое.

Арно мрачно покачал головой:

— Это потому, что вы вращаетесь в кругу так называемых «сливок общества». Этих людей нельзя назвать настоящими парижанами.

— Наверное, это так. Но в Виргинии меня также окружали сливки тамошнего общества. И в то же время все они работали. Управляли поместьями, занимались делами. Безделье было им чуждо. Разумеется, в Америке нет королевского двора. А ведь именно среди приближенных монарха больше всего бездельников. Разве не так?

— Ах, вот оно что! Право, вы очень точно все подметили. И я убежден, что ваша страна в целом ведет куда более здоровую жизнь, нежели наше отечество. Это наша болезнь, несчастье нации. Мы уже перезрели и загниваем, как упавшая с дерева груша. Все началось с того самого дня, когда король Людовик взошел на французский престол. Его отец знал, что означает быть настоящим королем. Этот же думает только об удовольствиях.

— А я слышала кое от кого совсем другое мнение. Говорили, что нынешний Людовик неплохо руководит страной.

— Некоторые и впрямь так считают. Поскольку это им выгодно. Но заметьте: в отличие от отца его никто не называет «Король-солнце».

— Вы встречались с ним?

— Я был представлен ко двору и танцевал перед королем в Фонтенбло, а также в Версале. После выступлений у меня была возможность наблюдать как самого короля, так и его придворных. Признаться, нигде я не встречал такого сборища хамелеонов и распутников. Это настоящие паразиты, они не приносят никакой пользы стране, обществу, а занимаются только низкопоклонством перед королем.

— А как он выглядит, ваш король?

— Он недурен собой. Черные глаза. Нос типичного Бурбона. Чуть припухлое лицо. Впрочем, дело совсем не в лице. Гораздо хуже то, что наш король психически неуравновешен, крайне жесток и по большому счету лишен такого необходимого для любого монарха качества, как храбрость.

Любопытство Мишель достигло предела:

— В чем же проявляется его жестокость?

— Ему доставляет удовольствие причинять страдания другим. Например, он нередко жестоко обращается со своими придворными. Король Людовик питает нездоровый интерес к смерти: ему нравится наблюдать, как наступает смерть и отлетает жизнь. Кроме того, если бы он уделял управлению страной столько же внимания, сколько своим многочисленным любовницам! Боже всемилостивый... Впрочем, довольно об этом! Вам, наверное, уже стало холодно. Давайте-ка вернемся в гостиную. — И он бросил на Мишель странный взгляд. — Не знаю, зачем я завел с вами этот разговор. Честное слово, у меня не было намерения омрачить ваш первый званый вечер!

— Я получила огромное удовольствие от нашего разговора, месье, — с улыбкой ответила Мишель.

— Тогда, может быть, вы окажете мне честь, разрешив сесть подле вас во время ужина?

— Это было бы большой честью для меня, месье.

Они вернулись в салон. Все оставшееся до ужина время Мишель уже не помнила, с кем разговаривала, и даже не замечала того, что происходило вокруг. Все ее мысли были заняты Арно Димпьером, а в ушах звучал только его голос...

На следующий день, в понедельник, предстояли обычные занятия в студии. Мишель с бьющимся от волнения сердцем поднялась по ступеням и на несколько мгновений задержалась у двери. Сейчас она снова увидит Арно Димпьера. Как он ее встретит?

Накануне за ужином Арно был очарователен и невероятно остроумен. От цинизма и раздражения, прорвавшихся у него во время прогулки по саду, не осталось и следа. Мишель наслаждалась его обществом, а также изысканными яствами, от которых ломился стол.

После застолья Арно учтиво поклонился ей и сказал, что должен уйти. Хотя Мишель жаль было с ним расставаться, она не очень грустила. Ведь как-никак, а именно ей Димпьер уделял внимание большую часть вечера. И это несмотря на то что вокруг было много других женщин, в том числе молодых и красивых. Она даже мечтать не смела о таком счастье!

Мишель осторожно открыла дверь репетиционного зала и вошла. Первым, кого она увидела, был Димпьер, о чем-то оживленно разговаривавший с Дениз Декок и Роланом Марэ. Мишель присела на скамейку и стала обувать балетные туфли, исподтишка поглядывая на Арно. Но тот продолжал разговаривать, не обращая на нее никакого внимания. Казалось, он даже не заметил прихода Мишель.

Наконец, закончив разговор с Декок и Марэ, Димпьер повернулся и оглядел зал. Взор его только скользнул по Мишель, ничем не выделив ее из числа других учениц.

— Хорошо, — сказал он и хлопнул в ладоши. — Прошу всех к станку.

Мишель поднялась со скамейки и заняла свое место у станка. Ей было очень обидно. Все же она ожидала хоть чуточку внимания к себе от балетмейстера после их встречи в салоне мадам Дюбуа. Кивка головы, доброй улыбки, загадочного взгляда... Но ничего этого не было. Почему?..

Задавшись этим вопросом, Мишель тут же постаралась сама на него ответить: «А чего, собственно говоря, ты от него ожидала? Вчера вечером ты ему понравилась. Он получал удовольствие от разговора с тобой. Наверное, так оно и было. Но почему же сегодня он ведет себя так равнодушно и даже надменно? Может быть, просто не хочет при всех выказывать повышенное внимание? Но ведь разговаривал же он с Декок и Марэ!»

Вспомнив о том, что говорила мадам Декок о взаимоотношениях Арно и Сибеллы, Мишель почувствовала, как ее начинают душить злость и... ревность. А если это правда? И Димпьер демонстративно флиртовал с ней вчера только для того, чтобы рассеять подозрения о себе и Сибелле?

Резкий голос балетмейстера вернул Мишель к действительности:

— Мишель, будьте внимательнее! Вы горбитесь, а это недопустимо!

Мишель выпрямилась и гордо подняла голову. Чего ради она так нервничает? Что в конце концов произошло? Совершенно ясно, что она неправильно истолковала вчерашнее поведение Димпьера. На самом же деле он не проявляет к ней никакого повышенного интереса и отнюдь не выделяет из числа своих остальных учениц. Нет, она не даст ему больше повода для замечаний! К тому же разве не балет сейчас для нее главное? Не для того ли, чтобы учиться этому искусству, она и приехала в Париж? Все остальное не имеет ровно никакого значения!

Однако на протяжении всего урока она думала об Арно не только как об учителе... И жадно ловила его взгляд, надеясь прочесть в нем... Что именно? Мишель и сама толком не знала. Просто этот взгляд должен был быть особым. Предназначавшимся ей одной...

Но такого взгляда она так и не дождалась. Более того, после окончания занятий Мишель увидела балетмейстера, самозабвенно обсуждавшего что-то с Сибеллой. Они глядели друг другу в глаза, близко склонившись друг к другу. Мишель показалось, будто чья-то грубая рука больно сжала ее сердце. Когда она выходила из зала, то почувствовала, как дрожат и подгибаются у нее колени...

Глава 8

На полях Малверна уже начинали лопаться коробочки хлопка. Хотя до сбора нового урожая оставалось еще немало времени, благодаря стараниям Натаниэля Биллса работы на плантации значительно ускорились. Анна даже не ожидала подобного рвения от своего надсмотрщика.

Что же до Кортни Уэйна, то после трехнедельного отсутствия он возобновил свои регулярные визиты в Малверн, даже не извинившись за инцидент на берегу ручья. Анна была очень рада и не заговаривала о прошлом, готовая на все. Но Кортни молчал и не предпринимал никаких шагов к сближению. Анну это удивляло и... обижало. Ибо объяснений его поведению она не могла найти.

Вместе с тем Анна отметила не совсем приятную для себя закономерность. Всякий раз, когда карета Уэйна останавливалась у крыльца ее дома, поблизости непременно оказывался Натаниэль Биллс на своей лошади и с хлыстом в руках. Правда, он больше не подсматривал за ними, когда Анна и Кортни совершали верховые прогулки. Это укрепило ее уверенность в том, что тогдашнее появление надсмотрщика на берегу ручья было чистой случайностью.

Жюль Дейд никак не давал о себе знать, что в немалой степени озадачивало Анну. Можно было подумать, что этот человечек с каштановыми волосами нисколько не интересовался возвратом ему долга. Но с другой стороны, его исчезновение, равно как и хорошие виды на урожай хлопка вселяли в молодую хозяйку Малверна уверенность, что она без труда вернет все долги. А потому Анна на время позабыла о Дейде и о своих обязательствах.

Поэтому она была очень удивлена, увидев както раз у подъезда незнакомую открытую коляску. Анна как раз возвращалась из конюшни и поначалу не рассмотрела гостя, подумав, что это, возможно, приехал Уэйн. Тем более что неподалеку маячила фигура Натаниэля на сером жеребце. Но, приглядевшись, она убедилась в своей ошибке. В экипаже гордо восседал Жюль Дейд, который сам правил лошадьми.

Он вышел из коляски, снял свою треуголку и, низко поклонившись хозяйке, сказал со слащавой улыбкой:

— Добрый день, миссис Вернер!

— Добрый день, сударь. Чему обязана высокой чести вашего посещения?

Натаниэль подъехал совсем близко и остановил лошадь в нескольких шагах от экипажа Дейда. Он не отрываясь смотрел на Анну, машинально постегивая хлыстом по сапогу.

Отдышавшись, Дейд поднялся на верхнюю ступеньку крыльца и снова улыбнулся одними уголками губ.

— У меня была деловая встреча по соседству. И я решил заглянуть на полчасика к вам.

— Насколько я понимаю, это визит ростовщика?

Анна тут же пожалела о сорвавшейся с ее языка грубости. Во всех случаях было глупо настраивать против себя этого человека. Зачем наживать врага? Причем такого, от которого она волей или неволей зависела. Поэтому Анна поспешила загладить свою оплошность:

— Мистер Дейд, не угодно ли выпить чашечку чая с пирожными?

— То, что я пользуюсь вашим гостеприимством, мадам, для меня уже огромное счастье, — спокойно ответил Дейд.

Анна повернулась к двери и дернула за шнурок звонка. Приглашать этого человека в дом ей не хотелось.

— Сегодня тепло, — сказала она Дейду. — Может быть, приятнее будет попить чаю на веранде?

— Как вам угодно, мадам, — учтиво поклонился Дейд.

Но в его глазах Мишель заметила скрытое недовольство. Дейд оказался куда проницательнее, нежели она предполагала. И явно понял, что его просто не хотят пускать в дом. Но, черт побери, почему это должно ее тревожить? С этим человеком ее связывают только деловые, денежные отношения, но вовсе не обязательно принимать его как гостя!

Дверь отворилась, и на пороге появилась Мари:

— Слушаю вас, мадам.

— Принесите, пожалуйста, на веранду две чашки чая и несколько пирожных.

— Сию минуту, мадам.

Анна жестом предложила Дейду пройти на веранду и сесть за столик, уютно расположившийся в углу у окна. Он сел и снял треуголку. Анна опустилась в кресло по другую сторону стола и выжидающе посмотрела на незваного гостя, от которого почти ощутимо исходил поток кипучей энергии.

Решив все же держаться уверенно и независимо, Анна сказала твердым голосом:

— Вы, несомненно, имели возможность убедиться по дороге сюда, что урожай хлопка обещает быть очень хорошим. Так что я без труда смогу выплатить вам долг.

— Да, я это действительно заметил, — ответил Дейд с еле заметной улыбкой. — И очень рад за вас, мадам. Вопреки бытующему в обществе мнению о кредиторах, как о людях без сердца и совести, я очень не люблю принуждать своих клиентов платить долги. Это не в моих правилах, мадам. Но, будучи деловым человеком, я все же предпочитаю получать деньги в точно уговоренный срок.

Тон Дейда был в высшей степени благожелательным. И хотя Анна далеко не была уверена в его искренности, тем не менее не выказала этого. Она заметила, что гость смотрит через плечо в сад, и, обернувшись, увидела подле экипажа Дейда все еще сидевшего в седле Натаниэля. Такая настырность переходила уже все границы. Анна хотела было крикнуть надсмотрщику что-нибудь резкое, но тот, видимо, угадав ее намерение, приподнял шляпу, повернул лошадь и ускакал.

— Кто этот молодой человек? — спросил Дейд. — Мне показалось, что его порядком удивляет мое появление в вашем доме, мадам.

— Это Натаниэль Биллс, мой новый надсмотрщик. Ему я должна быть благодарной за отлично проведенный сев хлопка. Надеюсь, он сумеет обеспечить и сбор нового урожая. А сейчас, возможно, он обеспокоен, как бы кто-нибудь не причинил мне вреда. Он ведь впервые вас видит, сэр.

— Вам повезло, мадам. Молодая красивая женщина, вдова, одинокая, вы тем не менее имеете рядом с собой человека, который вас охраняет и на которого можно положиться.

Появившаяся Мари расставила на столе чашки, тарелки с пирожными и, сделав реверанс, вышла. Наступило неловкое молчание. Дейд подвинул к себе угощение и принялся есть с завидным аппетитом. Мишель с некоторым удивлением смотрела на него. Она никогда не думала, что такой маленький человек в состоянии так много съесть. Тем временем Дейд поднял чашку и стал пить чай, противно причмокивая губами.

Когда с пирожными было покончено, Дейд рыгнул, даже не прикрыв при этом ладонью рот. Потом стряхнул с камзола крошки и откинулся на спинку стула.

— Спасибо, мадам, это было великолепно.

Анне страшно хотелось, чтобы этот человек поскорее ушел. И, от отвращения к нему потеряв осторожность, она спросила:

— Мне сказали, мистер Дейд, что вы нажили свое состояние на морских перевозках.

Глаза Дейда сузились и стали колючими.

— Да, это так. Я организовывал подобные рейсы из Норфолка, что приносило какую-то прибыль, но больше тревог и опасностей. Поэтому я прекратил это занятие и передал дело одному очень резвому молодому человеку.

— Ваши перевозки имели отношение к работорговле? По крайней мере мне так говорили.

— Вам говорили? Кто мог сказать вам такое? Это клевета!

— Клевета? Значит, вы отвергаете подобное обвинение?

— Я отнюдь не обязан отчитываться перед вами, миссис Вернер. Работорговля — обычное дело, которым занимаются по всему южному побережью. Между прочим, разве ваша плантация не держится на рабском труде?

— Нет, сударь! — с негодованием воскликнула Анна. — Все работники Малверна — свободные люди. Как мужчины, так и женщины. Разве вы не знали этого?

— Нет, мадам, не знал. Но назвал бы это чистой воды безрассудством.

— Я никогда не имела ничего общего с рабовладением, а тем более — с торговлей людьми, сэр!

— Это, конечно, ваше личное дело. Но вы не ответили на мой вопрос: кто сказал вам, что я рабовладелец? Верно, тот негодяй и мошенник Кортни Уэйн? Не так ли?

Анна насупила брови и с бешенством посмотрела на Дейда:

— Что вы знаете о Кортни Уэйне?

— То, что он плут и мерзавец. Мне также известно, что ваш покойный супруг занял у него значительную сумму денег. Простите, но я хотел бы еще раз спросить: эти сведения вы получили от него?

— Это не ваше дело, мистер Дейд!

Дейд пожал своими сутулыми плечами:

— Но в таком случае вы уже ответили на мой вопрос. Не правда ли, мадам? Тогда позвольте мне дать очень дельный совет. Постарайтесь держаться подальше от этого человека.

— Моя личная жизнь вас не касается!

— Что? Ваша личная жизнь?

Дейд громко, нагло расхохотался. Анна вспыхнула:

— Вы меня оскорбляете, сэр! Прошу вас оставить мой дом!

— Если вы этого хотите, то... Разрешите пожелать вам всего наилучшего.

Анна встала, с трудом сдерживая готовое вырваться наружу бешенство. Дейд же вышел за дверь, спустился по лестнице и сел в экипаж. Пока коляска катилась вдоль аллеи к большой дороге, Анна смотрела ей вслед. Понемногу ее негодование улеглось. И она подумала, что, возможно, совершила огромную ошибку, оскорбив Жюля Дейда и выгнав его из дома.

Хотя что он сможет сделать, если она вовремя отдаст свой долг? Она презрительно улыбнулась и вошла в дом, сказав Мари, чтобы та убрала со стола...

По пути из Малверна Дейд кипел от злости. За долгие годы он усвоил, что темперамент в делах следует сдерживать. Только спокойствие и холодный расчет дают возможность взять верх над любым противником. Сейчас же, сидя в коляске и держа в руках вожжи, Жюль дал волю эмоциям. Он призывал громы и молнии на голову Анны Вернер и Кортни Уэйна. Особенно доставалось последнему. У Дейда уже не раз были стычки с этим Уэйном. И тот всегда выходил победителем.

Дейд поклялся, что непременно разделается с недругом при первой же возможности. Похоже, сейчас такое время пришло. Он унизит Уэйна, опозорит его в глазах Анны Вернер и всей общины Уильямсберга. И тогда этому хлыщу не останется ничего другого, как постыдно бежать.

Но дело прежде всего! Он должен стать хозяином Малверна. Сейчас, перестав активно заниматься работорговлей и завоевав уважение в округе, сделать это ему будет гораздо легче. Дейд давно искал способ завладеть Малверном. И теперь, когда Анна Вернер заняла у него большую сумму, которую не сможет отдать в срок, его мечта сможет наконец осуществиться. После смерти мужа в состоянии ли будет она, слабая женщина, взять в свои руки управление плантацией и успешно справиться со столь непосильной задачей? Конечно, нет! А потому Дейд был уверен, что Анна не сможет выплатить вовремя долг. И тогда он станет полноправным хозяином Малверна!

Так он думал еще вчера. Сегодня же задача значительно усложнилась. Анна наняла надсмотрщика, человека сильного и многоопытного. Если к этому добавить упрямство и ум самой хозяйки плантации, то можно не сомневаться: урожай хлопка будет собран и продан за хорошую цену, после чего Анна вернет ему долг. И все! Прощай, Малверн!

Значит, уже нельзя спокойно ждать дальнейшего развития событий. Надо действовать. Причем срочно и с максимальной энергией. Необходимо любыми средствами добиться того, чтобы до осени урожай хлопка на плантации Анны Вернер погиб!

Отъехав от дома Анны примерно на милю, но все еще находясь на территории Малверна, Жюль Дейд увидел надсмотрщика, сидевшего на все той же серой лошади и наблюдавшего за работниками, трудившимися на подходившем к дороге поле. Дейд натянул поводья, остановил экипаж и крикнул:

— Нельзя ли сказать вам несколько слов, сударь?

Натаниэль Биллс, недовольно повернув голову, посмотрел на Дейда и ничего не ответил.

— Только на пару минут! — вновь крикнул Дейд. — Вы не пожалеете, обещаю вам!

Надсмотрщик повернул лошадь и подъехал к обочине дороги.

— Я чертовски занят, сударь, — угрюмо сказал он, — и не могу себе позволить тратить время на пустые разговоры.

Дейд загадочно улыбнулся:

— Вы не пожалеете, мистер Биллс. Уверяю вас! Насколько я догадываюсь, вы — надсмотрщик на плантации миссис Анны Вернер?

— Совершенно верно.

— Меня зовут Жюль Дейд. У нас договор с вашей хозяйкой. А точнее она заняла у меня кругленькую сумму денег.

Биллс стегнул хлыстом по кожаному сапогу и ответил скучным голосом:

— Не понимаю, какое это имеет ко мне отношение, мистер Дейд?

— Да, вы, несомненно, правы. К вам лично это не имеет прямого касательства. Ибо в том, чтобы урожай хлопка на плантации миссис Вернер погиб, заинтересован только я.

Билл посмотрел на Дейда сразу же сузившимися глазами. Затем вытащил из кармана сигару и закурил.

— Все же это не имеет ко мне никакого отношения, — повторил он, затянувшись.

— Имеет, если бы вы смогли обеспечить гибель урожая хлопка на этой плантации. Уверен, что вы знаете, как это сделать! Обещаю вам самое щедрое вознаграждение.

— Мне платит миссис Вернер.

— Но она заплатит вам только после того, как будет собран и продан урожай хлопка, не так ли?

Биллс пожал плечами:

— В этом нет ничего необычного, сударь. Подобные условия считаются нормой.

— Но я заплачу вам гораздо раньше и несравненно больше!

— Я предан миссис Вернер.

— Преданы? Не прикидывайтесь простаком, мой друг. Кто сейчас ценит преданность? То есть, конечно, ценят. При покупке. Преданность продается и покупается, как все на свете. Надо только предложить хорошую цену.

— Может быть, для кого-нибудь это и так, но не для меня.

Биллс развернул лошадь и приготовился отъехать в глубь поля. Но Дейд задержал его:

— Восхитительно, сударь, просто восхитительно! Но подождите секундочку, мистер Биллс. Я прошу вас все-таки не отвергать сразу мое предложение, а хорошенько его обдумать. А потом уж решить, заслуживает оно вашего внимания или нет.

Натаниэль несколько мгновений рассматривал Жюля, а затем сказал с ехидной усмешкой:

— Интересно, как отнесется к этому мадам Вернер, если я ей все расскажу?

— Ах вот оно что! Позвольте заметить, что рассказывать не в ваших интересах, мистер Биллс. Меня вы в ее глазах никак не уроните. Ибо мнение миссис Вернер о моей персоне и так не слишком высоко. Кроме того, я во всех случаях стану отрицать, что делал вам подобное предложение. Возможно, она мне не поверит. Но так или иначе, в ее душе поселится сомнение в вас, мистер Биллс. Ведь существует мнение, что ни к одному человеку, зарекомендовавшему себя безукоризненно честным, не посмеют обратиться с гнусным предложением. Поэтому я еще раз предлагаю вам хорошенько подумать.

Дейд тронул поводья, и его коляска покатилась дальше. Он чувствовал взгляд Биллса на своей спине, но не счел нужным обернуться. А про себя довольно улыбался...

***

Натаниэль, сидя в седле и машинально постегивая себя хлыстом по бедру, еще долго смотрел вслед коляске Дейда, пока она не исчезла за деревьями видневшейся неподалеку рощи. Предложение Жюля не вызвало в нем ни негодования, ни обиды. В других обстоятельствах Натаниэль счел бы его вполне приемлемым. Поскольку не привык считаться с нормами морали, пробивая себе дорогу в жизни. Он всегда был устремлен на достижение той цели, которую в данный момент считал главной.

Но в сложившейся ситуации Биллс не мог принять предложение Дейда, ибо была причина, заставлявшая его забыть о деньгах. Этой причиной оказалась миссис Вернер. Хотя Анна была несколькими годами старше Натаниэля, ее красота и темперамент неудержимо влекли к себе сурового надсмотрщика. Он влюбился в нее с их первой встречи, когда пришел наниматься на работу. Именно из-за Анны Биллс и согласился стать надсмотрщиком в Малверне.

Это для него было нелегко. В первую очередь из-за работавших на полях чернокожих. Когда Натаниэль узнал, что все они давно получили свободу, то первым его желанием было немедленно уйти. За свою жизнь он прошел большую школу на многих плантациях и с самого начала усвоил для себя главный принцип: давать свободу негру — не только глупо, но и опасно, поскольку в любой момент он может восстать против хозяина. Будучи рабом, негр редко осмеливается поднять руку на белого человека. Но, вкусив свободы и узнав себе цену, он часто становится очень агрессивным.

И все же охватившее Натаниэля желание обладать Анной пересилило все остальное. Он согласился работать на плантации, чтобы выждать удобный момент для дальнейших шагов. В том, что такой момент непременно наступит, Биллс не сомневался. Правда, три с лишним недели назад его немного смутило появление неожиданного соперника. Им оказался Кортни Уэйн. Но Натаниэль постарался убедить себя в том, что Анна просто играет с этим уильямсбергским хлыщом в ожидании настоящего мужчины. Затем он увидел ее в объятиях Уэйна на берегу ручья, после чего его надежды резко уменьшились. Но когда визиты Кортни в Малверн прекратились, Натаниэль сделал вывод, что тот получил от ворот поворот.

Сейчас, глядя вслед удалявшейся коляске Жюля Дейда, Биллс решил, что пришло время действовать. Его охватило нетерпение. Он резко повернул коня и поскакал к дому хозяйки, впервые за время своей работы в Малверне оставив трудившихся на поле работников без присмотра.

В своих комнатах во флигеле Натаниэль приказал приготовить себе ванну и выходной костюм. С наслаждением обмывшись теплой водой, он оделся и пошел на половину хозяйки. На предупреждение Мари, что госпожа работает в своем кабинете, Биллс ответил, что сам доложит о себе. После чего подошел к двери кабинета и постучал...

Анна сидела за столом, углубившись в конторские книги. Разозлив Дейда, она опасалась любых козней с его стороны и решила проверить свои финансовые дела. Они оказались не в лучшем состоянии. После выплаты первой части долга Уэйну остальные деньги, занятые у Дейда, таяли, подобно весеннему снегу. Их съедали и неотложные расходы по выращиванию хлопка и повседневные домашние хлопоты. Правда, основную часть провизии Анна покупала в кредит. Но это не давало значительной экономии. Кроме того, за кредит все равно надо было рано или поздно платить. Вся надежда была на ожидаемый урожай. По тому, как обстояли дела на плантации, можно было надеяться, что через месяц, самое большее — через полтора весь урожай хлопка будет собран и продан и тогда можно будет не только заплатить основные долги, но и погасить кредит.

Стук в дверь прервал размышления Анны.

— Войдите, — негромко отозвалась она.

Дверь открылась, и в кабинет уверенным шагом вошел Натаниэль Биллс. Поскольку Анна в последнее время только и думала о возможных несчастьях и неприятностях, готовых обрушиться на ее голову, то сразу же встревоженно спросила:

— Что случилось, Натаниэль?

Биллс снял шляпу, подошел к столу и остановился. Вид у него был несколько взволнованный.

— Ничего не случилось, мадам, — ответил он, теребя поля шляпы. Потом отступил на шаг и положил на стул хлыст.

Анна с облегчением вздохнула:

— Я просто никак не могу прийти в себя после визита этого человека, что приезжал в коляске. Мне все время кажется, что с ним в наш дом пришло какое-то страшное несчастье. — И она неестественно рассмеялась.

— Вы имеете в виду Жюля Дейда?

— Откуда вам известно это имя?

— Мы встретились на поле вдоль дороги, он остановил коляску и представился, после чего мы немного поговорили.

— О чем?

— Мистер Дейд упорно выспрашивал меня, какой урожай хлопка ожидается на плантации.

Анна почувствовала, что надсмотрщик говорит не все. Но решила не принуждать его.

— Вы что-то хотели еще сказать, Натаниэль?

Он подошел совсем близко к столу и сказал, глядя в окно:

— Я работаю у вас несколько месяцев, мадам. Довольны ли вы мной?

— Да, Натаниэль. Я просто не знаю, что бы без вас делала.

Натаниэль переступил с ноги на ногу и странно посмотрел на Анну. Она смутилась и поспешила спросить:

— Речь идет о деньгах, Натаниэль? Вы знаете, что сейчас я в довольно стесненном положении. Но для вас постараюсь наскрести что-нибудь в счет аванса.

— Нет, нет! Деньги здесь ни при чем! — неожиданно резко ответил Биллс. — Анна, вы, конечно, знаете, как действуете на мужчин? Как трудно быть рядом с вами и не попытаться обнять и поцеловать вас?

Анна ошарашенно посмотрела на надсмотрщика. В первый момент она даже не поняла, что́ тот сказал. Но скоро до нее дошел смысл слов Биллса, и теперь уже она отвела глаза и некоторое время смотрела в окно.

В последнее время по ночам она несколько раз просыпалась от нестерпимого желания. Истосковавшееся по любви тело требовало своего... И в эти минуты в ее спутанных, сонных мыслях возникал образ Натаниэля — сильного и красивого. Пусть он моложе ее. Это в конце концов не так уж важно. Женщины в годах нередко укладывают к себе в постель молодых людей...

Но, вставая по утрам, Анна даже не вспоминала о ночных видениях. А все ее романтичные мысли кружились вокруг Кортни Уэйна...

— Вы красивая и здоровая женщина, Анна, — продолжал между тем Натаниэль. — Вы уже давно вдовствуете. Со времени смерти супруга, насколько мне известно, у вас не было ни одного мужчины. Вы одиноки в постели. И хотите видеть в ней меня. Я это знаю, как и вы сами, только не желаете в этом признаться!

— Сударь, вы забылись! — в негодовании воскликнула Анна. — Уж не хотите ли сказать, что читаете мои мысли?!

— Я слишком хорошо знаю женщин, чтобы не научиться определять их желания по самым неприметным признакам. И уверен, что вы только об этом и думаете!

Натаниэль сделал еще шаг вперед, крепко схватил Анну за плечи и привлек к себе. Все произошло так быстро, что она не успела оказать сопротивления. Губы Биллса прижались к ее рту. Анна вдруг почувствовала его крепнущую мужскую плоть. К своему ужасу, она поняла, что начинает слабеть. А что, если?.. Ведь можно легко уступить мужскому напору, ответить на чувственный порыв этого животного. И тем самым временно потушить пламя неутоленного желания... Но нет! Отдаться малознакомому мужчине без капли любви к нему! Это было бы страшной, непростительной ошибкой!

Она принялась отчаянно сопротивляться. Его руки грубо обнимали ее, прижимая к себе. А губы осыпали поцелуями ее лицо.

Анна чувствовала, что у нее нет сил бороться с этим взбесившимся зверем. Но она все же пыталась, понимая, что еще немного, и он возьмет ее силой.

— Довольно, Натаниэль! Прекратите, слышите?! — крикнула она.

Ответом было какое-то жеребячье ржание и страстное сопение. Последним, отчаянным усилием она подняла ногу и что было сил ударила Натаниэля в пах. Он вскрикнул, отскочил на шаг и согнулся от нестерпимой боли. Анна отдышалась и холодно произнесла:

— Извините, Натаниэль, я сильно ударила вас. Но вы вели себя по-скотски.

Биллс медленно выпрямился. Его лицо побледнело, на лбу выступил пот. Лицо искажала страдальческая гримаса. Он с трудом поднял глаза на Анну и проговорил задыхаясь:

— Значит, я вел себя по-скотски? А как вели себя вы там, под деревьями, на берегу ручья...

Натаниэль не успел докончить фразы, так как кабинет огласился звонкой пощечиной. Щека Биллса тут же побагровела. Не помня себя от ярости, он схватил со стула хлыст и поднял его над головой Анны. Защищаясь рукой от удара, она отступила к стене и неожиданно для себя спокойно сказала:

— Натаниэль, если вы посмеете меня ударить тем, что держите в руке, то сегодня же вылетите с плантации. И я не заплачу вам ни цента. Если же прекратите разыгрывать этот мерзкий спектакль и удалитесь к себе, я согласна забыть о происшедшем и оставить все, как было. Надеюсь, вы меня поняли?

Биллс несколько секунд стоял перед ней с поднятым хлыстом. На его лице отражалась борьба чувств. Наконец он опустил хлыст и глубоко вздохнул.

— Я ценю вас как хорошего надсмотрщика, — продолжала Анна прежним ледяным тоном. — Но и только. Не скрою, вы мне нужны. Но только как служащий, а отнюдь не как мужчина. Так что продолжайте работать, и давайте забудем об этом неприятном эпизоде. Все ясно?

— Ясно, миссис Вернер, — бесцветным голосом ответил Натаниэль.

Он повернулся и пошел к двери. Анна проводила его взглядом и с облегчением глубоко вздохнула. Она еще не до конца решила, не совершает ли ошибки, оставляя Биллса на плантации. Может быть, надо сразу же уволить его? Но это грозило бы непоправимой бедой! Ведь без него плантация придет в упадок еще до сбора урожая. Сама она не сможет все как следует организовать. Это совершенно ясно. И новый урожай хлопка не принесет того дохода, на который она рассчитывает. Долги останутся невыплаченными, и Малверн окажется в руках Жюля Дейда, от которого наивно было бы ждать снисхождения или жалости. Нет, она уволит этого скота Натаниэля только после того, как выплатит все долги и кредиты!

Как было заведено, Кортни должен был приехать в Малверн на следующий день. Естественно, Анна с самого утра ждала его и время от времени смотрела на небо. Поначалу погода была прекрасной. Светило солнце и ничто не предвещало каких-либо неприятностей. Однако после полудня откуда-то наползли тучи и хлынул ливень. Анна долго и уныло наблюдала эти шутки погоды и в конце концов решила, что Уэйн вряд ли решится приехать.

И все же в то время, когда Уэйн обычно подкатывал в своем экипаже к ее дому, Анна стояла у окна и с надеждой смотрела в конец аллеи, вопреки всякой логике ожидая появления знакомой коляски. Ливень к тому времени несколько утих, за посевы хлопчатника можно было не опасаться. Но о верховой прогулке нечего было и мечтать.

Прошло около часа. И вдруг Анна, к своему удивлению, увидела в конце аллеи коляску Уэйна. Ее сердце тут же бешено заколотилось, а пульс участился чуть ли не вдвое. Она отошла от окна и спряталась за гардины, не желая показать гостю, с каким нетерпением его ждала. Заглянувшая в этот момент в комнату Мари прыснула в ладонь и задернула шторы. Анна заметила этот жест и чуть покраснела. Она уже знала о сплетнях, которые ходили по Малверну о ней и Кортни Уэйне. Но бороться с ними не могла.

Анна склонилась над столом, пытаясь рассмотреть записи в конторских книгах. Но буквы и цифры расплывались в ее глазах. В этот момент снова раздался стук в дверь, и возникшая на пороге Мари с ехидной улыбкой объявила:

— Мистер Кортни Уэйн просит его принять.

— Пригласите его в гостиную, Мари, и предложите коньяку или хересу. Я сейчас выйду.

Анна оглядела себя в зеркале и осталась довольна. Утром она надела амазонку для верховой езды. Но когда погода окончательно испортилась и стало ясно, что прогулка не состоится, переоделась в легкое платье без кринолина, которое очень ей шло.

Кортни встал и пошел ей навстречу.

— Добрый день, Анна. Погода сегодня пакостная, и, видимо, нашу верховую прогулку придется отменить.

— Да, к сожалению. Как видите, я уже сменила амазонку на домашнее платье.

— Вы в нем прекрасно выглядите.

— Спасибо.

— Утром светило солнце. Потом хлынул дождь. И я даже подумал было сегодня не приезжать. Но, как видите, не удержался.

— И правильно сделали. Я бы скучала без вас.

— А я без вас.

— Это правда, Корт?

— Клянусь!

Анна подошла вплотную к Уэйну и посмотрела ему в глаза. Желание, внезапно возникшее во время столкновения с Натаниэлем, вспыхнуло с новой силой.

— Корт, дорогой! — прошептала она, прижимаясь к нему.

Уэйн ответил нежным, неожиданно робким поцелуем. Но Анне этого было мало. Ее кровь бурлила, сердце оглушительно стучало. Она обняла Кортни и положила голову ему на грудь.

— Анна! — прошептал он. — Я могу потерять самообладание.

— Случившееся на берегу ручья больше не повторится, Корт. Обещаю вам!

Она взяла его за руку и повела к себе в кабинет. Подниматься в спальню Анна не хотела: на втором этаже слуги заканчивали утреннюю уборку. И если бы их увидели вдвоем на пороге спальни, сплетни тут же разнеслись бы по Малверну. А в кабинете стоял широкий мягкий диван, который вполне мог стать ложем любви...

Анна закрыла дверь и вновь обняла Кортни:

— Тот день для меня был тоже нелегким. Я долго думала о происшедшем и сожалела о нашей размолвке.

— Анна, вы и вправду сожалели об этом?

— Да. И очень! После этого признания вы будете вправе считать меня распутницей.

— Если так, то в мире нет распутницы, равной вам по красоте и очарованию!

Их губы слились. Еще утром, снимая амазонку, Анна освободилась и от корсета. И сейчас она испытывала непередаваемое блаженство, ощущая на своей спине сквозь тонкую ткань платья тепло рук Уэйна. Потом они принялись нежно ласкать ее грудь.

На мгновение освободившись от объятий Кортни, Анна повернулась к нему спиной и дрожащими пальцами принялась расстегивать пуговицы платья. Скинув одежду и оставшись в одной рубашке, она подошла к окну и задернула шторы, оставив лишь узенькую полосу вдоль рамы. Потом повернулась к Уэйну и стянула через голову рубашку.

— Как ты прекрасна, Анна! — воскликнул успевший раздеться донага Уэйн, любуясь ее телом. — Я мечтал об этой минуте с первой нашей встречи. С того самого дня, когда ты впервые приехала ко мне в Уильямсберг.

Кортни поднял Анну на руки и, покрывая жадными поцелуями ее тело, понес к дивану. Они легли рядом. Анна была готова тут же отдаться ему. Но Кортни медлил. Осторожно лаская ее, он покрывал нежными поцелуями шею Анны, ее грудь, живот и бедра... Покойный Майкл, а до него и бостонский любовник Анны Джошуа Хоукс тоже умели быть ласковыми и нежными. Но уже через несколько мгновений становились требовательными и даже грубыми. Кортни Уэйн был не менее страстным, но вместе с тем очень нежным и внимательным. Казалось, он более озабочен тем, чтобы доставить наслаждение, нежели получить его.

Но сейчас Анне хотелось всецело отдаться страсти и испытать неземное наслаждение.

— Милая Анна! — шептал Кортни, обдавая горячим дыханием ее лицо.

Невыразимое блаженство и восторг охватили Анну, когда она почувствовала в себе его возбужденную плоть. Их тела слились воедино. Страстные стоны вырывались из груди Анны. Их губы соединились, не в силах разомкнуться. В минуту экстаза из груди Кортни вырвался победный клич. Задрожав, он повернулся на спину и долго не мог отдышаться. Потом расслабился и положил голову на плечо Анны. И только теперь она подумала о том, что не услышала от Кортни признания в любви. Анна уже поняла, что Уэйн не принадлежит к мужчинам, которые легко связывают себя обязательствами. В своих чувствах она тоже была не вполне уверена. Но твердо знала, что человек, державший ее в объятиях, ей очень дорог. Назвать это любовью Анна пока не решалась. Но чувствовала, что может полюбить, безумно полюбить Кортни Уэйна.

Она погладила его по голове и улыбнулась:

— Вы знаете, о чем я сейчас думаю, Корт?

— О чем, дорогая?

— О том, что ливень за окнами разразился очень кстати! Мы не получили бы такого наслаждения от прогулки верхом.

Кортни посмотрел на Анну, и они рассмеялись.

***

У окна кабинета Анны под проливным дождем стоял Натаниэль Биллс. Через оставшуюся не задернутой шторой полоску окна он видел все происходившее в комнате. Его переполняла бессильная ярость. Итак, миссис Вернер не про него? Выходит, так! А она лгала: этот Кортни Уэйн — ее любовник!

Ничего! Она еще пожалеет об этом! Натаниэль скрежетал зубами, вспоминая вчерашний день и сцену между ним и Анной в том же самом кабинете. Он чувствовал себя оскорбленным и униженным. Нет! Придет день, когда эта женщина будет унижаться перед ним, он дождется этого. И только потом уедет отсюда!

Его взгляд неотрывно следил за парой, предававшейся страсти на кабинетном диване. А рука машинально стегала хлыстом по сапогу. Биллс невольно воображал, что эти удары сыплются на нежную спину его нынешней хозяйки...

Глава 9

В последующие несколько недель Мишель сделала удивительное открытие. Хотя она по-прежнему была крайне недовольна своими успехами в студии, но танцевала все лучше и лучше. И это заметила не только она, но и другие. Даже сам Арно Димпьер с похвалой отозвался о новой ученице, хотя и не удержался от нескольких критических замечаний, правда, тут же оговорившись, что все вполне исправимо, а в целом Мишель очень много и хорошо работает. Впрочем, так оно и было. Девушка трудилась изо всех сил, дабы доказать Арно, что она способная и перспективная ученица и заслуживает со стороны балетмейстера пристального внимания и поддержки.

В дни, по естественным причинам свободные от занятий, Мишель тоже была занята. Андрэ и мадам Дюбуа решили показать ей весь Париж. Поэтому с утра к дому подкатывал экипаж, кучеру которого было приказано везти молодую особу туда, куда она пожелает.

Обычно Мишель сопровождал Андрэ. Для начала они побывали в Лувре. И хотя он уже перестал быть резиденцией французских королей, впечатление от его посещения было незабываемо. Потом Андрэ показал своей спутнице сад Тюильри и Собор Парижской Богоматери. Само собой разумеется, что они проехали по всем площадям Парижа, гуляли по бульварам и посетили Латинский квартал. Не остались в стороне исторические памятники и роскошные гостиницы. В один из погожих дней Мишель и Андрэ съездили в Версаль, где теперь пребывали король и его двор.

Одним словом, все свободное время Мишель было занято, и она почти забыла о своем намерении поговорить с Андрэ о его прошлом. Забыла, но в редкие свободные минуты задумывалась над словами Альбиона Вильерса о том, что Андрэ не такой, как остальные мужчины. Несмотря на то что разговор с Андрэ не сулил ничего приятного, Мишель для собственного успокоения твердо решила докопаться до истины. Однако Андрэ не выказывал никакого желания говорить на эту тему. Поэтому Мишель не настаивала и отложила объяснение до более благоприятных времен. К тому же ее голова была занята мыслями об Арно Димпьере.

И все же разговор с Альбионом пролил свет на нечто такое, о чем Мишель прежде даже не подозревала. Правда, она и раньше замечала, что некоторые мужчины и молодые люди, вроде Андрэ и мулата «Кафе о Лэ», отличались от большинства других представителей своего пола чрезмерной женственностью манер и поведения. Но тогда Мишель объясняла это их жеманностью. Теперь же она стала внимательнее присматриваться к обоим. И очень скоро убедилась, что отношения между ними очень напоминали любовь между мужчиной и женщиной. Это ее удивило и шокировало. Не в последнюю очередь потому, что Мишель никак не могла понять механику такого рода отношений. И главное, что побуждает их к этому?

Сама Мишель никак не могла разобраться в своих чувствах к Арно. Она бы с удовольствием посоветовалась с кем-нибудь, но не хотела делиться сокровенным. Все это немало огорчало девушку. Ибо она привыкла полагаться на собственные суждения, которые до сих пор ее не подводили.

Но вот однажды ее желания неожиданно исполнились. Арно Димпьер заговорил с ней во время обеденного перерыва. И сказал слова, которые Мишель мечтала услышать. Она разговаривала о чем-то с Луи и не заметила, как сзади подошел балетмейстер. Обернувшись и увидев Арно, Мишель вздрогнула и почувствовала, что у нее сердце уходит в пятки. Она не сомневалась, что сейчас услышит очередное замечание по поводу своих погрешностей в танце. Но вместо этого Арно, сохраняя олимпийское спокойствие, достаточно громко, чтобы все слышали, сказал:

— Мишель, я очень внимательно наблюдал за вами и убедился, что вы уже можете занять место в кордебалете. Готовьтесь к следующему спектаклю.

Сказав это, Димпьер отошел, а Мишель осталась стоять, потеряв дар речи. Луи громко рассмеялся:

— Посмотри на себя в зеркало! Ты будто рыба, которую только что вытащили из воды! Закрой рот и улыбнись! Ну ладно, не сердись. Поздравляю тебя! Это событие надо будет отметить. Я сбегаю вниз и принесу вина. Мы пригласим остальных и выпьем по этому поводу. Согласна?

Мишель утвердительно кивнула головой, хотя большого желания праздновать неожиданно свалившееся на нее счастье у нее не было. По какой-то неведомой причине она не чувствовала бурной радости после слов Арно, которых с таким нетерпением ждала. Почему? Этого Мишель не могла объяснить даже себе. Ведь она столько работала, отдавая балету все силы, чтобы дождаться этого дня. И вот он настал, но не принес ожидаемого безбрежного счастья.

И все же Мишель почувствовала немалое удовлетворение от того, что вся труппа окружила ее в центре зала и принялась громко поздравлять. В общем хоре участвовали даже Дениз Декок и Ролан. Хотя их голоса звучали несколько фальшиво и холодно. Казалось, они говорили добрые слова против собственной воли. Другие же, как показалось Мишель, были вполне искренни. И она наконец почувствовала себя полноправным членом труппы.

После полудня время прошло быстро. Мишель постепенно начала понимать всю значимость происшедшего, и ее душа наконец исполнилась радости.

После репетиции она подумала, что надо было бы поблагодарить Арно Димпьера за все, что он для нее сделал. Ведь это будет лишь дань вежливости. Разве не так? Экипаж мадам Дюбуа может немного подождать внизу. В случае чего она скажет кучеру, что репетиция затянулась.

Как только Мишель приняла решение, ее сердце запрыгало от волнения. Хотя, конечно, Арно воспримет ее поступок как простую благодарность.

Когда все ушли, Мишель присела на скамью и стала медленно снимать балетные туфли, поглядывая на сидевшего в углу за столиком Димпьера. Затем встала и, с трудом превозмогая страх, медленно подошла к балетмейстеру. Он по-прежнему сидел, склонившись над какими-то бумагами, и, казалось не обращал внимания на свою юную ученицу. Но Мишель все же подумала, что Арно просто делает вид, что не замечает ее.

Боясь совершить непростительную ошибку, Мишель повернулась, чтобы уйти. Но тут Арно оторвался от бумаг и посмотрел на нее. В его темных глазах отразилось недовольство и даже раздражение. Мишель почувствовала, что ее сердце вот-вот остановится.

— Мишель, вы хотите что-то мне сказать? — спросил он.

Девушка кивнула головой, чувствуя, как запылали ее щеки, а язык отказывался повиноваться.

— Я... я хотела... хотела поблагодарить вас... За все...

Ее голос дрожал, а руки беспомощно мяли невесть откуда взявшийся носовой платок. Она смотрела на Арно и думала, почему он сразу стал холодным и неприветливым. Ведь всего полчаса назад в классе он был совершенно иным. И по отношению к ней держался иначе. Не он ли только что сказал ей те долгожданные слова?

Димпьер долго смотрел на девушку. Постепенно его черты смягчились, и на лице появилась слабая улыбка.

— Это излишне, Мишель. Вы — прилежная ученица, много работали и по праву заслужили то, о чем я вам только что сказал. То есть постоянное место в моей труппе.

— Спасибо, — сказала она, переминаясь с ноги на ногу. И вдруг ее чувства сами собой вырвались наружу: — Почему вы в последнее время избегаете меня? После приема у мадам Дюбуа я думала, что... Ну, я решила, что мы стали друзьями!

Лицо Мишель стало пунцовым. Что он подумает о ней после этой неприкрытой мольбы о... О чем же? Боже, какой ужас! Что она наделала! Ведь для того чтобы поблагодарить Арно, достаточно было послать ему записку. Господи, за какую идиотку он ее принимает!

Тем не менее она продолжала выжидающе смотреть ему в глаза. А они с каждой секундой становились мягче и добрее. Наконец Димпьер встал из-за столика и подошел к Мишель.

— Дорогая, — сказал он почти нежно. — Я, право, не думал... Не хотел... Не смел полагать, что...

И он улыбнулся. Потом осторожно заключил лицо Мишель в теплые ладони своих сильных рук и внимательно посмотрел ей в глаза.

— Я ваш друг, Мишель. Именно поэтому и стараюсь вас избегать. Было бы очень легко... Даже слишком легко... Мишель, я буду с вами предельно откровенным. Мне нельзя завязывать какие-либо особые отношения со своими ученицами. Как балетмейстер, я заинтересован в постоянном совершенствовании моей труппы. Мне хотелось бы сделать ее лучшей не только во Франции, но и во всем мире. Поэтому я должен поступаться личными интересами. В прошлом я работал со многими труппами. И не раз видел, что происходило, если руководитель позволял себе романтические отношения с кем-либо из балерин. Зачастую это означало трагедию для самой танцовщицы после неизбежного конца романа. Кроме того, в труппе воцарялась нездоровая атмосфера. И в большинстве случаев провинившийся руководитель труппы был вынужден уйти. Признаться, я уже нарушил эту заповедь на вечере мадам Дюбуа, позволив себе довольно тесно общаться с вами. Правда, надеюсь, что к каким-либо неприятным последствиям это не приведет. Простите меня! — Димпьер остановился, помолчал и сказал с неожиданно умоляющими нотками в голосе: — Мишель, за все, чего вы достигли, благодарите только себя! Поверьте!

Мишель чувствовала на своем лице теплые ладони Арно. И в душе горячо благодарила его за эту нежность. Не отдавая себе отчета в том, что делает, она прижалась к нему всем телом. Тут же ладони Димпьера еще крепче сдавили ее виски, а из его груди вырвался тихий стон. Их губы слились, и Мишель почувствовала неизведанную доселе сладость. На мгновение Арно оттолкнул девушку. Но тут же снова приник к ее губам.

— О, дорогая, милая Мишель! — шептал он ей на ухо. — Как я ждал этой минуты!

Их губы снова слились. Поцелуй становился все более страстным и требовательным. В порыве прежде не испытанного наслаждения тело Мишель невольно прижалось к стану Арно. Она почувствовала через одежду, как он возбужден. На мгновение Мишель охватило чувство страха, но тут же уступило место непреодолимому желанию, сжигавшему, казалось, все ее тело.

Дыхание Димпьера участилось, как в лихорадке. Мишель слышала биение его сердца. А ладони Арно гладили ее тело, постепенно спускаясь вниз. Мишель чувствовала, что ее дыхание стало прерывистым, а сердце отчаянно заколотилось. Она не знала, что должно произойти, но безумно этого желала.

Даже сквозь одежду Арно Мишель чувствовала, как горит его тело. Этот огонь воспламенял и ее. Димпьер поднял девушку на руки, перенес в раздевалку и положил на раскладную кровать, стоявшую в углу на случай неожиданного недомогания кого-либо из танцовщиков. И снова приник к ее губам. Мишель даже не заметила, как он сорвал с нее легкий хитон и мгновенно скинул с себя всю одежду.

В голове Мишель все смешалось, когда Арно прижался к ее телу. Мгновенная боль пронизала ее нутро, но очень скоро прошла, уступив место никогда еще не испытанному наслаждению. Его тело двигалось сначала медленно, а затем все быстрее и быстрее. Она точно повторяла все его движения, ощущая приближение чего-то неведомого, пугающего и вместе с тем желанного. Наконец внутри у Мишель что-то, казалось, оборвалось. Она чувствовала себя невесомой, почти бесплотной...

В тот же момент Димпьер напрягся до предела, издал сдавленный крик и замер, расслабившись. Потом соскользнул на постель и долго не мог отдышаться...

И тут Мишель неожиданно охватило странное чувство одиночества. Несмотря на то что Арно был высок и довольно крепок, она не только выдерживала его тяжесть, но и получала от этого огромное наслаждение. Теперь же между ними было расстояние, хоть и небольшое. Мишель это не понравилось. Она хотела задать Арно много вопросов по поводу только что происшедшего. Но не решалась. А он лежал рядом и хранил молчание. В этом было что-то пугающее. Мишель не выдержала. Она хотела немедленно знать, была ли их близость такой же волнующей для него, как для нее самой.

— Арно! — проговорила Мишель дрожащим голосом.

Он не ответил.

— Арно! — повторила она уже тверже. — Скажите же что-нибудь! Вы меня просто пугаете!

Димпьер медленно повернулся к Мишель. Прочесть что-либо на его лице было невозможно.

— Простите меня, милая, — ровным голосом сказал он, — но я не хотел этого!

В горле Мишель сразу пересохло. Она глотнула воздух и удивленно посмотрела на Арно. Почему он стал таким серьезным?

— Арно, не отталкивайте меня! — прошептала Мишель. — Мы только что были так близки и вдруг... вдруг... — Ее голос задрожал, и она с трудом докончила фразу: — И вдруг вы оставили меня одну... Я чувствую себя покинутой...

— Дорогая! — прошептал в ответ Арно, прижав Мишель к груди. — Я вовсе не собирался причинять вам страдания. Простите меня за эгоизм. Я думал только о себе, забыв, что для вас все это было впервые.

Он нежно поцеловал ее в лоб, и Мишель постаралась уверить себя, что все идет так, как и должно быть, что все прекрасно. Но в глубине души чувствовала, что это не совсем так. Случилось что-то непоправимое. И Димпьер сейчас скажет ей слова, которых она не хотела бы слышать.

Арно приподнялся на локте и внимательно посмотрел в глаза Мишель:

— То, что произошло, явилось для меня каким-то удивительным волшебством. Вы, наверное, и сами об этом догадались. Испытать близость с вами, любить вас для меня — величайшее счастье, прекрасное мгновение, которое я никогда не забуду.

Сердце Мишель замерло. Почему он это говорит? Ведь такие слова обычно произносят при расставании... Неужели?..

Димпьер глубоко вздохнул.

— Надеюсь, вы правильно поймете то, что я сейчас скажу. Хотя, честно говоря, сомневаюсь.

Последовал еще один столь же глубокий вздох. Арно погладил Мишель по щеке и продолжал:

— Вы еще так... так молоды...

Мишель прижалась к его груди и зарыдала. Он нежно провел ладонью по ее волосам.

— Мишель, я хочу сказать... Хочу сказать, что больше это не должно повториться. Как бы я этого ни хотел и какое бы наслаждение ни испытывал от нашей близости...

— Почему, Арно?

— Во-первых, потому, что такое вообще не должно было случиться, дорогая. И не потому, что ваш наставник — мой лучший и близкий друг, а сами вы еще очень молоды. Как я уже сказал, вы — член нашей труппы. А моим твердым правилом является категорический отказ от каких-либо романтических отношений с ученицами. То, что произошло сегодня, — очаровательная случайность, которой не должно было быть. Единственным тому оправданием может быть то, что ничто человеческое мне не чуждо, а вы так прекрасны и неотразимы, что устоять перед вами просто невозможно.

Рыдания вырвались из груди девушки. Случайность? И так он назвал самое прекрасное из всего, что до сего дня с ней случалось в жизни! Как у него только язык повернулся сказать такое!

— Почему? — проговорила она сквозь слезы и всхлипывания. — Какое значение имеет то, что я танцую в вашей труппе?

— Я уже объяснял вам, Мишель, что не могу допустить в коллективе нездоровой атмосферы. И если наш роман продлится, то о нем непременно узнают. И предложи я вам станцевать одну из первых партий, все кругом будут злословить, будто причиной тому — наша связь. Начнутся сцены ревности, обиды и все такое. Вы же этого не хотите, не так ли?

— Мне все равно.

— Вы так не думаете, дитя мое. А говорите только потому, что очень расстроены.

Мишель неожиданно одолела икота. Она почувствовала себя очень несчастной, ставшей жертвой предательства. Подняв глаза на балетмейстера, она с трудом произнесла:

— Хотите вы того или нет, но подобные разговоры в труппе давно уже не редкость. Например, мадам Декок прямо утверждает, что Сибелла — ваша любовница!

Димпьер раздраженно фыркнул:

— Мадам Декок давно прославилась как записная сплетница. Ее язык просто не в состоянии молвить правдивое слово. Что же до меня и Сибеллы, скажу совершенно честно: все это — досужий вымысел. Мадам Декок просто помешана на гениальности своей дочери. И не думает более ни о чем, кроме ее блестящей карьеры на поприще балета. Она уверена, что только благодаря чьим-то гнусным интригам прима-балериной моей труппы является не Дениз, а Сибелла. В действительности же, хотя Дениз — хорошая танцовщица, Сибелла все же на голову выше ее. Не понимаю, как только вы можете верить всей этой ерунде! А теперь приведите себя в порядок. Прежде чем вернуться к Андрэ и мадам Дюбуа, хорошенько умойтесь. Иначе они подумают, что с вами стряслась беда. И перестаньте хныкать!

Мишель постаралась унять слезы, но они градом катились по ее щекам.

— Вы имеете в виду, что все происшедшее никак не отразится на наших отношениях? — прошептала она. — Мы будем продолжать вести себя так, будто ничего не случилось?

Арно утвердительно кивнул головой. Выражение его сурового лица смягчилось.

— Это как раз то, что я имел в виду, Мишель. И давайте больше не говорить об этом. Вы должны видеть во мне только своего балетмейстера. Может быть, вначале это будет трудно, но в конечном счете выиграем мы оба. Вы увидите. Я знаю, Мишель, что для вас балет так же важен, как и для меня. Мы оба не можем жить без него. Не забывайте об этом ни на минуту. А теперь я принесу воды. Вы умоетесь и оденетесь.

Что было потом, Мишель не помнила. Когда же приехала домой, то с совершенно отрешенным видом поздоровалась с Андрэ и мадам Дюбуа. Но, видимо, выглядела вполне нормально, коль скоро никто из них не сделал ей ни одного замечания. Сославшись на отсутствие аппетита и усталость, она поднялась прямо к себе в спальню, разделась и, нырнув под одеяло, уткнулась носом в подушку, призывая самые сладкие и радостные сны...

Последующие недели стали для Мишель самыми несчастливыми со времени внезапной смерти отца. Во всяком случае, она чувствовала себя почти так же, как в те трагические дни. Ее мучило ощущение невозвратимой утраты, холодной пустоты в сердце, предательства любимого человека.

Но жизнь шла своим чередом. Мишель аккуратно посещала занятия в студии, неизменно участвовала во всех репетициях. По субботам и воскресеньям она с Андрэ и мадам Дюбуа выезжала в свет. Одним словом, казалось, что в ее жизни ничего не произошло. «Странно, — думала она, — я столько пережила за последнее время, так изменилась, а никто этого почему-то не замечает». Но, видимо, внешне она и впрямь осталась прежней. Даже несмотря на то, что впервые познала мужчину.

Не отразилось это и на танце Мишель. Скорее наоборот: ее движения сделались увереннее, пластичнее и осмысленнее. Гордость не позволяла ей даже намекнуть Димпьеру на то, какую душевную боль он ей причинил. Вместе с тем Мишель работала еще упорнее и самозабвеннее. И поклялась в душе, что никогда больше не позволит себе увлечься ни одним мужчиной, ведь это могло повредить ее балетной карьере. Но все же продолжала на занятиях кружить вокруг балетмейстера, подчас напоминая самой себе идиотку, тронувшуюся на почве несчастной любви...

Приближался день ее дебюта в кордебалете. Настроение Мишель заметно поднялось. А мадам Дюбуа и Андрэ пригласили на спектакль множество своих друзей.

Незадолго до начала Мишель вместе с другими артистками стояла в костюмерной перед зеркалом, придирчиво окидывая себя взглядом. И вдруг впервые с того злополучного вечера поймала себя на том, что уже несколько часов совсем не думает о Димпьере. От этой мысли она улыбнулась. Одевавшаяся рядом Мари Рено посмотрела на Мишель и тоже улыбнулась.

— Как приятно видеть твою улыбку! — воскликнула она. — А то в последнее время ты ходишь какая-то мрачная и даже сердитая. Впрочем, сегодня такой день! Боже мой, как я люблю эти минуты перед выходом на сцену, блеск огней в зале, звуки настраиваемых инструментов, запах кулис! А потом — выступление перед публикой!

Улыбка на лице Мишель расцвела еще ярче.

— Да, все это очень волнует, — согласилась она. — Хотя я, признаться, сильно нервничаю. Ведь сегодня я, по сути дела, впервые выйду на сцену. И до смерти боюсь показаться нескладной или глупой!

— Мы все этого боимся. Но тебе вряд ли стоит особенно беспокоиться, Мишель. Ты ведь значительно сильнее всех нас, артисток кордебалета. И очень скоро, уверена, станешь солисткой.

Мишель почувствовала, как краснеет от комплимента. Она повернулась к Мари и попросила застегнуть крючки на спине. Потом с укором посмотрела на подругу:

— Мари, ты не должна так говорить! Ведь это мое первое выступление на сцене. А я суеверна! Кроме того, нас могут услышать. Что не всегда полезно...

— Меня это не волнует, Мишель. А ты танцуешь уже давно и сделала огромные успехи. Это великолепно! Но как раз поэтому тебе и следует опасаться соперниц! Думаешь, почему Дениз так тебя невзлюбила?

— Наверное, Дениз одинаково плохо относится ко всем другим танцовщицам в нашей труппе. А может быть, и вообще ко всем людям. Такая уж она уродилась!

— Вовсе нет. Она никогда не станет тратить нервы и злобу на тех, кого не считает нужным опасаться. Ее ненависть всегда прямо пропорциональна таланту возможной соперницы. Поэтому она так возненавидела тебя. Это уже все заметили!

— Значит, ее ненависть я могу считать комплиментом?

— Да, но будь начеку! Дениз — очень опасный противник. Не забывай об этом. У нее нет ни сердца, ни совести. Заботится же она только о себе.

— Меня уже об этом предупреждали. Но что она может сделать? Или уже Дениз кому-то навредила?

— Это трудно доказать. Но странные случаи действительно происходили. Например, у нас в труппе работала очень хорошая танцовщица по имени Рене. Димпьер решил доверить ей одну из ведущих партий, на которую претендовала и Дениз. И вот на генеральной репетиции, когда Рене поднималась по крутым ступенькам на сцену, она за что-то зацепилась, упала и повредила себе ногу. Рене отлично помнила, что споткнулась не о ступеньку. Помнила и то, что за ней буквально шаг в шаг поднималась на сцену Дениз. Рене не сомневается, что та подставила ей подножку. И получила желанную роль...

— Разве не могло быть простого совпадения?

— Конечно. Но подобное повторялось и потом. Причем каждый раз жертвами несчастного случая становились соперницы Дениз. Поэтому я и решила тебя предупредить. Мало ли что...

Мишель, не на шутку встревоженная словами Мари, бросила на подругу благодарный взгляд:

— Спасибо, Мари. Я буду очень внимательной, не беспокойся! И особенно с Дениз.

В эту минуту послышался стук в дверь, означавший, что до поднятия занавеса осталось несколько минут. Мишель повернулась к зеркалу, чтобы в последний раз проверить костюм. И почувствовала, как тревожно и в то же время радостно бьется ее сердце.

Вот и настал долгожданный день! Именно во имя этого дня она потратила столько сил, отрабатывая каждое движение, выправляя осанку, оттачивая технику. Ее переполняло ощущение небывалого счастья. А еще — благодарности тем, кто приблизил этот радостный день. Но пора было выходить на сцену, чтобы впервые в жизни почувствовать множество взглядов, устремленных на нее из темноты зрительного зала...

Глава 10

Мишель в элегантном кринолине вместе с другими артистками кордебалета стояла за кулисами, ожидая своего выхода и в последний раз вспоминая все указания балетмейстера.

Наконец долгожданный момент наступил. Одна за другой артистки кордебалета вышли на сцену. Дирижер взмахнул палочкой, и оркестр заиграл вступление. Мишель даже не почувствовала, как ноги сами понесли ее. Непередаваемое ощущение блаженства охватило ее. Она знала, что танцует хорошо, даже прекрасно. Лучше остальных. И эта мысль, казалось, приподнимала ее высоко над землей, вознося к облакам.

На какое-то мгновение Мишель вспомнила предупреждение Мари в отношении Дениз. Но та танцевала в дальнем конце сцены и не могла представлять для нее никакой опасности. Мишель полностью отдалась танцу, не думая больше ни о чем...

Но все кончилось... И очень быстро... Слишком быстро... Так по крайней мере показалось Мишель. Несколько раз поднимался и опускался занавес. Гремели овации. Солисты и кордебалет даже приустали от поклонов. Мишель смотрела в зал, но ничего не видела. Огни рампы слепили глаза. Правда, в какое-то мгновение она заметила стоявшего в проходе Андрэ. Он отчаянно хлопал в ладоши и вместе с остальными зрителями кричал: «Браво! Браво!»

В переполненной костюмерной Мишель с трудом нашла место, чтобы присесть и переодеться. Кругом стоял невообразимый шум, раздавались радостные крики и смех. Казалось, счастье переполняло всех, и Мишель тоже чувствовала себя счастливой. Хотя, как-то подняв голову, она встретилась взглядом с Дениз. Ее серые глаза были, как всегда, холодными и недобрыми. Мишель поспешила отвернуться, благо рядом сидела Мари, которая засыпала подругу вопросами:

— Все прошло хорошо, правда? Тебе понравился Луи? Он был просто великолепен! Ты согласна?

— Да, — кивнула Мишель. — Он прекрасно танцевал. И Сибелла тоже! Впрочем, она всегда хороша.

Тут раздался стук в дверь, и в костюмерную кто-то заглянул. Раздался дикий визг, и полураздетые девушки спешно укрылись, кто за вешалкой, кто за полуоткрытой дверью, а кто-то спрятался под лежавшей на полу огромной кучей хитонов и пачек. Человек в замешательстве застыл на пороге, потом, слегка зажмурившись, что-то шепнул одной из спрятавшихся за дверью артисток и передал ей то, что держал в руках. Та ахнула. Вокруг столпились остальные танцовщицы. Костюмерная наполнилась восторженными восклицаниями, аханьем и возгласами удивления. Мишель хотела было тоже подойти, но в этот момент принявшая от незнакомца подношение девушка подбежала к ней с огромным букетом роз в руках.

— Это тебе, Мишель! — воскликнула девушка, глядя на нее широко раскрытыми глазами. — Посыльный просил передать это мисс Вернер.

Остальные девушки, ахая наперебой, окружили Мишель. Конечно, для солистки балета подобное подношение было бы естественным. Но для скромной артистки кордебалета... Такого здесь еще не случалось!

Мишель терялась в догадках. Цветы могли быть от Андрэ. Или от мадам Дюбуа. Сами того не ведая, они совершили большую ошибку. Начнутся зависть, ревность, пойдут разговоры...

— От кого это? — спросила Мари и вытащила из букета карточку. — Сейчас узнаем! — Она взглянула на карточку и с улыбкой сказала: — Тут написано: «Прекрасной даме и прима-балерине труппы мистера Димпьера. Не согласились бы вы сегодня отужинать со мной?»

— От кого? — хором закричали все. — Мари, не томи же нас! Прочти подпись!

Мари еще раз взглянула на карточку, и глаза полезли у нее на лоб.

— Подписано по-английски: «Лорд Бэйингтон».

Мишель, ожидавшая услышать имя Андрэ, была поражена.

— Лорд Бэйингтон? — спросила она. — Кто это?

В ответ раздался общий смех. Мари осуждающе покачала головой:

— Мишель, как не стыдно! Лорд Бэйингтон — один из самых красивых и богатейших вельмож во всей Англии. Вот уже несколько месяцев, как он гостит у своей тетки в Париже. Боже мой, Мишель! Как ты невежественна! Не знаешь даже, что в последнее время этот человек на языке у всех парижских сплетников, а еще более — сплетниц!

Она передала букет Мишель, которая робко приняла цветы.

— Будь поосторожнее с этим лордом, — предупредила ее Фелис, брюнетка небольшого роста, с живыми глазами. — Говорят, он страшный повеса, хотя и очень щедр.

Мишель чувствовала себя как никогда неловко, оказавшись вдруг в центре всеобщего внимания. Она немного подумала и отрицательно покачала головой:

— Нет. Андрэ и мадам Дюбуа ждут меня к ужину. А кроме того, я совсем не знаю этого джентльмена.

— Вовсе не обязательно знать джентльмена, чтобы поужинать с ним, — возразила Челесте, девушка постарше. — Я лично хотела бы, чтобы этот вельможа пригласил меня. И сумела бы недурно воспользоваться богатством и щедростью поклонника.

Кругом все засмеялись, а Мишель спрятала лицо в розы, чтобы скрыть выступивший на щеках румянец. Мари тронула ее за плечо:

— Мишель, тебе следует что-то ответить лорду. Посыльный дожидается за дверью.

— Но я, право, не знаю, что ему написать.

Мари мягко улыбнулась:

— Я тебе помогу. Думаю, не стоит его сердить, даже если ты решила не принимать приглашение. Ничего не пиши, а просто скажи посыльному, что ты — несчастная одинокая девушка и была бы рада принять предложение его сиятельства. Но у тебя сегодня очень важная встреча, которую невозможно отменить. Как-нибудь в другое время ты с удовольствием примешь приглашение лорда, если оно последует.

Мишель в ужасе посмотрела на Мари:

— Но это неправда! Я отнюдь не одинока. И вовсе не хочу прикидываться ею ради того, чтобы поощрять ухаживания этого лорда.

— Эх, Мишель, — вздохнула Мари. — Ты просто неисправима... Неисправимая американка! Ведь это всего-навсего игра. И твоя репутация только выиграет, если кругом будут говорить, что за тобой ухаживает сам лорд Бэйингтон.

Мишель вновь упрямо замотала головой:

— Нет, я не стану лгать. Скажи посыльному, чтобы передал его сиятельству мою благодарность за цветы и теплые слова. Но у меня на сегодня давно назначена важная встреча. Вот и все.

Мари с досадой посмотрела на Мишель и пожала плечами:

— Что ж, поступай как знаешь. Но так в подобные игры не играют!

Мишель проводила Мари взглядом до двери, думая о том, почему отношения между мужчинами и женщинами всегда напоминают какую-то игру. Разве не лучше быть прямыми и откровенными друг с другом? Неужели это так трудно?

Впервые за весь вечер она подумала об Арно и о себе. Ее очень удивило, что эта мысль уже не вызвала слез...

Розы были до того хороши, что у Мишель не хватило духу оставить их в костюмерной. Бережно прижимая огромный букет к груди, она вышла в коридор, где уже давно дожидались Андрэ и мадам Дюбуа. Первый, сияя от счастья, крепко обнял Мишель, стараясь тем не менее не повредить цветы.

— Вы были просто удивительны, дорогая! — воскликнул он. — И великолепно выглядели! Не правда ли, Рене?

Мадам Дюбуа, широко улыбаясь, утвердительно кивнула головой:

— Да, Мишель, вы были прекрасны! Впрочем, аплодисменты публики и восторженные крики из зала говорят сами за себя. Вы все это и сами слышали, милая!

Мишель, польщенная и вместе с тем несколько смущенная этим потоком комплиментов, горячо расцеловала обоих:

— Тс-с! Не надо так говорить! Я просто одна из артисток кордебалета. Кто мог меня заметить?

— Кто-то, видимо, заметил, судя по этому роскошному букету! — рассмеялась мадам Дюбуа, похлопав девушку по плечу.

Мишель густо покраснела и, как бы оправдываясь, ответила:

— Их прислал мне какой-то джентльмен... И приглашал с ним поужинать.

— Так это же замечательно! — воскликнула мадам Дюбуа, выгнув дугой брови. — А кто он?

— Англичанин. В его карточке значится: лорд Бэйингтон...

Мадам Дюбуа и Андрэ дружно рассмеялись.

— Мы же только что сказали, что вас заметили, — сказал Андрэ, отсмеявшись и вытирая лицо платком. — Но не могли даже предположить, что первым поклонником станет самый богатый и знатный вельможа Англии! Правда, должен сказать, что этот лорд был не единственным. Я слышал прекрасные отзывы и от других. Все сходились на том, что вы заметно выделялись на фоне остального кордебалета. Кто-то даже сравнил вас с прекрасной розой, выросшей на капустной грядке.

Мишель недовольно покачала головой:

— Как они могут так говорить! Ведь в нашем кордебалете много замечательных, возможно, даже выдающихся в будущем балерин! Почему же заметили только меня?

Лицо Андрэ сразу стало очень серьезным.

— Я не подтруниваю над вами, Мишель. И не льщу, как вам может показаться. Мы с Рене говорим чистую правду. У вас блестящий талант. И вы выделяетесь из всего кордебалета, независимо от того, хотите этого или нет. Возможно, это создает проблему для остальных. Кордебалет должен танцевать как единый организм. Но что тут поделаешь, коли среди остальных танцовщиц заблистала будущая звезда! Сейчас можно с полным основанием утверждать, что в ближайшее время вы будете танцевать главные партии. А в недалеком будущем можете стать и прима-балериной. И не только в труппе месье Димпьера.

Мишель стыдливо опустила глаза.

— Но пока я еще не прима-балерина, Андрэ. И даже не кандидат на главные роли. До этого мне еще очень далеко. Скажу вам и того больше: я уверена, что завтра же месье Димпьер разнесет меня в пух и прах за этот успех. Он, как и вы, считает, что кордебалет должен танцевать как единое целое... А я невольно нарушила этот принцип, что не лучшим образом сказалось на всем спектакле.

— Не беспокойтесь об этом, — мягко сказал Андрэ, взяв Мишель за руку. — Вы можете изо всех сил стараться, чтобы не выделяться на фоне остальной массовки. Но долго оставаться в этой роли вам не придется. Помяните мои слова: совсем скоро вы станете солисткой.

Хотя Мишель не до конца поверила предсказаниям Андрэ, они сбылись. И очень скоро — спустя несколько недель после памятного спектакля. Конечно, сначала Димпьер прочел Мишель строгую нотацию — чуть ли не слово в слово повторив все то, что она сама сказала Андрэ в день своего дебюта. Она отлично понимала, что балетмейстер прав, и на следующих спектаклях старалась не выделяться из кордебалета. И все-таки ее каждый раз замечали, присылали цветы и записки с приглашениями на ужин, поэтому начинающая балерина чувствовала себя в чем-то виноватой не только перед кордебалетом, но и перед солистками.

Когда Мишель поделилась своими опасениями с мадам Дюбуа, та в ответ только рассмеялась:

— Дорогая! Не стоит расстраиваться из-за того, что тебя заметила публика. Так бывало всегда и со всеми. Зрители сами выбирают кумиров и зачастую ходят в театр только затем, чтобы насладиться их искусством. Так что не волнуйся! Радуйся тому, что тебя заметили. Это значит, что вскоре ты станешь танцевать небольшие сольные партии, а затем главные. Тебя ожидает блестящая карьера. Поверь мне!

Слова мадам Дюбуа немного успокоили Мишель. Но все же в глазах многих студийцев она читала зависть. Хотя Мари и Луи были искренне рады ее успеху. Другие воспринимали признание юной балерины публикой как должное, с молчаливой покорностью. Но были и такие, кто лопался от злости. И конечно, ее заклятыми врагами тут же стали Дениз Декок и Ролан Марэ. Мишель все чаще вспоминала о предостережении Мари и старалась по возможности их сторониться. Хотя пока Дениз не предпринимала каких-либо явных попыток навредить Мишель.

Тем временем Димпьер начал проходить с Мишель некоторые сольные партии, что стало для нее радостной неожиданностью. Правда, одновременно он работал над теми же ролями и с Дениз...

Мишель теперь совершенно спокойно относилась к тому, что Арно решительно отказался продолжить их краткую интимную связь. Но вместе с тем он уже не скрывал, что очень доволен ею как ученицей, хотя внешне держался строго и даже сурово. Это еще больше подстегивало рвение Мишель. Она чувствовала, что с каждым уроком и репетицией танцует все лучше.

Как раз в это время Димпьер объявил, что написал новый балет на сюжет популярной народной сказки под названием «Красавица и Чудовище». Эта новость взволновала всю труппу. Каждый хотел поскорее узнать, будет ли занят в новом спектакле и в какой роли. Что же касается исполнителей главных партий, то ни у кого не было сомнений: их будут танцевать Сибелла и Ролан.

Все это создавало напряженную и очень нездоровую атмосферу в труппе. Однако Димпьер быстро ее разрядил, заявив как-то:

— Я очень долго думал о составе исполнителей будущего балета. И решил назначить на роль Красавицы Сибеллу. Партию Чудовища я поручаю Луи, ибо он не только прекрасный танцор, но и талантливый актер. Это привнесет в роль глубину и даже философский оттенок, а вместе с тем сделает Чудовище симпатичным, каким оно и должно быть по сюжету.

Димпьер обвел взглядом труппу.

— Это были главные роли. Теперь об остальных. Партию отца будет танцевать Ролан. Его высокий рост и крупная фигура добавят солидности образу. Вам, Мишель, я поручаю партию сестры Красавицы. Это небольшая роль, но она даст вам возможность показать свою подготовленность к исполнению сольных партий. Ну а теперь прошу всех к станку. Завтра мы приступаем к работе над новым балетом.

Мишель не верила своим ушам. Ей доверили танцевать соло! Причем важную партию! Она посмотрела на Луи, с трудом пытаясь скрыть волнение. И поняла по выражению его лица, что он всей душой радуется за нее. Но, случайно поймав взгляд Дениз, прочитала в нем жгучую ненависть. Мишель хотела было отвести глаза, но подумала, что напрасно позволяет Дениз себя запугивать. Ведь Мари предупредила ее о возможных кознях со стороны этой девицы. Теперь же надо просто принять меры предосторожности. Пусть Дениз знает, что безропотной жертвой ее интриг Мишель Вернер никогда не станет! И она гордо и холодно посмотрела в глаза сопернице.

Конечно, Мишель завидовали и другие. Но в целом ее назначение на одну из ведущих ролей труппа встретила с пониманием. Ее поздравляли, пожимали руки, целовали. Под конец Мишель подумала, что это был один из самых счастливых дней ее жизни.

На следующее утро она написала письмо Анне, в котором рассказала о своем успехе и новых перспективах. И в который раз выразила сожаление, что в эти счастливые дни рядом нет ее любимой мамочки. О своей угрюмой сопернице Мишель не упоминала. Да и вообще в последнее время перестала о ней думать и даже стала постепенно забывать предостережения Мари. Но, как оказалось, напрасно...

Не прошло и нескольких дней, как случилась первая неприятность.

Обычно Мишель делила свои непомерно большие съестные припасы, заботливо уложенные поваром мадам Дюбуа, с кем-нибудь из друзей — Луи, Мари или мулатом. Иногда к ним присоединялись и девочки из кордебалета. В тот день они сидели втроем — Мишель, Мари и Луи. Внезапно Мари побледнела, на лбу у нее выступили капельки пота, и она схватилась за живот. Мишель бросилась к подруге и силой утащила ее в костюмерную. Мари склонилась над умывальником, и тут же у нее началась ужасная рвота.

Когда Мари стало легче, Мишель уложила ее на соломенный тюфяк, приготовленный на всякий случай в костюмерной, и вернулась к Луи.

— Как думаешь, что могло случиться с Мари? — встревоженно спросила она. — До того как мы принялись за еду, она прекрасно себя чувствовала.

Луи угрюмо посмотрел на Мишель и, нагнувшись к самому ее уху, прошептал:

— Ты говоришь, что до еды с Мари было все в порядке? Вот, понюхай это.

И он протянул ей кусок рисового пудинга. Мишель нагнулась над пудингом и вдруг ощутила странный острый запах. Рис так не пахнет. Она вопросительно посмотрела на Луи.

— Я думаю, в пудинг чего-то подмешали, — тихо сказал он. — Какую-то отраву. И сделано это было для того, чтобы заболела ты.

— Я? Но почему же? И кто мог это... Боже мой, неужели?..

Мишель повернула голову и посмотрела в дальний угол, где сидели Дениз и Ролан. Они не смотрели в их сторону, но, наклонившись друг к другу, что-то шепотом обсуждали.

— Ты думаешь, это сделала Дениз? — спросила Мишель Луи.

— Вполне возможно.

— И целью была я?

— Я почти уверен в этом. А ты? Впрочем, ты даже не притронулась к пудингу.

— И он достался Мари! Бедняжка! Но если это правда, то как могла Дениз до такого дойти?

Это же ужасно! Мари предупреждала меня, что Дениз уже устраивала исподтишка гадости другим девушкам, которых считала своими возможными соперницами. Но дойти до того, чтобы попытаться кого-то отравить...

— Вряд ли она хотела чьей-то смерти. Просто пыталась сделать так, чтобы человек на какое-то время почувствовал себя плохо и не мог репетировать. В этом случае Дениз могла рассчитывать заменить заболевшую. На такое она способна, поверь мне!

Мишель с подозрением посмотрела на еду, еще остававшуюся в корзинке.

— Я не уверена, что отравлен только пудинг.

— Не беспокойся. Я уже все проверил. У меня очень тонкий нюх. Единственное, что в этой корзине вызывает подозрение, так это шоколад. Остальное вроде бы съедобно. Но ты ведь вообще почти ничего не ела. Попробуй цыпленка. Ручаюсь, он не отравлен. И с виду очень аппетитный.

Но Мишель с досадой отмахнулась от еды. У нее пропал аппетит. Одна мысль стучала у нее в висках: как может человек, даже такой недоброжелательный, как Дениз Декок, пасть так низко?! Но если она способна на подлость, то кто поручится, что завтра с кем-нибудь (и не обязательно с Мишель!) не случится еще более ужасная беда? Нет, Дениз надо разоблачить!

Но как? Пойти к Димпьеру и все рассказать? Однако Мишель знала, что Арно тут же зачислит ее в разряд сплетниц и собирательниц слухов. Кроме того, она ничем не могла доказать справедливость своих подозрений. Ведь пока это всего лишь предположение. Нет, к Димпьеру обращаться нельзя! Видимо, придется внимательно последить за Дениз, а самой быть очень осторожной.

От этой мысли Мишель передернуло. Ведь теперь ей предстояло, как это ни мерзко, оберегать себя от козней однокашницы...

Прошло всего несколько дней, и Мишель, обуваясь в костюмерной, обнаружила в одной из балетных туфель осколок стекла. Не заметь она этого вовремя, могло бы случиться большое несчастье.

Она показала осколок Луи. Тот внимательно осмотрел его и пришел в настоящее бешенство.

— Знаешь, — сказал он, скрипя зубами, — я почти было собрался сыграть подобную шутку с ней самой. Но в последний момент решил этого не делать. Однако кто-то все же должен ее остановить, пока не случилось что-нибудь ужасное!

— Нет, Луи. Сделай ты то, что задумал, то встал бы с ней на одну доску. Надо придумать что-нибудь другое.

Но, вспоминая о разболевшейся после отравления злополучным пудингом Мари, Мишель начинала дрожать от негодования. И тогда ей казалось, что она в состоянии немедленно ответить этой злобной фурии Дениз ударом на удар. Только это может отрезвляюще подействовать на такую мерзавку. Но, поразмыслив, Мишель решила не торопиться и дождаться благоприятного случая. Тем более что доказательств преступлений Дениз пока по-прежнему не было. Оставалось поймать ее с поличным, а до тех пор набраться терпения и ждать.

Итак, Мишель делала вид, будто ничего не произошло, и продолжала ходить на занятия и репетиции как ни в чем не бывало. Но при этом ни на минуту не упускала из виду Дениз.

Наступило время примерки костюмов. Луи в своем одеянии из темно-коричневой материи, напоминавшей львиную шкуру, выглядел бесподобно. Его голову венчала пышная грива, обрамляя лицо с добрыми глазами. Получился образ страшного и одновременно добродушного существа, чего и добивался Арно Димпьер.

Костюмы девушек — Красавицы и ее сестры — были очень простыми, они напоминали одежды древних гречанок. Это вызвало некоторое неудовольствие исполнителей, привыкших к кринолинам.

— Они выставляют напоказ наши формы! — тихо сказала Мари, когда Мишель помогала ей застегивать пуговицы на спине. — Посмотри, как это платье облегает тело!

— Да, — громко сказал Димпьер, услышавший слова Мари. — Костюмы действительно будут облегать ваши фигуры. Но в них вы будете чувствовать себя комфортно и свободно. Я уже давно хотел отделаться от традиционных костюмов, а этот балет как раз и дает такую возможность.

— Я просто счастлива, что мне не придется появиться в них на публике! — заявила Дениз.

Мишель и Мари обменялись многозначительными взглядами.

— Ей до смерти хотелось бы в них танцевать, — шепнула Мари.

— Надеюсь, что меня при этом смерть все-таки минует, — также шепотом ответила ей Мишель.

Она вновь задумалась о Дениз и о ее возможных кознях и еще тверже решила положить им конец. Бороться с этой фурией она будет ее же средствами, как бы отвратительно это ни выглядело.

Вечером после занятий она подошла к Андрэ, рассказала ему все и посвятила в свои планы.

— Думаю, вы правы, дорогая, — согласился Андрэ после довольно продолжительного размышления. — Единственный способ отбить у Дениз охоту к таким проделкам, это показать ей, что и вы можете играть в подобные игры. И не хуже ее. Пойдемте, я дам вам нечто такое, что не причинит этой девице никакого вреда, но напугает до полусмерти. И надолго отобьет охоту к злокозненным затеям.

На следующий день, вооружившись пузырьком с приготовленным Андрэ варевом, Мишель подождала, пока все участники студии собрались в репетиционной, проскользнула в раздевалку и, вытащив из оставленной там Дениз корзинки со съестным бутылочку красного вина, подлила в нее зловредного зелья. Встряхнув бутылочку, она аккуратно положила ее назад в корзину.

Во время обеденного перерыва, когда все спустились в раздевалку и достали свои припасы, Мишель шепнула Луи и Мари:

— Понаблюдайте тайком за Дениз. Я приготовила ей сюрприз.

— Наконец-то! — удовлетворенно прошептал Луи. — А что именно ты сделала?

— Сам увидишь.

Минуты обеденного перерыва, как всегда, летели быстро. Дениз, казалось, не замечала устремленных на нее трех пар глаз. Она с аппетитом съела свой обед и запила его вином. Прошло несколько минут.

— Посмотрите! — прошептал Луи. — Посмотрите на Дениз!

Мишель и Мари повернули головы и увидели, как лицо Дениз на глазах становится белее снега, а брови выгибаются дугой. В следующую секунду она скорчилась в судороге, потом застонала и бросилась в туалет. Луи с мефистофельской улыбкой посмотрел на Мишель:

— Это замечательно! Как тебе удалось?

— Я подлила ей в вино средство, приготовленное Андрэ. Оно абсолютно безвредно. Но в течение всего дня, а возможно, и ночи у Дениз будет несварение желудка. Ей станет легче не раньше завтрашнего утра. Тогда я подойду к ней и скажу, что, если она будет продолжать мне вредить, я отвечу ей тем же.

— Прекрасно! — кивнул Луи. — Я же говорил, что с врагом надо бороться его же оружием!

— Какой же ты кровожадный, Луи, — фыркнула Мишель. — А меня эта победа отнюдь не радует. И я пошла на такой шаг только потому, что Дениз довела меня до крайности!

В тот же вечер Мишель рассказала обо всем Андрэ. Тот был очень доволен и выразил надежду, что больше предупредительных мер против козней мадемуазель Декок не потребуется.

Когда они отсмеялись, Мишель подумала, что наступил очень удобный момент задать Андрэ вопрос, который ее давно занимал.

— Андрэ, вы помните, что обещали рассказать мне кое-что о себе? Я имею в виду некоторые неприятные эпизоды из вашего прошлого.

Андрэ сразу помрачнел и со вздохом ответил:

— Конечно, помню, дорогая. И очень сожалею, что обещал вам это.

— Почему, Андрэ? Мы же с вами давно стали друзьями и можем говорить обо всем, не так ли? Кроме того, вы же сами обещали мне все рассказать. Я ведь не настаивала.

Андрэ взял руку Мишель в свою и, еще раз вздохнув, сказал:

— Да, вы правы, милая. Не следовало мне ничего вам обещать. Я сделал большую глупость. Это будет трудный и очень тягостный для меня разговор.

Мишель крепко сжала его руку:

— Андрэ! Вы же знаете, как я вас люблю! Вы для меня как старший брат или дядя. А после смерти папы стали почти отцом. Поэтому ни за что на свете я не хочу причинить вам боль. Но для своего спокойствия я хотела бы узнать о вас побольше. И только.

— Хорошо, милая. Давайте поговорим на эту тему и никогда больше не будем к ней возвращаться. Надеюсь, что вы меня не возненавидите и не станете презирать.

— О чем вы говорите, Андрэ? Мое отношение к вам не изменится, что бы ни случилось!

— Я молю Бога об этом. Но в нашем мире есть много такого, что выходит за пределы обычного человеческого понимания. И вам может оказаться не под силу разобраться во всем, что я расскажу.

— Андрэ, почему вы считаете меня наивной дурочкой? Вот это меня по-настоящему оскорбляет!

— Нет, Мишель, я ни в коем случае не считаю вас таковой. Но вся ваша прежняя жизнь протекала в тесном, ограниченном мирке. Ведь по европейским меркам Уильямсберг — не город, а просто большая деревня. Всю свою сознательную жизнь вы провели в поместье Малверн — в прекрасном, красивейшем месте. Вы, сами того не ведая, жили там, как в убежище от жизненных бурь и потрясений. Кроме смерти отца, этого по-настоящему глубокого, но единственного горя, ничто остальное вас не касалось. А потому многое в моей истории может показаться вам странным и даже невероятным.

— Ваш так называемый друг Альбион Вильерс уже пытался кое-что мне объяснить. От него я узнала историю юного короля и его сверстников, занимавшихся любовными играми. Но я все же не понимаю, как это возможно и почему некоторые мужчины предпочитают любить представителей своего пола.

Андрэ посмотрел прямо в глаза Мишель и глухо произнес:

— Все это достаточно просто, дорогая. Хотя, возможно, вам покажется непонятным и даже диким. Действительно, существует определенная категория не только мужчин, но и женщин, которые не воспринимают романтическую и плотскую любовь между противоположными полами, предпочитая иметь дело с представителями собственного.

— Вы имеете в виду и... и физическую близость?.. — изумленно спросила Мишель, покраснев при этом до корней волос.

— Да.

— Но как это возможно?! — воскликнула совершенно ошарашенная Мишель.

— Извините, милая, но эту тему я пока не готов с вами обсуждать, — тихо ответил Андрэ. — Дурно даже то, что мы с вами вообще затеяли подобный разговор.

— Но вы тоже относитесь к ним?

— К кому?

— К тем мужчинам, которые занимаются любовью с особями своего же пола.

— Да, Мишель. Я — один из них. Не скажу, что мне это приятно, но, видимо, таким я родился. С тех пор как себя помню, я знал, что отличаюсь от других.

— Даже в детстве?

— Да, уже тогда. Мне порой казалось, что я родился мальчиком по ошибке. И внутренне чувствовал себя девочкой. Это делало меня несчастным, но изменить что-либо было, естественно, невозможно.

— Месье Вильерс упоминал о каком-то инциденте, заставившем вас покинуть Париж. Извините меня за настырность, Андрэ, но...

— ...вы хотите знать подробности? Что ж, я вам расскажу и это. В жизни все часто оборачивается к лучшему. Если бы я не уехал из Парижа, то не встретил бы вашу матушку, да и вас. Вы обе значите для меня куда больше, чем все любовные связи. Мужчине, подобному мне, трудно встретить чью-либо постоянную привязанность. Но для вас и Анны я стал членом семьи.

— Вы не чувствовали себя одиноким в Виргинии, лишившись... Ну, лишившись всего того, что имели в Париже?

— О, я находил утешение там так же, как и здесь. В Америке тоже есть мужчины, устроенные иначе. И поверьте, их не так уж мало. Но открыто заниматься любовью друг с другом мужчины там не могут. Моральные установления препятствуют этому. Здесь же, во Франции, на это смотрят совершенно иначе, без предрассудков и ханжества. Моя ошибка заключалась лишь в неудачном выборе любовника. Отец этого юноши оказался совершенно нетерпимым к педерастии. Этот термин придумали древние греки. В странах древнего мира она была широко распространена. Например, в Греции мужчины женились только для продолжения рода. А свою любовь дарили друг другу. Вот и вся история, Мишель. Теперь мне остается надеяться, что вы не возненавидите меня и не станете презирать.

Мишель, которой рассказ Андрэ показался хотя и странным, но все же очень занимательным, отрицательно покачала головой:

— Нет, Андрэ, мои чувства к вам остались прежними. Хотя я далеко не все поняла из вашего рассказа. Например, я не могу себе представить, как может одна женщина состоять в любовных отношениях с другой. Но вы остаетесь моим самым близким другом и любимым учителем. Что же касается вашей личной жизни, то это не мое дело. И, как вы уже сказали, давайте никогда не возвращаться к этой теме. Но я благодарю вас за откровенность...

Наутро конфликт с Дениз, которого ждала Мишель, оказался не таким уж страшным. Как и предполагал Андрэ, мадемуазель Декок все же появилась в репетиционном зале. Но была очень бледной, слабой и не могла точно выполнить ни одного па. В обеденный перерыв Мишель подошла к ней и сказала:

— Говорят, что ты почувствовала себя плохо после вчерашнего обеда. Мне это показалось странным. А тебе?

Дениз воззрилась на нее с удивлением и ненавистью. Мишель не обратила на это никакого внимания и продолжала:

— На прошлой неделе то же самое случилось с Мари, после чего ей пришлось несколько дней провести в постели. Я надеюсь, что больше такое не повторится. Сейчас же хочу сказать тебе только одно: если с одним из нас случится несчастье, то точно такое же может тут же произойти и с тобой. Ты меня поняла?

Дениз ничего не ответила, но по ее глазам Мишель догадалась, что до нее дошел смысл только что сказанного.

— Я думаю, — продолжала она, — что ты поразмыслишь над случившимся и больше никаких инцидентов ни с кем не будет. Ты согласна?

Дениз потупилась и еле слышно прошептала:

— Согласна.

Мишель вернулась к Луи и Мари в приподнятом настроении, ибо не сомневалась, что Дениз больше никаких пакостей никому не устроит.

Настал день премьеры балета «Красавица и Чудовище». В зале, казалось, собрался чуть ли не весь Париж. При мысли о том, что вся эта публика станет свидетельницей ее сольного дебюта, у Мишель затряслись поджилки. Порой ей казалось, что она забыла все, что должна танцевать на сцене, даже не сможет сделать первые па!

Она еще раз осмотрела свой костюм. Он был красив и удобен, но очень смелого покроя. Парижская публика к такому не привыкла. Единственное, что как-то ободряло Мишель, так это мысль о том, что Сибелла выйдет на сцену точно в таком же наряде, хотя и другого цвета. И все же она волновалась. По глазам Сибеллы Мишель поняла, что та тоже нервничает.

Но отступать было поздно. Оставалось ожидать приговора публики...

В костюмерную донеслись звуки увертюры. Спектакль начался. Дрожащими руками Мишель поправила свой туалет, пригладила волосы. Затем вышла из костюмерной и направилась за кулисы. До выхода на сцену оставалось несколько минут. Уже стоявшая там Сибелла посмотрела на Мишель, ободряюще улыбнулась и пожала ей руку.

Зашелестел, взвиваясь вверх, занавес. Еще мгновение, и Мишель с Сибеллой оказались на сцене перед черной пропастью зрительного зала. К удивлению Мишель, страх сразу же исчез. Остались музыка и волшебные движения ей в такт...

Аплодисменты были оглушительными и сопровождались нескончаемыми криками «Браво!». Успех балета превзошел самые смелые ожидания.

Правда, вначале, когда Сибелла и Мишель появились на сцене в своих необычных костюмах, кое-где в зале послышалось шиканье. Но это продолжалось недолго. Большинство зрителей очень благосклонно отнеслись к непривычному наряду балерин.

После того как опустился занавес, Мишель просто засыпали цветами. Потом преподносили роскошные букеты за кулисами. И в каждом непременно была карточка либо с просьбой о свидании, либо с приглашением на ужин, либо просто с объяснением в безумной любви.

Мишель не знала, смеяться ей или плакать от радости. Поэтому отдала дань тому и другому.

Единственное, что несколько омрачало радость этого чудесного вечера, так это отсутствие Анны. Как бы Мишель хотела, чтобы ее дорогая мамочка была рядом и видела успех своей дочери собственными глазами! Она вздохнула и подумала о том, что-то Анна поделывает сейчас у себя в Малверне...

Глава 11

В Малверне начался сбор хлопка. Урожай выдался небывалый, поэтому все работники плантации с раннего утра до позднего вечера были в поле. Дома оставалась только прислуга. Сама Анна вставала с утренней зарей и ложилась с вечерней. Натаниэль Биллс, казалось, и вовсе не спал. Его постоянно видели в разных концах плантации. Верхом на неизменной серой лошади он внимательно следил за ходом полевых работ.

Отношения надсмотрщика с хозяйкой, казалось, наладились. Их встречи были случайными, а разговоры — чисто деловыми. Лишь иногда, неожиданно бросив на Натаниэля взгляд, Анна замечала в его глазах злобу. Она понимала, что он не забыл последней встречи и своего унижения, и окончательно решила рассчитать его сразу же после сбора урожая.

Жюль Дейд больше не появлялся на плантации. Но Анна с нетерпением ждала того дня, когда сумеет полностью с ним расплатиться. Поэтому еще задолго до завершения уборки урожая она распорядилась начать отделение хлопка-сырца от семян. Биллс выразил неудовольствие по этому поводу, так как из-за этого решения хозяйки пришлось отвлечь людей от сбора последнего хлопка.

— Миссис Вернер, — мрачным тоном проговорил он, встретив Анну у межи, — я решительно не согласен с вами. Конечно, до сих пор погода нам благоприятствовала. Но где гарантия, что в любую минуту на плантацию не обрушится ураган, град или ливень? И тогда нам не удастся спасти хлопок, еще оставшийся в поле. А его немало. Надо сперва покончить с уборкой, а уже потом заниматься обработкой.

— Вы служите у меня надсмотрщиком, сударь, — раздраженно ответила Анна, — а потому предоставьте мне решать, когда и как убирать урожай. Пока еще Малверн принадлежит мне.

— Хорошо, мадам. Поступайте, как считаете нужным. Но я снимаю с себя всякую ответственность за дальнейшее.

Он слегка тронул хлыстом лошадь и ускакал на другой конец плантации. Анна понимала, что надсмотрщик прав. Действительно, всего четверть часа ливня, града или урагана — и будет уничтожено все, что еще оставалось на полях. Но упорное желание поскорее расплатиться с Дейдом взяло верх над осторожностью. Кроме того, из упрямства Анна не могла не пренебречь советом человека, которого она ненавидела, презирала и намеревалась вскоре уволить. Единственное, что оправдывало столь неразумное поведение хозяйки плантации, так это резко подскочившие в округе цены на хлопок. Надо было поспешить и выгодно его продать.

За время страды Кортни Уэйн приехал в Малверн только однажды. Он внял просьбе Анны на время прекратить свои посещения, отрывавшие ее от полевых работ, и не появлялся целую неделю. Но еще через неделю Анна с удивлением и даже раздражением увидела знакомый экипаж, подкатывающий к ее дому. Она тут же вскочила на коня и помчалась к подъезду. Уэйн как раз вылезал из своей коляски.

— Корт, — сказала Анна недовольным тоном, — я же просила вас на время прекратить свои посещения. Вы понимаете, что сейчас я не могу уделить вам достаточно времени. Подождите, пока не соберем весь урожай. И тогда снова будем встречаться.

— Анна, дорогая! — умоляющим тоном ответил Уэйн. — Я не видел вас уже целых десять дней и вконец истосковался.

— Мне тоже вас не хватало, Корт. Но, поверьте, я с головой ушла в работу!

— И все же я уверен, что вы сможете уделить мне минутку. Обещаю, что не задержу вас надолго!

Раздражение в душе Анны уступило место нарастающей страсти. Она громко рассмеялась:

— Корт, мы ведем себя подобно двум юным любовникам, которые готовы забыть все на свете ради возможности побыть наедине. Но ведь мы не так уж молоды!

— Благодаря вам, Анна, я вновь почувствовал себя молодым!

Анна подумала, что в объятиях Кортни с ней происходит то же самое. Но все же на этот раз он не совсем удачно выбрал время для любовных утех. Тем не менее незаметно для самих себя они очутились в доме и направились к кабинету Анны.

— Корт, я только что с поля, — запротестовала она. — Вся грязная и потная. Разрешите мне по крайней мере принять ванну и переодеться.

— Это ни к чему. Для меня вы желанны в любом виде. В молодости я часто работал в поле бок о бок с женщинами, и нередко мы прекрасно проводили время прямо в стогах сена. Внезапность всегда придает прелесть близости.

— Фи, Кортни! Как не стыдно рассказывать даме о том, с кем вы спали до нее!

— В своей жизни я делал много такого, чего потом стыдился. Но это никогда не касалось связей с женщинами, какими бы распущенными те ни были. А теперь пойдемте, Анна. Я сгораю от нетерпения. Никаких ванн и чистого белья! От вас пахнет полем, солнцем, свежим ветром и тяжелым трудом. Ничего прекраснее на свете просто не существует!

Уэйн взял Анну за руку, и это прикосновение, как всегда, решило все. Она решительно открыла дверь в кабинет, а потом заперла ее на ключ. Повернувшись к Кортни, она увидела, что тот уже сбросил с себя одежду и смотрит на нее полными жадного нетерпения глазами. Она сняла платье, взяла его за руку и, подойдя к дивану, притянула к себе...

На этот раз любовная схватка оказалась непродолжительной. Наверное, сказались десять тяжелых дней, которые Анна провела, работая в поле. Оргазм наступил очень быстро. Анна застонала и почувствовала, как ее тело обмякло, а голова упала на плечо Кортни...

Они лежали рядом. Уэйн еще тяжело дышал, а Анна, ни разу за эти мгновения не вспомнившая о том, что происходит на плантации, быстро забылась сном. Кортни заботливо укрыл ее сброшенной рубашкой и осторожно обнял...

Анна проснулась от прикосновения Кортни к ее бедрам.

— Неужели вы опять хотите близости? — недоуменно пробормотала она. — Ведь мы только что...

— Не только что, дорогая! Посмотрите, за окном уже темнеет. Вы спали очень долго. Я понимаю, бедняжка, что эта работа выжала из вас все силы.

— Боже всемилостивый! — опомнившись, воскликнула Анна. — Да я уже давно должна быть в поле!

Она попыталась встать, но Кортни обнял ее и снова уложил рядом с собой.

— Куда? — усмехнулся он. — Ведь вы не успеете даже добраться до ближайшего поля, как совсем стемнеет. Разве не приятнее остаться здесь?

И он положил ладонь ей на грудь.

— О Кортни! — задыхаясь, прошептала Анна. — Дорогой, любимый...

Она прижалась бедрами к его крепкому телу. А он приник к ее губам... Потом, оторвавшись на мгновение, прошептал те слова, которых она уже давно ждала:

— Анна, милая, я люблю вас...

Но Анна не успела их расслышать. Раздался громкий стук в дверь. Оба молча прислушались. Стук повторился, еще более настойчивый. Анна встала с дивана и подошла к двери:

— Кто там?

— Это я, Натаниэль Биллс. Уборка урожая закончена, миссис Вернер. Мы успели завершить ее за один день.

— Вы пришли только за тем, чтобы мне об этом сказать? Извините, но я неважно себя чувствую. Наверное, перегрелась на солнце.

Через дверь до Анны доносилось тяжелое дыхание Натаниэля. Он помолчал несколько мгновений, а затем нервно спросил:

— У вас не будет никаких указаний?

— Нет, Натаниэль. Никаких указаний не будет. Увидимся завтра утром.

Анну уже трясло от бешенства. Прислушиваясь к быстро удалявшимся шагам надсмотрщика, она подождала, пока они совсем затихли, и повернулась к Уэйну:

— Он мне не поверил. И понял, что вы здесь. Впрочем, как ему было этого не понять, когда ваш экипаж стоит у дверей!

Кортни недовольно пожал плечами:

— Ну и что ж, если он понял? Это не его дело. Натаниэль Биллс работает у вас надсмотрщиком, не более того. А вы, Анна, хозяйка поместья Малверн.

— Корт, вы его не знаете!

— Что вы имеете в виду? Он сделал вам что-нибудь дурное или оскорбил? Если так, то я заставлю его об этом пожалеть!

— Нет, Корт, не совсем так. Просто он видел, как мы тогда целовались на берегу ручья.

— Значит, этот мерзавец следил за нами? — воскликнул Уэйн, вскакивая с дивана. — Ну погоди же...

— Нет, нет! — запротестовала Анна, удерживая его за руку. — Я уверена, что тогда он случайно на нас наткнулся. Но дело в том, что Натаниэль почему-то с самого начала вообразил, будто может рассчитывать на мою... благосклонность к нему. Не беспокойтесь, Корт. Я уже поставила его на место.

— Ему требуется хорошая взбучка, Анна! И он ее получит, клянусь вам!

— Нет, Корт, — вздохнула Анна. — Я не хочу этого. Во всяком случае, не сейчас. Поэтому я вам до сих пор ничего и не говорила. Ибо, если вы что-нибудь скажете этому типу или, упаси вас Боже, ударите его, то он может тут же покинуть Малверн. А без него я совершенно беспомощна. Предстоит еще обработать собранный сырец и продать волокно. Одной мне с этим не справиться. Когда же все работы будут закончены, я уволю этого мерзавца. Видите ли, Корт, как бы то ни было, но Биллс — очень опытный и хороший надсмотрщик. Так что обещайте мне не предпринимать каких-либо поспешных шагов.

— Хорошо, Анна. Коли вы настаиваете, пусть так и будет. Но как бы вам в итоге не остаться в дураках. Таким людям нельзя доверять!

— Я с ним справлюсь, — уверенно ответила Анна, хотя в глубине души сомневалась в этом.

Если бы в тот момент Анна могла бы прочитать мысли Натаниэля, то пришла бы в ужас. Биллс был на грани настоящего бешенства. Чертова потаскушка! И ведь, наверное, думает, что сделала из него дурака! Он отлично знал, что в эти минуты уильямсбергский денди Кортни Уэйн обладает Анной Вернер в ее кабинете. Такого унижения Натаниэль вынести не мог. Он не переставал думать о предложении Дейда. И никак не мог принять окончательного решения. Теперь же он его принял...

Наскоро поужинав, Натаниэль переоделся в приличный костюм, незаметно проскользнул на конюшню и оседлал свою серую лошадь. Через четверть часа, выехав под покровом наступившей темноты из Малверна, он уже скакал по дороге в Уильямсберг.

Биллс не знал, где живет Жюль Дейд. Но, заскочив в одну из таверн, без особого труда получил нужный адрес. Оказалось, что обиталищем Дейда был неприглядный одноэтажный дом на самой окраине города. Натаниэль пересек большую зеленую лужайку, поднялся по выщербленным кирпичным ступеням на крыльцо и громко постучал. Поскольку ответа не последовало, он постучал еще и еще раз. Наконец одно из окон озарилось мерцающим светом свечи. Из-за дверей послышался раздраженный голос:

— Иду, иду! Что за спешка!

Натаниэль переминался с ноги на ногу, проклиная хозяина дома за медлительность. Раздался скрежет отодвигаемого засова, и дверь чуть приоткрылась. Над пламенем свечи возникло желтоватое лицо Дейда.

— Кто здесь? — проскрипел он. — И какого черта тревожите доброго христианина среди ночи?!

— Это Натаниэль Биллс, мистер Дейд.

— А, мистер Биллс!

Дейд отступил на шаг, открыл дверь настолько, чтобы можно было пройти, и пропустил Натаниэля в прихожую.

— Что случилось, мистер Биллс? И почему вы не пожелали выбрать более подходящее время для визита?

— В Малверне сейчас уборочная страда. И я смог освободиться только с наступлением темноты. Простите, если приехал не вовремя, я сию же минуту вернусь на плантацию.

— Нет, уж коли приехали, проходите. Негоже христианину гнать от дверей человека среди ночи, да к тому же проделавшего такой долгий путь верхом.

Натаниэль заметил хищный огонек в глазах Дейда. Значит, тот ожидал этого визита. Хотя, возможно, и не в столь поздний час. Так или иначе, но ростовщик сразу же почувствовал: появление Биллса сулит ему немалую выгоду. Он поставил свечу на стол, сел сам и придвинул стул гостю.

— Итак, сударь, какое срочное дело привело вас ко мне в эту пору?

— Видимо, вы догадываетесь, мистер Дейд. Речь идет о предложении, которое вы мне сделали некоторое время назад.

— Вот как! И что же, вы его обдумали?

— Да. И решил принять.

— Но с тех пор минуло уже несколько недель. Вам не кажется, что я мог и передумать?

— Думаю, что нет. Вы хотели, чтобы я не допустил получения моей хозяйкой прибыли от продажи хлопка и воспрепятствовал уборке урожая в срок, не так ли?

— Так. Но время бежит, мистер Биллс, а с ним меняются и условия сделок.

— Совершенно верно, мистер Дейд. Вот потому-то я и решил вас потревожить. Что, если я помогу вам не только разорить миссис Вернер и прибрать к рукам ее плантацию, но и получить дополнительно немалую прибыль?

Глаза Дейда вспыхнули алчным огнем. Но он взял себя в руки и ответил спокойно:

— Что ж, это было бы очень неплохо, сударь. Но не могли бы вы рассказать мне обо всем поподробнее?

— Сначала мы должны обсудить с вами условия. Имеется в виду моя доля в задуманном предприятии.

— Обещаю, что вы получите куда больше, чем работая у миссис Вернер.

— Этого мало. Как я уже сказал, выполнение моего плана не только отдаст в ваши руки Анну Вернер вместе со всей ее плантацией, но и дополнительно принесет немалую прибыль. На половину этой суммы я и рассчитываю.

— Половину? — воскликнул Дейд, откинувшись на спинку стула. — Негоже быть таким жадным, сударь!

— Вам ли говорить о жадности, мистер Дейд? — усмехнулся Биллс.

Дейд бросил на него хитрый взгляд:

— Прежде чем подписать какое-либо соглашение, я хотел бы знать ваш план в подробностях. Или вы рассчитываете, что я куплю кота в мешке?

— Если я сначала все расскажу, то отнюдь не уверен, что в дальнейшем вам пригожусь, сударь.

— Вы мне не доверяете, мистер Биллс? Разве мы с вами не сообщники в этом деле?

— Мы будем сообщниками по преступлению, мистер Дейд, если вы примете мое предложение. А потому я не спущу с вас глаз. Нет, мистер Дейд, для начала мы должны подписать соглашение!

Дейд вздохнул, повернулся к конторке и выложил на стол несколько чистых листов бумаги.

— Правильно ли я понял, — спросил он, — что вы придумали, как разорить миссис Анну Вернер?

— Да, сударь. Даю слово, что она будет разорена.

Дейд снова вздохнул и, взяв с конторки чернильницу и перо, стал что-то аккуратно писать на листке бумаги. Закончив, он передал его Натаниэлю. Тот долго читал написанное, поскольку был не очень силен в грамоте, потом выпрямился и потребовал некоторых исправлений.

Они просидели над бумагой еще с полчаса. Затем соглашение, по которому половина полученной в результате задуманного прибыли должна была отойти Биллсу, было скреплено двумя подписями.

Натаниэль поднялся.

— Я устал от бешеной скачки. Кроме того, мне не придется спать остаток ночи. Почему бы нам не отметить подписание этого соглашения парой стаканчиков портвейна? А может, у вас найдется и кое-что покрепче?

— Извините, сударь, но я не держу у себя в доме крепких напитков. Ибо считаю их орудием сатаны, который старается всеми способами затуманить мозги добрым христианам.

Натаниэль с удивлением посмотрел на Дейда, подумав, что во всяком порядочном доме должна всегда храниться хотя бы одна бутылочка ликера на случай приезда гостей. Однако Дейд не обратил на его взгляд никакого внимания и довольно резко потребовал:

— А теперь изложите ваш план, сэр!

Натаниэль быстро обрисовал соучастнику все, что собирался предпринять. С каждым словом лицо Дейда светлело. Под конец он возбужденно потер руки и воскликнул:

— Это замечательно! Мы получим не только прибыль, но и поставим миссис Вернер на колени. Заставим ползать перед нами и унижаться! А Малверн станет моим!

Когда урожай был собран, Анна перебросила всех своих работников на обработку хлопка. На один день она съездила в Уильямсберг, оставив вместо себя на плантации Натаниэля. Там она встретилась с крупными скупщиками хлопка, которые обещали хорошую цену за собранный урожай. К тому времени в хлопке очень нуждались южные штаты, а также текстильные фабрики в Англии. Медленно, но неуклонно возрастал спрос на него и в северных штатах. Одним словом, Анна в очередной раз мысленно поблагодарила своего покойного супруга за то, что он в свое время предпочел выращивать на плантации хлопок, а не табак.

И тут Анну осенила еще одна идея. Почему бы не объявить торги? Обычно с торгов хорошо продавался табак. Так почему бы не устроить аукцион по продаже хлопка? Она решила срочно разослать письма ко всем возможным покупателям с приглашением принять участие в торгах. Сам аукцион Анна решила устроить примерно через две недели. Она не сомневалась, что весь хлопок будет продан быстро и за хорошую цену.

К тому времени, когда Анна закончила переговоры со всеми будущими покупателями, уже стемнело. Ей не хотелось ночью возвращаться в Малверн, поэтому уже через четверть часа Джон остановил экипаж у парадного входа в дом Кортни Уэйна.

Он не ожидал ее приезда. Но ведь и сам Уэйн недавно появился в Малверне неожиданно, вопреки просьбе хозяйки отложить свои визиты до окончания сбора урожая. Поэтому Анна не испытывала неудобства, приехав к Кортни без предупреждения.

Уэйн сам открыл дверь и, увидев на пороге нежданную гостью, даже отпрянул назад:

— Боже мой, Анна! Какая неожиданность! Надеюсь, ничего не случилось?

— Нет-нет! Все в порядке.

Анна чуть приподнялась на цыпочки и заглянула через плечо Уэйна в холл.

— Сегодня здесь нет очередной женщины, Корт?

Уэйн покраснел и опустил глаза.

— Нет, Анна. Сегодня здесь нет, как вы выразились, очередной женщины.

— Я так спросила потому, что вы сами открыли дверь. Значит, в доме по какой-то причине нет слуг. Куда они подевались?

— Поехали на рынок. Но кое-кто из слуг всетаки остался. Так что ваши подозрения, дорогая, безосновательны. Я понимаю, что нежданных гостей порой ожидают не совсем приятные сюрпризы.

— Оставим это, Корт! Я приехала потому, что хотела разделить с вами радость по поводу очень важного для меня события.

— Какого, Анна?

Кортни проводил ее в гостиную, где Анна рассказала ему об успешном сборе урожая, переговорах со скупщиками хлопка и своей идее о торгах.

— Должен сказать, дорогая, что деловые способности у вас были всегда. Даже когда вы совершали глупости вроде займа у Жюля Дейда.

— Я признаю, что тогда сделала ошибку. Но в ближайшие дни постараюсь ее исправить и сполна выплатить долг этому мерзкому типу. Боже мой, Корт! Неужели я наконец освобожусь от этой зависимости? У меня будто гора свалилась с плеч!

Анна обняла Кортни за шею и страстно поцеловала в губы. Он тут же вернул поцелуй, еще более страстный. Затем обнял ее за талию и повел в глубь холла, куда выходила дверь дальней комнаты. Анна тут же вспомнила Уэйна, приводящего в порядок одежду, и женское лицо у него за спиной. Тогда он появился именно из этой комнаты. Анна остановилась на пороге и ехидно посмотрела на Кортни:

— В прошлый раз, заглянув в эту комнату, я заметила нагую женщину на диване у стены. Вы тогда только что освободились от ее жарких объятий.

Уэйн подтолкнул Анну в комнату, плотно закрыл дверь и твердо ответил:

— Это все в прошлом. Когда в моей жизни еще не было вас.

Он молча подвел ее к дивану и принялся раздевать. Анна не сопротивлялась. Уэйн наклонился и нежно поцеловал затвердевшие кораллы ее сосков. Из груди Анны вырвался тихий стон:

— Корт, Корт...

Они легли и тесно прижались друг к другу.

— Вы любите меня, Корт? — шептала Анна.

— Да, дорогая, да...

— И я люблю вас...

В ночь перед аукционом Анна легла спать совсем измученной. Она провела в поле целый день, с утра до полуночи. Все было готово к торгам. Волокно отделили от семян и набили им тюки. Они стояли под длинным широким навесом. Наутро к ним подойдут покупатели, внимательно осмотрят и назначат первую цену. И хотя Анна была уверена, что ночью ничего непредвиденного не произойдет, все же она оставила у тюков трех сторожей.

Она легла и тут же забылась глубоким сном. Сколько часов она спала, Анна не помнила. Ее разбудил громкий стук. Она проснулась и в первое мгновение не могла понять, что происходит. Наконец до нее дошло, что стучат в дверь.

— Кто там?

— Это я, Джон.

— Зачем вы меня разбудили? Что случилось?

— Госпожа! Ужасное несчастье!

— Что такое?!

— Пропал хлопок!

— Как пропал?!

— Весь до последнего тюка.

— Этого не может быть!

— Госпожа, выходите поскорее! Клянусь вам, это правда!

Анна соскочила с постели, наскоро оделась и бросилась вниз по лестнице. Джон бежал за ней.

Было еще темно. Лишь на востоке чуть заметно алела полоска зари. Анна с Джоном подбежали к навесу, под которым еще вечером в несколько рядов лежали тюки с хлопком. Сейчас там ничего не было. Ни единого тюка! Анна стояла окаменев и смотрела в темноту под навесом. Она никак не могла поверить в случившееся. Будто какой-то неведомый злой волшебник побывал здесь ночью и мановением жезла заставил исчезнуть сотни огромных тюков. Когда глаза привыкли к темноте, Анна разглядела на земле три лежавших ничком тела. Она в ужасе посмотрела на Джона. Но тот отрицательно покачал головой:

— Они живы. Просто спят мертвецким сном. Им дали какого-то зелья.

И тут Анну осенило.

— Идемте! — шепнула она Джону.

Они бросились к флигелю, где жил Биллс. Дверь была распахнута настежь. И это подтвердило ужасную догадку. Анна заглянула в комнату. Там не было ни одежды, ни других вещей Натаниэля. Все исчезло.

Она повернулась к Джону и сказала сдавленным голосом:

— Это сделал Натаниэль. Он предупреждал меня. Но я пропустила его слова мимо ушей. Этой ночью он сумел украсть у нас весь хлопок. Наверное, Биллс замышлял это уже давно. Джон! Что теперь делать?! Я разорена! И мне нечем расплатиться с Жюлем Дейдом!

Глава 12

В Париж пришла осень. Она принесла с собой холодные ветры и черные тучи. Дни стояли пасмурные и неприветливые.

Пока экипаж проезжал окраины, а потом и предместья столицы, Мишель не отрываясь смотрела в окно. Листья деревьев окрасились в желтые и красные тона, а поля стали однообразно бурыми. Все это так напоминало Малверн, что Мишель невольно улыбнулась. Андрэ, сидевший напротив, спросил:

— Чему вы улыбаетесь, дорогая?

— Вспоминаю Малверн. И наш милый дом. Смотрите, как все вокруг похоже на Виргинию!

Андрэ пригнулся и тоже посмотрел в окно.

— Листопад, — сказал он. — Здесь это гораздо заметнее, чем в городе. Что ж, в конце концов скоро зима.

Он помолчал и глубоко вздохнул:

— С тех пор как мы приехали в Париж, произошло столько событий. Очень много для столь короткого времени. Боже мой! Когда мы только появились здесь, вас никто не знал. А сейчас ваше имя у всех на устах! И мы едем в Фонтенбло, где вы будете танцевать перед самим королем. Если бы все это видела ваша матушка!

Мишель в ответ снова улыбнулась:

— Мне самой не верится, что все это — наяву. Но я так нервничаю! Ведь нас должны представить королю!

— Знаю, милая, знаю! Я ведь тоже очень волнуюсь. И все же это чудесно! Никак не могу поверить, что двадцать лет назад я покидал Париж с тяжелым сердцем! А сейчас еду в Фонтенбло, где моя ученица будет танцевать перед королем Франции. Невероятно!

— Как чудесно, что после представления нам позволили остаться в Фонтенбло еще на три дня! Жаль только, что такой чести не удостоилась вся труппа...

Андрэ пожал плечами:

— Во дворце для всех не хватит места. Там и так всегда полно гостей. Вы должны быть благодарны за то, что удостоились чести остаться вместе с руководством труппы. Это прекрасная возможность для вас увидеть, как живет французский двор. Поверьте, вам будет что рассказать по приезде домой! Одно то, что вы были гостьей самого короля Людовика в его дворце, прославит вас на родине.

— Мне больше хотелось бы прославиться своим искусством.

— Уверен, что так и будет! Но, милая, далеко не все любят балет, но люди везде хотят знать о том, как живут короли. Как они себя ведут, какие вольности себе позволяют. Кстати, что вы скажете в момент представления королю?

Мишель машинально повторила давно заученную фразу. И тут же вспомнила день, когда Арно Димпьер объявил об этой поездке. Это было всего неделю назад. Кроме того, он сказал, что после представления исполнители главных партий в спектакле останутся гостями короля на субботу и воскресенье. Среди них была и Мишель.

Луи просто не мог сдержаться и вприсядку прошелся по репетиционному залу. Ролан был более сдержан, а всегда рассудительная Сибелла от радости сделала несколько фуэте. Мишель же неподвижно стояла у станка, еще не вполне поверив в то, что должно было произойти.

И вот в экипаже мадам Дюбуа она подъезжает к знаменитому роскошному дворцу Фонтенбло, где будет танцевать перед его величеством Людовиком, королем Франции. Мишель была счастлива. Ее радовало и то, что Андрэ разрешили ее сопровождать.

— Смотрите, Мишель! Вон королевский дворец! Выпрямитесь! Держите себя скромно, но гордо! Нельзя, чтобы вас приняли за деревенскую простушку!

Мишель продолжала смотреть в окно. Приближавшийся королевский дворец показался ей целым городом. Живописные здания, казалось, служили продолжением друг друга. К парадному подъезду вела роскошная подковообразная лестница из белого мрамора. Раскинувшиеся по обе стороны газоны зеленели аккуратно подстриженной травой.

— Как изысканно! — воскликнула Мишель.

— Подождите, мы еще не видели самого дворца. Мне говорили, что по убранству ему нет равного во всем мире. Роскошные картины, древние скульптуры, гобелены и шторы, расшитые изумительными орнаментами...

Мишель коснулась локтя Андрэ:

— Я так рада, что вам разрешили сопровождать меня, Андрэ. Одной мне было бы здесь очень страшно. Даже в присутствии остальной труппы.

— Мишель, дорогая, я буду все время рядом и никому не дам вас в обиду. Но имейте в виду, что у короля Людовика слава большого волокиты. Он не упускает случая поухаживать за молоденькими девушками. Так что будьте очень осторожны! В конце концов, он король Франции и привык получать все, что пожелает. И бывает очень недоволен, когда ему пытаются помешать.

Мишель почувствовала, как холодок пробежал у нее по спине. До чего же странная штука жизнь, думала она. Даже будучи наверху блаженства и испытывая величайшее духовное наслаждение, нужно постоянно быть начеку. Отовсюду можно ждать опасности, но надо быть готовой противостоять ей...

Экипаж остановился у парадного входа во дворец. Лошади захрапели, но тут же успокоились. Слуга подбежал к карете, открыл дверцу и помог выйти Мишель. Андрэ легко спрыгнул на землю, взял свою подопечную за руку и с несколько комичной торжественностью повел ее по ступеням к позолоченным дверям дворца. И вот Мишель вошла в новый и таинственный мир, который мало кому из простых смертных довелось увидеть...

Молоденькая горничная разложила вещи, развесила одежду и вышла. Но Мишель еще долго стояла посреди комнаты, осматривая свое временное жилище с почти суеверным страхом. Раньше ей казалось, что ничего роскошнее и элегантнее особняка мадам Дюбуа в Париже просто не бывает. Но как же она ошибалась!

Стоявшая у стены деревянная кровать не такая уж большая. Но ее спинки и высокие ножки украшены такой затейливой и тонкой резьбой, что невозможно отвести глаз. С потолка свисает роскошный шелковый полог, расшитый экзотическими цветами и деревьями...

И остальное убранство комнаты было столь же изысканно. Мишель провела ладонью по дорогой обивке стула и долго не могла заставить себя отнять руку. Бархатные занавески наполовину закрывали окна, выходившие на огромный зеленый парк. Посредине комнаты стоял золоченый старинный стол на резных ножках. Оригинальный орнамент на потолке не утомлял глаз.

Мишель легла и постаралась расслабиться. Но нервы у нее были до того взвинчены, что спокойствие не приходило. Когда же все-таки она устроилась поудобнее и забылась, раздался стук в дверь. Мишель нехотя встала, открыла дверь и увидела на пороге Мари, Луи и Кафе о Лэ. Судя по их восторженным лицам, все трое пребывали в отменном настроении. Луи вошел первым и неожиданно для Мишель обнял ее так крепко, что затрещали ребра.

— Мишель! — воскликнул он. — Ну разве это не прекрасно? Кто бы мог подумать, что мы когда-нибудь побываем в Фонтенбло! Да еще в самом королевском дворце!

Мишель, рассмеявшись, оттолкнула его. Но при этом успела ощутить приятное, зовущее тепло, исходившее от сильного тела Луи. Впервые она почувствовала в нем мужчину, и это несколько обескуражило девушку. Но все уже сгрудились в центре комнаты, с веселым смехом рассматривая убранство жилища их подруги. Поэтому все тайные мысли тут же вылетели у нее из головы.

— Знаешь, Мишель, — сказала Мари, — мы сейчас обходим дворец и пытаемся заглянуть в каждую комнату. Ты ведь, наверное, еще ничего не видела?

— Нет. Мы с Андрэ лишь недавно приехали и только успели устроиться. Я хотела чуть-чуть отдохнуть перед выступлением.

— Отдохнешь в могиле, — мрачно пошутил мулат. — А сейчас надо пользоваться случаем и постараться увидеть как можно больше. Вряд ли мы когда-нибудь снова попадем в Фонтенбло. К тому же большинство артистов, и я в том числе, уезжают сразу же после ужина. Так что на осмотр дворца у меня времени в обрез!

— Тебе прежде всего надо побывать в бальном зале, Мишель, — деловито сказала Мари, осторожно присаживаясь на один из стульев. — Там мы и будем танцевать. Он просто чудесен! Там колонны вдоль стен, огромные окна, потолок украшен старинными фресками. Хрустальные люстры сверкают, а дубовый паркет такой гладкий, что мы будем скользить по нему, как ангелы по небу.

— Мари не преувеличивает, — подтвердил Луи. — Зал действительно роскошный!

Он взял Мишель за руку, чем окончательно привел девушку в замешательство. Она осторожно высвободила свою ладонь и неуверенно сказала:

— Наверное, это действительно так. Но все же мне хотелось бы немного отдохнуть. Кроме того, я никак не могу привыкнуть к роскоши даже этой комнаты.

— Да, здесь очень красиво! — воскликнула Мари, обводя комнату расширившимися от восторга глазами. — Подумать только, вся эта роскошь принадлежит тебе одной! Пусть даже на короткое время! А вот нас, кордебалет, поселили в одной комнате. Причем она поменьше этой. С трудом, но мы кое-как разместились. Сибелле выделили отдельную комнату. Но и та гораздо меньше твоей. А к нам хотят вселить еще костюмерную и раздевалку. Ужас!

— После представления будет ужин, — переменил тему Луи. — Его всегда устраивают в подобных случаях.

— Да! И на нем будет сам король! — воскликнула Мари, хлопая в ладоши. — Подумать только! Ужинать вместе с королем Франции!

— А королева? — спросила Мишель.

— Королева? — со смехом переспросил Луи. — Нет, Мишель. Думаю, что ее там не будет. Скорее всего король посадит рядом с собой любовницу.

Мишель вытаращила на него глаза:

— Любовницу?! Он может себе такое позволить?

Тут уже рассмеялись все.

— Мишель, — проговорила, давясь от хохота, Мари, — ты иногда бываешь наивна, как ребенок. Как будто с неба свалилась. Давно известно, что король может себе позволить появляться на публике с любовницей. Наш нынешний монарх делает это довольно часто и ничего не стесняется. Это стало уже ритуалом. Ведь короли, как правило, женятся на иностранных принцессах, которые обязаны рожать им наследников престола. Наш король, как утверждают, женился на полячке Марии Лещинской в пятнадцать лет. Она же была семью годами старше его. Мария выполнила свой долг, подарив Людовику десять отпрысков. Рассказывают, что это очень скучная и простоватая дама. Поэтому его величеству пришлось искать пылкой любви и наслаждений на стороне.

Мишель осуждающе покачала головой:

— У меня на родине такое не принято. Мы вступаем в брак по любви.

— Боже мой, — воскликнул Луи, — Мишель, ты все-таки неисправимый романтик! Неужели ты всерьез думаешь, что у тебя в стране царит такая идиллия? И никто не женится на деньгах, по расчету?

— Наверное, бывает и такое, но крайне редко, — пыталась защититься Мишель. — Ни жених, ни невеста никогда в этом не признаются. И даже избегают говорить на подобную тему.

Снова последовал взрыв смеха. Мишель посмотрела на своих друзей и тоже рассмеялась, поняв, какой глупенькой выглядит в глазах этой троицы.

— Как зовут любовницу короля? — спросила она.

— Мадам де Малли, — со знанием дела ответил Луи. — А красива ли она, увидишь сама сегодня вечером.

Разговор прервал стук в дверь. Вошел Андрэ с подносом, на котором лежали фрукты, сыр и стояла бутылка сухого вина. Обведя взглядом компанию, он поставил поднос на стол и сказал, обращаясь к Мишель:

— Это вам. А остальных... — Андрэ смерил взглядом каждого из веселой троицы и сделал широкий жест в сторону двери: — Остальных прошу немедленно выйти отсюда! — И он еще раз указал на дверь: — Благоволите пройти в костюмерную, одеться для выступления и пожаловать в зал. Там вас ждет месье Димпьер.

Выпроводив веселую компанию, Андрэ улыбнулся Мишель и снова кивнул на поднос:

— Советую вам подкрепиться. До ужина еще далеко. А после длинной дороги совершенно необходимо восстановить силы.

— Я постараюсь, Андрэ, — ответила ему улыбкой на улыбку Мишель.

— Не надо волноваться, дорогая. Думайте о предстоящем выступлении как об обычном спектакле. Забудьте про короля со всем его двором, и все будет хорошо. Вы ведь уже не раз танцевали этот балет. Поверьте старому другу, нет причин нервничать. Понятно?

— Понятно.

Мишель постаралась последовать совету Андрэ, отдохнула и, немного успокоившись, присоединилась к своим товарищам.

Мари нисколько не преувеличивала, расписывая ей роскошь бального зала. Он выглядел действительно прекрасно. Перед огромным мраморным камином был устроен невысокий помост для оркестра. Для балета же выгородили кусок паркетного пола сразу за помостом. Поставили стулья для зрителей. В середине первого ряда стояло большое красное кресло с мягкими подушками. Мишель сразу же поняла, что в нем будет восседать сам король.

Поскольку кулис не было, танцовщицы должны были дожидаться своего выхода за колоннами.

Во всем этом было столько непривычного, что Мишель снова охватил страх. К тому же появился Ролан, который в этот вечер должен был быть ее партнером. Мишель невольно поежилась, подумав, что друг Дениз может нарочно уронить ее во время поддержки и тем самым опозорить на всю жизнь. Хорошо, что она успела тогда поговорить с Дениз и предупредить ее о неизбежном возмездии в ответ на любые козни и пакости. Теперь вряд ли Ролан решится на какое-нибудь злодейство.

Мишель едва успела размяться, как оркестр заиграл торжественный марш. Двери зала распахнулись, и на пороге показались пышно разодетые гости. Они чинно прошествовали через зал и расселись по заранее определенным для каждого местам.

Затем из дверей вышли две шеренги гвардейцев в голубых камзолах, высоких шляпах с плюмажем и красных, обшитых по швам серебром панталонах. Они построились лицом друг к другу, образовав широкий проход. Стоявшая за спиной Мишель и смотревшая на все происходящее через ее плечо Мари шепнула:

— Это королевские гвардейцы, охраняющие монарха.

Мишель молча кивнула головой, недоумевая, от кого собираются охранять короля здесь, в его личной резиденции?

Тем временем из дверей вышла еще одна группа пышно разодетых вельмож. Мишель незаметно прыснула в ладошку и шепнула Мари:

— Они очень похожи на павлинов!

Мари захихикала и так же тихо ответила:

— А ты посмотри на их лица. Они разрисованы, как у клоунов. И не только у женщин, но и у мужчин! Тс-с! Сейчас выйдет сам король!

В дверях выросли два рослых гвардейца с серебряными трубами в руках. Приложив их к губам, они протрубили какой-то сигнал. Тут же вновь грянул оркестр, и показался король. Он неторопливо шествовал между шеренгами гвардейцев, приближаясь к приготовленному в первом ряду креслу. Мишель впилась в него глазами.

Людовик был невысок, но, возможно, таким он выглядел из-за странного покроя его камзола. Его парчовые полы необъятной ширины напоминали женскую юбку, в которой король, казалось, вот-вот утонет. Нарумяненное и напудренное лицо можно было назвать даже приятным, прежде всего благодаря большим черным глазам. Портили его заметная одутловатость щек и маленькие губки, собранные в бантик наподобие крошечного распускающегося розового бутона.

В целом же король внешне ничем не отличался от обыкновенного горожанина. И Мишель несколько озадачило, почему именно этот человек правит огромной страной, а люди кланяются ему до земли, складываясь почти пополам...

Оркестр заиграл снова. На этот раз увертюру к балету «Красавица и Чудовище». Мишель поняла, что представление началось и через несколько секунд они с Сибеллой окажутся прямо напротив сидевшего в кресле короля. Сибелла уже стояла рядом и, как всегда, подбадривала Мишель улыбкой. Прошло еще несколько мгновений, и они, взявшись за руки, выбежали из-за колонн на середину сцены. Паркетный пол блестел как зеркало. Мишель в ужасе подумала, что он очень скользкий и она упадет после первого же шага. Но оказалось, что паркет натерли каким-то особым составом, который лишь придавал ему блеск, но не превращал в каток. И она сразу же почувствовала себя увереннее.

Девушки великолепно исполнили свой номер и заслужили дружные аплодисменты. Хлопал и король. Тут же на сцену вышел Ролан, изображавший вернувшегося из далекого путешествия отца, которого радостно встречают дочери. После этого Мишель удалилась за колонну-кулису. Там ее поджидал Димпьер. Он вручил ей большой носовой платок и велел вытереть запотевшие брови. Потом улыбнулся и похлопал по плечу. Это считалось наивысшим комплиментом, и она поняла, что танцевала очень хорошо. Все ее страхи сразу же рассеялись, и она успокоилась.

Мишель спряталась за первую колонну и стала наблюдать за дуэтом Сибеллы и Ролана. По сюжету в нем отец сообщает дочери, что обещал выдать ее замуж за Чудовище. После этого следовал сольный танец Красавицы, выражающий неутешное горе и ужас несчастной девушки. Сибелла станцевала его превосходно.

До следующего выхода у Мишель еще оставалось время, и она исподтишка стала наблюдать за зрителями. Больше всего ей хотелось увидеть любовницу короля мадам де Малли. Но из-за колонны смогла разглядеть только небольшую часть зала. Зато заметила высокого молодого человека, стоявшего сбоку от кресел и смотревшего на сцену. Он выделялся из общей толпы своим нарядом. Вместо яркого камзола и панталон до колен на нем была шотландская юбка, а к плечу пристегнут брошью клетчатый плед. Ненапудренную голову украшал берет с коротким пером.

Молодой человек показался Мишель знакомым, хотя она никак не могла вспомнить, где его видела. Ясно было только, что он здесь довольно важная персона. Это чувствовалось по его рассеянному и явно скучающему взгляду, которым он время от времени окидывал сцену, зрителей и роскошный зал.

Но тут внимание Мишель вновь привлекли исполнители главных партий. Как раз в эту минуту должно было начаться большое па-де-де Красавицы и Чудовища. Мишель хотелось присмотреться, как исполняет этот танец Сибелла. Ведь когда-нибудь, в случае болезни Сибеллы, Мишель могла рассчитывать заменить ее в этой партии. Та же танцевала па-де-де безупречно, и у нее можно было многому научиться.

Следующий номер исполнял кордебалет, изображавший слуг и дворню Чудовища. Мишель сначала посмотрела на Мари, а потом на Дениз. На лице последней было написано откровенное бешенство. Вместо сольной партии ей пришлось танцевать перед королем в массовке! Такого унижения она не могла вынести.

Наступило время выхода Мишель. Это был ее сольный номер. Она стояла на сцене совсем одна перед всем двором во главе с самим королем. И вот тут-то и пригодился совет Андрэ. Мишель перестала думать о короле, его любовницах, вельможах, знатных дамах и вообще об этом пышном собрании, с любопытством рассматривавшем юную балерину. Музыка, движение, танец целиком поглотили ее внимание. Она даже удивилась, когда номер вдруг кончился. Мишель казалось, что он будет длиться еще и еще. Но оркестр замолк, а зал, казалось, рухнул от грома аплодисментов. Прием был самый восторженный. За колоннами ей на шею бросились Мари, Луи, Кафе о Лэ и еще несколько участников спектакля. Все поздравляли Мишель, целовали, тискали в объятиях. Девушка была счастлива... Нет, ей никогда не забыть этот вечер!

Представление закончилось. Участники выходили на поклон. Когда пришла очередь Мишель, она оказалась прямо напротив короля. Склонившись в глубоком реверансе, она заметила, что его взгляд плотоядно обшаривает ее скрытые тонкой тканью формы.

Она подняла глаза и увидела, что король продолжает смотреть на нее, одобрительно кивает головой и многозначительно улыбается. Мишель покраснела. Она чуть было не потеряла равновесие и не упала. Девушка сразу же вспомнила о том, что ей говорили о пристрастии монарха к прекрасному полу.

Повернув голову в сторону зала, Мишель снова увидела молодого человека в клетчатом пледе, который тепло ей улыбался. И тут узнала его. Да ведь это Ян Маклевен, с которым она познакомилась на корабле по пути во Францию!

Но что он делает здесь, в Фонтенбло?..

Глава 13

— Но, месье, мы должны сначала переодеться! — озадаченно сказала Сибелла и в растерянности посмотрела на Мишель. — Мы же не можем садиться за королевский стол в нарядах, предназначенных для сцены. Кроме того, они до неприличия открыты!

Димпьер пожал плечами:

— То же самое я только что говорил его величеству. Но он настаивает, чтобы вы пришли на ужин именно в тех костюмах, в которых только что выступали. Сказал, что это будет очень забавно.

Луи, вытиравший рукавом пот со лба, поднял голову и рассмеялся:

— Может быть, это и будет забавно, но не для меня. Я считаю подобную затею просто неприличной. Уже не говоря о том, что в танцевальных костюмах трудно есть. Например, составной частью моего сценического образа являются собственные волосы. Причем длинные и нерасчесанные. Они непременно побывают во всех тарелках, из которых мне придется лакомиться за роскошным королевским столом!

— Речь идет, видимо, о женских костюмах, — отозвался Ролан. — Точнее о Сибелле и Мишель. Наш возлюбленный монарх всего-навсего хочет, чтобы они сидели перед ним за столом полуголыми. А он будет строить им по очереди глазки.

Он сердито посмотрел на Сибеллу и Мишель, как будто обе были виновны в том, что всей труппе придется сидеть за столом в весьма пикантном виде. И это — при всем королевском дворе! Дениз поддержала Ролана кивком головы. Хотя Мишель и была глубоко убеждена, что Декок-младшая по первому же знаку монарха скинет с себя все и станет голой танцевать перед ним на столе, только для того чтобы ее заметили и признали!

— Что ж, — печально вздохнула Сибелла, — другого выхода просто нет.

— Ты права, Сибелла, — усмехнулся Димпьер. — Нам действительно ничего не остается делать, как исполнить пожелание его величества. Или каприз. Называйте это, как хотите. Поэтому накиньте на плечи шали или платки. В зале может оказаться прохладно. И пойдемте к столу его величества короля Франции.

***

Мишель, Сибелла, Луи, Ролан, Андрэ и Димпьер были удостоены чести сидеть почти в голове длинного стола под белоснежной скатертью, сервированного золотыми и серебряными приборами и ломившегося от яств. Но при этом их разбавили другими гостями. Так что каждому пришлось довольствоваться соседями справа и слева, о которых они не имели никакого представления. Утешением могло служить разве что близкое соседство с королем, восседавшим, как и положено, во главе стола. Остальную труппу рассадили по соседству, за столом поменьше...

Мишель чувствовала себя неприлично оголенной, а потому — прескверно. В легком хитоне было очень удобно танцевать на сцене. Но сидеть в нем за столом, а тем более — королевским... Бр-р! Мишель закуталась в шаль и съежилась, чтобы не привлекать к себе внимания.

Исподтишка она принялась наблюдать за дамами и мужчинами, уже рассевшимися за столом. С близкого расстояния обилие грима и пудры на лицах производило неприятное впечатление. Справа от нее сидел довольно полный джентльмен с манерами лондонского денди. Он обернулся к Мишель, несколько мгновений внимательно смотрел на нее, а потом сказал с веселой улыбкой:

— А знаете, вы танцевали просто чудесно! Я уже целую вечность не получал такого удовольствия!

— Спасибо, месье, — ответила Мишель, глядя в пол. — Сегодня здесь собралась очень утонченная и понимающая публика.

Джентльмен выгнул брови дугой и неожиданно рассмеялся:

— Видите ли, это потому, что мы здесь изголодались по настоящему искусству. Иногда в Фонтенбло можно просто умереть от скуки. Мы постоянно стараемся найти что-нибудь новое и интересное. Или хотя бы приличное развлечение. Но это так трудно, дорогая! Невероятно трудно!

Мишель была поражена. Этот джентльмен считает здешнюю жизнь скучной? И это он говорит о дворце в Фонтенбло! Возможно ли это?

— Это все равно что плыть на большом корабле, — раздался голос слева. — Вокруг вас всегда одни и те же люди. День за днем. И распорядок для всех единый, пусть даже очень хороший. Но все равно быстро одолевает нестерпимая тоска.

Еще не видя автора этих слов, Мишель узнала его голос. И почувствовала, что покраснела.

— Мистер Маклевен! — воскликнула она, поворачиваясь. — Вот уж не ожидала здесь вас встретить!

Голос Мишель прозвучал радостнее, чем она бы хотела. Но ей действительно было приятно увидеть умного и интересного человека среди придворной мишуры и чванства.

— Да, мисс Вернер, вы не ошиблись, — ответил Маклевен, чуть наклонив голову в знак приветствия. — Это действительно я. Какое удивительное совпадение, что мы оба оказались здесь в одно и то же время! Должен сразу же заметить, что балет был чудесен. А вы танцевали выше всяких похвал!

— Спасибо, сэр!

— Я вижу, что вы сумели неплохо приспособиться к французской жизни. Кругом только о вас и говорят. Называют лучшей балериной из всех, кто когда-либо приезжал во Францию из английских колоний. Причем известность к вам пришла удивительно быстро. Несомненно, благодаря вашему таланту, трудолюбию и, конечно, очарованию!

Мишель почувствовала, что начинает уставать от бесконечного потока похвал и комплиментов.

— Мне посчастливилось попасть к удивительному педагогу и стать участницей его хореографической группы, — сухо ответила она. — А вы чем занимались все это время?

Маклевен откровенно рассмеялся:

— Браво! Вы ищете возможность, не обижая меня, спросить, что я здесь делаю? Каким образом никому не известный молодой шотландец очутился при дворе французского монарха? Не надо смущаться, мисс Вернер. Ведь эти вопросы вполне естественны!

Мишель действительно почувствовала себя неудобно и постаралась отвести взгляд. Но тут увидела, что король внимательно смотрит на нее и улыбается. Она покраснела еще больше.

Мишель никак не могла понять, что с ней происходит. Почему она все время смущается и краснеет? Почему при разговоре с этим шотландцем сразу же почувствовала себя неловко?

Она ощутила прикосновение пальцев Маклевена к своей руке. И не могла не вспомнить вкуса его губ... Там, на корабле... От подобного воспоминания Мишель стало совсем не по себе.

— Боюсь, что тогда я был не до конца откровенен с вами, мисс Вернер, — тихо сказал Маклевен.

От удивления Мишель тут же пришла в себя:

— Что вы имеете в виду?

— То, что не все рассказал о себе.

— Но разве кто-нибудь из нас обязан рассказывать другому всю правду о своей персоне?

— Это так. Но я очень старательно обходил любые подробности своей биографии. Вы не знаете, кто я, чем занимаюсь, каково мое положение в обществе. Не так ли?

— Да.

— Этому были свои причины. Дело в том, что я путешествовал инкогнито. Часть из того, что я тогда вам рассказал, было правдой. В моей семье действительно существует обычай, чтобы старший сын перед вступлением в наследство совершил путешествие по свету, дабы набраться ума и опыта. Но я не сказал вам, что путешествовал инкогнито. Для того чтобы увидеть все глазами простого человека, а не знатного отпрыска.

В душе Мишель тотчас же взыграло оскорбленное самолюбие. Этот молодой человек тогда обманул ее! Правда, его объяснения выглядят вполне резонными. И все же она с трудом сдерживала раздражение. Но язык уже вышел у нее из повиновения.

— Итак, — медленно чеканя слова, сказала она, — передо мной знатный и богатый вельможа! Здорово же вы меня тогда провели! Правда, себя я не виню за простодушие. Ибо ваше поведение на корабле не давало никаких оснований даже предположить, что я имею дело с настоящим джентльменом.

Маклевен покраснел. Его скулы задвигались от негодования. Глаза же сделались темными и очень серьезными.

— Что ж, мисс Вернер, я, наверное, заслужил этот упрек. Но позвольте напомнить, что никакой титул не защитит от искушения красотой. Тогда я не мог сдержать своих чувств. Простите меня. А теперь почему бы нам не стать друзьями?

Мишель стало стыдно за свою несдержанность. Глупо! Ведь Маклевен — хороший человек! Так она подумала еще на корабле. Теперь же окончательно убедилась в этом. Он нравился ей и тогда, и сейчас. Просто она стала старше и умнее и уже, наверное, не восприняла бы с таким негодованием его попытку поцеловать ее! А ведь со стороны Маклевена это было проявление чувства, схожего с ее собственным в памятный день близости с Арно Димпьером...

Сегодняшнее раздражение Мишель объяснялось лишь тем, что она никому не хотела позволить вовлечь себя в любовную интрижку. Но почему бы не получить удовольствие от компании Маклевена, его умной и всего лишь дружеской беседы? Чем это могло грозить? Да ничем!

Тем временем голоса на конце стола, где восседал король, становились все громче. Мишель посмотрела туда и увидела, что Людовик над чем-то от души смеется вместе со своими приближенными. Она обернулась к Маклевену:

— Простите меня за несдержанность и гадкий язык, лорд Маклевен. Я тоже очень хочу, чтобы мы стали друзьями.

— Вот самые приятные слова, которые я услышал с тех пор, как попал в этот мерзкий дворец с его отвратительными обитателями! Давайте выпьем за нашу дружбу.

И он поднял свой бокал. Мишель сделала то же самое. Они отпили шампанского.

— А почему вы назвали собравшихся здесь отвратительными? Ведь это как-никак двор его величества короля Франции! — спросила Мишель.

— Извините за откровенность, которая, видимо, прозвучала излишне резко, но я считаю этот двор насквозь прогнившим. Он в полном упадке. Обратите внимание на картины на стенах, на изобилие золота и бриллиантов, на фарфоровую посуду, доставленную прямо из Китая. Посмотрите на пресытившихся гостей со смертельной тоской в глазах. А потом выйдите на улицу. Вы увидите толпы нищих, голодных, обездоленных людей. Вглядитесь в их лица. Прочтите ненависть в их отчаявшихся глазах. А в это время король и его придворные лакомятся жареными фазанами на золотых блюдах! Народный гнев растет с каждым днем, мисс Вернер. Очень скоро он выльется на улицы. Потекут реки крови! Попомните мое пророчество, миледи!

Мишель посмотрела по сторонам и в душе невольно согласилась со словами молодого шотландца.

Она уже давно почувствовала отвращение к этой бьющей в глаза роскоши. Но поначалу думала, что виной всему — ее американское воспитание. Ведь она родилась и выросла в совсем другой стране. Но тут же Мишель вспомнила горячую речь, которую произнес перед ней в саду мадам Дюбуа чистокровный француз Арно Димпьер. В его словах было очень много схожего с тем, что она услышала сейчас от Маклевена. И все же сегодня, в день ее триумфа, Мишель не хотела задумываться над этими горькими истинами. Поэтому постаралась тут же переменить тему разговора:

— Я плохо разбираюсь в политике, лорд Маклевен! А в этот вечер, признаюсь, у меня и вовсе нет желания обсуждать столь глубокие философские проблемы. Давайте поговорим о чем-нибудь более приятном!

— Разумеется! Я просто несколько забылся. Прошу меня извинить и не называть больше лордом Маклевеном. Меня зовут Ян. Так вы звали меня на корабле. Продолжайте и здесь. Договорились?

Мишель молча кивнула. Она была благодарна Маклевену за это предложение. Не в последнюю очередь потому, что произносить его непривычную фамилию, да еще вместе с титулом, было трудно. Мишель чуть нагнулась к плечу Яна и прошептала:

— А теперь, Ян, покажите мне любовницу короля. Мне до смерти хочется ее увидеть!

Ян рассмеялся, взял Мишель за руку и наклонился к ней:

— Посмотрите вон на ту солидную даму, сидящую справа от Людовика. Это и есть мадам де Малли, любовница короля.

Мишель повернулась в сторону короля и от удивления чуть не вскрикнула. Ибо мадам де Малли была не только очень толстой, но и откровенно уродливой. Этого не могли скрыть ни толстый слой румян, ни обильно посыпанная поверх него пудра.

— Но она же ужасна! — шепнула Мишель Яну. — Просто безобразна!

Ян поднес к губам салфетку и прыснул со смеху:

— Мне не остается ничего другого, как согласиться с вами, Мишель. Насколько я понял, вы видите ее впервые?

— Да. Друзья рассказали мне о существовании этой дамы только сегодня утром, но при этом умолчали о ее внешности. Но почему король выбрал в любовницы эту некрасивую толстуху? Не могу понять! Друзья сказали, что королева простовата. Но вряд ли она менее привлекательна, чем эта дама! Мне всегда казалось, что любовницы должны быть очень красивыми и желанными. Ведь короли могут приблизить к себе любую красавицу. Почему же Людовик остановился именно на ней?

— Этого вам никто не скажет, дорогая, — усмехнулся Ян. — Купидон часто пускает свои стрелы в совершенно неожиданном направлении.

Мишель еще раз взглянула на короля, который как раз в эту минуту весело смеялся над какой-то шуткой мадам де Малли.

— Король не выглядит злым, — задумчиво произнесла она. — Хотя, возможно, он своенравен и упрям. А нижняя губа отвисла так, как будто его кто-то обидел.

— Весьма точное определение. А вы наблюдательны, Мишель! Что же до доброты короля, то судите сами: еще в детстве его величество насмерть замучил котенка. Сейчас же он получает огромное удовольствие, издеваясь над своими придворными.

— Неужели?

— Да. Например, он спрашивает у одного из них, не страдает ли тот подагрой. Когда придворный отвечает утвердительно, то его величество наступает ему на ногу. Несчастный вскрикивает от боли, а король спрашивает: «У вас именно на этой ноге подагра?» Согласитесь, Мишель, это не очень смешная шуточка! В другой раз я наблюдал, как Людовик ударил по лицу своего придворного просто для того, чтобы посмотреть на его реакцию.

Мишель скорчила брезгливую гримасу:

— Все это выглядит отвратительно. А я-то думала, что короли должны быть благороднее, честнее и добрее простых людей.

— Вы ошибаетесь, Мишель. Король наделен исключительными правами и привилегиями, которые далеко не всегда идут ему на пользу.

— И то же самое касается любого вельможи?

— Порой, миледи. Но многие из тех, кого вы так называете, работают. Мне, к примеру, приходится содержать в порядке большой отцовский замок, следить за фермерами, севом и сбором урожая. Так что у меня, в сущности, не остается времени ни на что другое, тем более на разные интриги, распространение гнусных сплетен и прочего в этом роде. Хотя я в любом случае не унизился бы до этого. — Ян глубоко вздохнул. — Сказать по правде, я уже намереваюсь вернуться домой. Это был просто визит вежливости, как назвал бы мою поездку отец. Он всегда старался поддерживать хорошие отношения с сильными мира сего. Даже если подчас и был не согласен с ними в оценке тех или иных политических событий.

— Вы собираетесь вскоре уехать, Ян?

— Очень скоро. Как можно скорее!

В этот момент из-за спины Мишель протянулась рука официанта и поставила перед ней огромное блюдо с рыбой. Только тут она сообразила, что увлеклась разговором и совсем забыла про еду. Взяв вилку, Мишель принялась за рыбу, которая оказалась очень вкусной. Вскоре от нее остались одни косточки.

— Возможно, вы и правы в отношении смертельной скуки при дворе короля, — сказала Мишель, вновь повернувшись к Яну. — Но ведь придворные ее выдерживают. Чего ради? Ведь каждый из них достаточно обеспечен, чтобы жить у себя в имении, не нуждаясь в подачках с королевского стола. Разве не так?

— Так-то оно так, но ведь нет предела людской жадности. Я сейчас расскажу вам одну притчу. Только не выдавайте меня.

— Разумеется!

— Так вот. Как-то раз придворный доложил своей королеве, что во время очередных маневров лишь гусары смогли удержать свои позиции. Королева выслушала доклад и спросила придворного: «А если я лично в сопровождении небольшой охраны попытаюсь прорвать их оборону?» — «Они изрубят в капусту ваше величество». — «А вы, оставшись здесь, что бы после этого сделали?» — «Ваше величество! Я поступил бы точно так же, как собака в известном анекдоте. Этот пес сторожил обед своего хозяина. Но оказалось, что того хватил удар и он умер. Тогда пес вспрыгнул на стол и сам съел хозяйский обед».

Мишель засмеялась, но рассказ Яна вызвал у нее неприятное чувство. Если это правда, то как может король доверять своим придворным? Она посмотрела в конец стола, где сидел монарх. И в этот момент поймала взгляд Луи, который смотрел то на нее, то на Яна. Этот взгляд показался Мишель странным. Луи улыбнулся ей и безнадежно пожал плечами. Только теперь Мишель заметила, что сидевшая рядом с ним женщина положила ладонь на руку Луи и нежно ее поглаживает. Мишель почувствовала, что ее вот-вот стошнит от отвращения. Сидевшая рядом с Луи дама годилась ему в матери!

Перед Мишель появилось еще одно громадное блюдо. На этот раз на нем лежал поджаренный на вертеле фазан. Мишель почти машинально взяла вилку и нож, отрезала небольшой кусочек и съела. Фазан был недурен. Но индейка все же дала бы ему много очков вперед!

Одно блюдо сменялось другим, бокал Мишель ни минуты не оставался пустым, она пробовала одно вино за другим, выпивая хотя бы полглотка. Постепенно ее глаза затуманились, желудок перестал принимать даже самые изысканные яства, а голова упорно свешивалась на грудь. Единственным ее желанием было поскорее лечь в постель и заснуть. А блюда следовали одно за другим. Принесли марципаны. Потом — пирожные, пудинги, множество сыров и снова — всевозможные вина. Под конец перед Мишель выросла огромная ваза с фруктами.

На секунду подняв голову и оглядевшись, Мишель увидела сидевших вокруг огромного стола людей, постепенно теряющих человеческий облик. Они громко хохотали, что-то кричали, толкали локтями соседей, наступали им под столом на ноги. По их лицам струился пот, он смешивался с румянами и белилами, с превратившейся в крупные крошки пудрой. Сквозь притирания проступали морщины и старческая кожа. Собрание еще недавно жеманных придворных все больше напоминало цирковых клоунов после представления, не успевших разгримироваться. Но самое ужасное было то, что постепенно из-под слоя белил и румян проступали жестокие, злобные и в то же время совершенно безвольные лица.

Глядя на них, Мишель думала о том, как прав был Ян Маклевен в своем глубоком презрении к этому знатному сборищу. Она чувствовала себя угнетенной, подавленной и мечтала лишь о том, чтобы все скорее кончилось.

— Когда же конец? — спросила она у Яна. — Можем ли мы подняться из-за стола до того, как уйдет король?

— Боюсь, что нет, миледи. Никто не имеет права уходить раньше монарха. Но я думаю, что ждать осталось недолго. Посмотрите, его величество вот-вот уснет прямо за столом.

Мишель бросила взгляд на парадный конец стола. Король, видимо, уже не в силах больше пить и есть, сидел, опершись на локти и закрыв лицо руками. Если он сейчас действительно заснет, подумала Мишель, то всем придется сидеть за столом до утра. Или до той поры, пока монарх не проснется.

Однако король вдруг встал, кивнул разом всему столу и, крепко взяв за руку любовницу, пошел к дверям. Гвардия последовала за ним.

— Слава тебе, Господи! — облегченно вздохнула Мишель, обращаясь к Маклевену. — Если бы это продолжалось, я непременно свалилась бы под стол и опозорила себя навеки.

Ян встал и предложил ей руку.

— На этой стадии возлияний вряд ли кто-нибудь обратил бы на вас внимание. Вы мне позволите проводить вас до ваших покоев?

Мишель встала и оперлась на его руку.

— Спасибо, Ян. Это было бы очень мило с вашей стороны.

Не успели они отойти от стола, как появился Андрэ. Он внимательно посмотрел на Мишель:

— Вы хорошо себя чувствуете, дорогая?

— Замечательно! Почему вас это беспокоит?

Андрэ посмотрел сначала на воспитанницу, затем на Яна.

— Месье Леклер, — ответил тот вместо Мишель, — мне доставляет огромное удовольствие вновь видеть вас.

Андрэ озадаченно посмотрел на молодого шотландца. Но через несколько мгновений его лицо озарилось улыбкой:

— Ян Маклевен? С корабля? Извините, но в первую минуту я вас не узнал! Как вы сюда попали?

— Умоляю вас, Андрэ, отложите ваши расспросы на другое время. Я ужасно устала, а мистер Маклевен любезно согласился проводить меня до моих покоев.

— Только до дверей, Андрэ! И ни на шаг дальше. Даю вам слово чести!

Андрэ вспыхнул, усмотрев в словах шотландца некую двусмысленность. Но смолчал и только заметил:

— Завтра утром я хотел бы во всех подробностях услышать вашу историю, мистер Маклевен. Вы заинтриговали меня!

Мишель вновь оперлась на руку Яна, и они вдвоем стали медленно подниматься по широкой мраморной лестнице. У самой двери комнаты девушки Ян поклонился и тихо произнес:

— Смею ли я надеяться увидеть вас завтра утром, Мишель? Этот дворец и вообще Фонтенбло мне хорошо знакомы. Я мог бы стать для вас неплохим проводником.

Мишель кивнула головой. На ее лице появилась усталая, сонная улыбка.

— Это было бы чудесно. Но не будите меня слишком рано. Я готова проспать целую неделю...

Раздевшись, она скользнула под одеяло. Но сон почему-то не шел. Мишель лежала и чувствовала каждую клеточку своего тела, почему-то вдруг ставшие очень большими и твердыми соски... Какое-то непонятное тепло внизу живота... Казалось, что ее тело чего-то ждет... Чего? Перед ее глазами вдруг возник Ян Маклевен. Она чувствовала его ладонь на своей руке, тепло его влажных губ. Но тут же Яна сменил Луи... Мишель ощущала рядом его сильное, большое тело... Наконец в неясном тумане грез стал вырисовываться Арно Димпьер. Перед ней как наяву прошли события того дня, когда он...

Мишель невольно застонала. Что все-таки с ней происходит? Почему ее голова забита подобными мыслями? Почему тело стало предавать ее? Ведь все подчиняется рассудку. Кроме тела... Неужели никак нельзя справиться с этими навязчивыми желаниями?.. Тогда бы вся жизнь стала намного легче...

Ворочаясь с боку на бок, Мишель наконец погрузилась в тяжелый сон, полный незваных эротических грез... Просыпаясь время от времени, она старалась отогнать видения и забыться. Но не могла...

Глава 14

На другой день Уэйн в отвратительном настроении возвращался из Малверна. Рано утром к нему в Уильямсберг прискакал Джон и передал, что Анна желает срочно видеть его по неотложному делу. Кортни тут же поехал в Малверн и застал хозяйку плантации в панике.

— О, Корт! — сказала она прерывающимся голосом, пересиливая рыдания. — Я разорена!

— Во-первых, дорогая, успокойтесь, — ответил Уэйн, нежно гладя волосы Анны, уткнувшейся носом в его плечо. — Мне уже известно, что у вас украли весь хлопок. Джон мне кое-что рассказал.

— Хлопок исчез, Корт! Весь до последнего тюка! Милый, как мне теперь быть? Я ведь не смогу расплатиться с этим мерзавцем Дейдом! Боже мой!

— Давайте сначала подумаем, что можно предпринять.

— Пойдемте к навесу.

Анна взяла Уэйна за руку и повела туда, где еще вчера лежал хлопок.

— Сегодня приезжали покупатели. Но мне пришлось отправить их назад. Потому что продавать нечего. Посмотрите, не осталось ни одного тюка. И я знаю, что это подстроил Натаниэль Биллс! Господи, почему только я не послушалась вас?! Вы же предостерегали меня от этого человека!

— Вы твердо уверены, что это дело рук Биллса?

— Ночью он сбежал, как всякий вор после преступления. Забрал с собой свои вещи. И даже не потребовал платы за работу. Разве этого не достаточно?

— Пожалуй, вы правы, — угрюмо кивнул головой Уэйн.

— Линус, — позвала Анна одного из пришедших в себя сторожей, — подойдите сюда.

Линус нерешительно приблизился.

— Слушаю вас, госпожа.

— Расскажите мистеру Уэйну то, что поведали мне.

— К полуночи нам захотелось спать. Мы решили выпить крепкого чаю. Это отбивает сон. Бен побежал на кухню и скоро вернулся с чайником в руках. Мы уже начали разливать напиток по кружкам, как вдруг услышали неподалеку страшный шум. Тут же бросились туда, но ничего не обнаружили. До сих пор не знаю, что это могло быть. Вернувшись под навес, мы продолжали пить чай. Очень скоро я вдруг почувствовал внезапную сонливость. Такого со мной никогда не бывало. Я встал и пошел к дому, желая предупредить слуг, что больше не могу дежурить. Но не успел сделать и двух шагов, как упал. Проснулся же оттого, что Джон тряс меня за плечо. Было уже светло. Я посмотрел под навес и увидел, что тюки с хлопком исчезли. Простите меня, госпожа!

— Ты ни в чем не виноват, Линус, — постаралась успокоить его Анна. — Иди отдохни.

Она повернулась к Уэйну:

— Понимаете, Корт, этот негодяй Натаниэль сначала устроил шум неподалеку, а когда сторожа бросились выяснять, в чем дело, подсыпал им в чай снотворного.

— Видимо, так. Но я уверен, что за этим стоит Жюль Дейд.

— Дейд? Мне это в голову не приходило... Впрочем... Боже мой! Когда Дейд приезжал сюда в последний раз, он о чем-то долго говорил с Биллсом... Я не придала этому значения, ибо никак не думала, что эти двое могут быть как-то связаны! Что нам делать, Корт? Может быть, обратиться в полицию в Уильямсберге?

— Думаю, что это не лучший выход. У вас нет никаких доказательств. Хотя лично я не сомневаюсь, что хлопок украл Дейд. Продать его он еще не успел. А просто припрятал. Но этого вы также не можете доказать.

— Значит, все пропало?

— Можно попытаться кое-что предпринять. Будьте уверены, я заставлю этого мерзавца вернуть вам весь хлопок до последнего тюка!

— Вы думаете?

— Во всяком случае, я попытаюсь сделать все возможное. Некоторые рычаги воздействия на Дейда у меня есть.

— Какие?

— Пока не спрашивайте меня об этом, Анна. Скажу только, что наше знакомство с Дейдом — очень давнее. И некоторые подробности вам совсем не нужно знать...

Пока экипаж Уэйна вез своего хозяина в Уильямсберг, Кортни мысленно перенесся в далекое прошлое. Это произошло двадцать лет назад, когда ему шел двадцать второй год. Уэйн служил на военном сторожевом корабле. Однажды они получили приказ от губернатора Виргинии поймать пирата Эдварда Тича, известного под кличкой Черная Борода, и положить конец его бесчисленным преступлениям.

Искать пришлось долго. Тич казался неуловимым. Но на борту его судна «Эдвенчур» находился лазутчик губернатора, который после ряда неудачных попыток все же сообщил властям о местонахождении пиратского корабля. И вот как-то утром два сторожевика с двух сторон подошли к судну Тича. Бой начался в девять часов. «Эдвенчур» пытался уйти в открытое море. Сторожевики, на одном из которых служил Уэйн, препятствовали этому. Но они недооценили военной мощи пиратского судна. Повернувшись бортом к одному из сторожевиков, «Эдвенчур» сокрушительным залпом своих орудий вывел его из строя. Однако шлюп Уэйна сумел подойти к другому борту пиратского судна. С «Эдвенчура» раздался второй залп, но он не достиг цели. Командир шлюпа, лейтенант Мейнард приказал своим людям спуститься в трюм. Поэтому потерь среди экипажа почти не было. Хотя снасти и постройки на верхней палубе шлюпа были почти полностью снесены. Черная Борода решил, что со вторым сторожевиком тоже покончено. Он распорядился взять его на абордаж и забрать все ценное, что оставалось на шлюпе. Но, как только корабли встали борт к борту, люди Мейнарда выскочили на палубу и, перебив успевших высадиться на шлюп пиратов, в течение нескольких секунд захватили «Эдвенчур».

На палубе пиратского судна лейтенант Мейнард сразу же столкнулся лицом к лицу с Черной Бородой. У обоих в руках были заряженные пистолеты. Выстрелы прозвучали одновременно. Пуля Мейнарда чуть задела пирата. Черная Борода же и вовсе промахнулся. Они схватились врукопашную. Пират нанес лейтенанту страшный удар кулаком в лицо. Тот упал на палубу и потерял сознание. Черная Борода наклонился над Мейнардом и уже намеревался прикончить его, когда подбежавший Уэйн ударил пирата ножом в спину. Тут же подоспели и другие матросы из команды Мейнарда. Пират еще пытался сопротивляться. Вытащив из-за пояса второй заряженный пистолет, он несколько раз выстрелил, но снова промахнулся. После чего громко вскрикнул и упал замертво.

Сражение было выиграно. Но на судне еще оставались вооруженные пираты. Люди Мейнарда принялись очищать от них корабль. Уэйн в это время стоял на корме. Неожиданно из-за мачты раздался выстрел. Пуля просвистела у его виска. Кортни быстро повернулся и, выхватив пистолет, уложил бандита наповал. Но из-за другой мачты выскочил еще один пират, подбежал к борту и бросился в воду. Уэйн с пистолетом в руке смотрел вниз, ожидая появления над водой головы пирата, чтобы одним выстрелом покончить с мерзавцем. Прошло не меньше минуты, прежде чем тот вынырнул. Кортни навел на него пистолет. Бандит смотрел на него обезумевшими глазами. Его искаженное страхом смерти лицо запомнилось Уэйну навсегда. Кортни твердил себе, что нельзя щадить убийцу. Но все же не мог выстрелить в безоружного и смертельно испуганного человека. Он медленно опустил пистолет. Пират в первый миг не поверил в свое спасение. Потом повернулся и поплыл прочь от корабля. Уэйн долго смотрел ему вслед, пока голова бандита не превратилась в еле заметную точку. Потом и она исчезла вдали.

Кортни не жалел о том, что оставил бандита в живых. В тот день и так было уже довольно мертвецов.

Вечером на берегу был настоящий праздник. Царило всеобщее ликование по поводу избавления от Черной Бороды, который своими постоянными набегами уже много лет наводил ужас на все побережье.

Уэйн зашел в портовую таверну, сел за столик и заказал пива. Вдруг туда же вошел высокий молодой человек и стал осматриваться по сторонам в поисках столика. Это был Майкл Вернер. Не найдя свободного места, он подошел к столу, за которым сидел Уэйн:

— Можно к вам подсесть?

Уэйн поднял голову, посмотрел на Майкла и вдруг улыбнулся ему как старому знакомому:

— Прошу вас, мистер Вернер!

Майкл удивленно уставился на Кортни:

— Откуда вы меня знаете?

— Я был на сторожевом шлюпе, куда вас доставили после того, как извлекли из трюма «Эдвенчура». Я же оформлял ваши документы. Вспомнили?

— Господи, вы — Кортни Уэйн?

— Так точно.

— Я в неоплатном долгу перед вами и остальными моряками со шлюпа.

— Моя роль в вашем спасении ничтожна. Я был одним из многих, штурмовавших пиратский корабль. И всего лишь выполнял свой долг.

— Вы состоите на королевской службе?

— Боже упаси! Я вольнонаемный. И стал им только потому, что было необходимо каким-то образом набить живот.

— Эх, мистер Уэйн, те же причины заставили меня стать лазутчиком губернатора Виргинии на корабле Черной Бороды. А еще — жажда приключений.

— Так это были вы?

— Да.

— Чем намерены заниматься впредь?

— Вернусь в Малверн. Мне передали, что отец очень плох, и надо взвалить на себя все бремя хозяйственных забот.

— Малверн? Что это?

— Наше поместье недалеко от Уильямсберга. До последнего времени отец управлял им единолично. Я почти не помогал ему. Мы часто ссорились из-за этого. Он хотел сделать из меня преуспевающего плантатора. А я бездельничал, предавался распутству, играл на скачках и в карты. Сейчас об этом очень сожалею.

— А что с вашим отцом?

— Знаю только, что он очень болен. Поэтому и хочу вернуться в Малверн.

И Майкл начал рассказывать о своей юности, об отце, о Малверне. Кортни слушал и порой ловил себя на том, что завидует этому человеку. Конечно, тот напрасно так растратил свою молодость. Но все же у Майкла были отец, свой дом, даже целая плантация. Своего же отца Уэйн не помнил: он умер незадолго до рождения сына. С тех пор жизнь их семьи превратилась в борьбу за выживание. Мать не выдержала и быстро умерла. Тогда-то Кортни и пошел добровольцем на королевский флот...

Они еще долго сидели в таверне и пили пиво. Майкл не расспрашивал Уэйна о прошлом. А тот решил первым не заговаривать об этом. Когда же они расстались, то Кортни уже знал почти все о Вернере и проникся симпатией к бесхитростному молодому человеку.

— Если вас когда-нибудь занесет в Уильямсберг, милости прошу в Малверн, — сказал напоследок Майкл. — Будете желанным гостем в моем доме.

С тех пор прошло более двадцати лет. Уэйн переехал в Уильямсберг. Но за все время ни разу больше не встречался с Майклом Вернером. Хотя дважды виделся с неким Жюлем Дейдом, в котором с первого же взгляда узнал бывшего пирата, того самого, кого он пощадил при штурме корабля Черной Бороды. Правда, Кортни был далеко не уверен, что Дейд — его настоящая фамилия.

Впервые их встреча произошла в небольшом городке Чарлстоне, что в Южной Каролине. Кортни служил тогда помощником капитана на корабле, совершавшем рейсы из Бостона. Во время одного из них на судне произошла серьезная поломка. Пришлось зайти для ремонта в ближайший порт. Им оказался Чарлстон. Заодно надо было пополнить запасы пресной воды. Пока матросы на корабле занимались делом, Кортни решил посмотреть город, который с корабля показался ему очень живописным.

Уэйн уже возвращался назад, когда увидел входящее в порт судно. Как оказалось, оно только что пришло из Африки с партией чернокожих рабов. На пирсе уже поджидала толпа плантаторов, желавших купить живой товар.

Кортни никогда не одобрял рабства. Но все же задержался на пристани, к которой уже подплывало несколько длинных лодок с рабами. Все невольники были скованы одной цепью. Среди них были как мужчины, так и женщины. В каждой лодке сидело по двое белых надсмотрщиков.

Кортни брезгливо посмотрел на приближающиеся шлюпки, и вдруг его взгляд задержался на одном из надсмотрщиков. Его лицо показалось Уэйну знакомым. Кортни еще немного постоял на пирсе, продолжая внимательно вглядываться в лицо человека, сидевшего на носу шедшей впереди лодки. И вдруг узнал его. Это был тот самый пират с «Эдвенчура»! Хотя прошло много лет, Уэйн не мог ошибиться. Лицо бандита на всю жизнь врезалось в его память.

Тем временем лодка пристала к пирсу, и белый надсмотрщик спрыгнул на берег. Кортни еще раз посмотрел ему в лицо. Пират на мгновение поймал этот взгляд. Уэйн понял, что и тот узнал его. Несколько мгновений они не отрываясь смотрели друг на друга. Кортни почувствовал, как его рука машинально тянется к висевшему на поясе пистолету. Но тут же взял себя в руки, презрительно скривил губы и пошел к своему кораблю. Что он мог сейчас сделать? Попытаться разоблачить этого человека как бывшего бандита, пирата, грабившего побережье вместе с шайкой Черной Бороды? Бессмысленно. Тем более что он уже давно не пират, а работорговец. Правда, Уэйн считал подобное ремесло не менее преступным, нежели пиратство. Но оно официально считалось законным. В тот момент Кортни пожалел, что не пристрелил мерзавца двадцать с лишним лет назад...

Прошло еще лет пять, и Уэйн снова встретил Жюля Дейда. И снова в Чарлстоне. Последние три года Кортни плавал на китобойном судне. Но, устав от кровавых зрелищ убийства беззащитных животных, распрощался с ремеслом китобоя. Хотя прошедшие годы тяжелого труда закалили его и сделали физически крепким, готовым к любым испытаниям. Кортни решил навсегда расстаться с морем и на некоторое время задержался в Чарлстоне в поисках дела, в которое можно было бы выгодно вложить деньги.

Перебрав несколько вариантов, он решил основать недалеко от Чарлстона ферму по разведению мулов. Кортни никогда не владел землей, не знал, как ее обрабатывать и какие культуры сеять. Разведение животных казалось ему делом более легким. И он остановился на мулах. Хотя понятия не имел, как их разводить и что для этого требуется.

Завершив оформление сделки у одного из местных адвокатов, Уэйн решил прогуляться по набережной. У ворот портового рынка он увидел открытую коляску с чернокожим возницей, на заднем сиденье которой расположился человечек с огромной сигарой в зубах. Кортни с первого взгляда узнал Дейда.

Подойдя к молодому человеку, стоявшему на другой стороне улицы со скучающим видом, Уэйн спросил:

— Вы, случайно, не знаете господина, что сидит в коляске?

— А как же! Это мистер Жюль Дейд. Местный работорговец. Он только что закончил разгрузку корабля, пришедшего из Африки. И сейчас будет продавать рабов на аукционе.

Кортни кивком головы поблагодарил молодого человека, подумал и, решившись, подошел к коляске:

— Мистер Дейд?

Дейд вздрогнул и оглянулся. Увидев Уэйна, он выронил изо рта сигару и уставился на него в немом испуге.

— Я вижу, вы меня узнали, мистер Дейд. Что ж, поздравляю. Ваше положение, видимо, значительно улучшилось с тех пор, как вы, подобно крысе, сбежали с корабля покойного Черной Бороды.

Дейд скривил губы и прошипел:

— Попридержите язык, сударь!

Кортни усмехнулся и продолжал:

— Хотя вы и процветаете, я не сказал бы, что ваше новое поприще честнее предыдущего. Работорговля, так же как и пиратство, идет вразрез с моралью.

— Мое занятие разрешено законом.

— Не спорю. Но вряд ли здесь будут считать вас почтенным человеком, когда узнают о том, что ныне честный работорговец Жюль Дейд в прошлом был членом пиратской шайки головореза Черная Борода.

— Вы не скажете этого! — воскликнул Дейд, выхватив из-за пояса пистолет и направив его прямо в грудь Уэйну.

— Уж не собираетесь ли вы убить своего благодетеля, Дейд? — хладнокровно ответил Кортни. — Какая черная неблагодарность!

Дейд невольно сник и опустил пистолет.

— Вы ничего не сможете доказать. Учтите, что я — уважаемый всеми человек. Застрели я вас и скажи, что вы хотели меня ограбить, мне бы поверили.

— Может быть. И все же не думаю, что вам удастся долго всех водить за нос. Бандит всегда останется бандитом. И когда-нибудь получит по заслугам. Убивать же меня вы не станете. Ибо это пустило бы под откос вашу работорговлю и лишило бы большой прибыли. А потерять деньги вы боитесь больше всего на свете. Теперь, конечно, поздно об этом говорить. Но я сожалею, что в свое время не убил вас... Сегодня же вам нечего меня бояться. Но не питайте особых надежд, Дейд. Я вас не боюсь. Трусите вы. Подонки, подобные вам, всегда предпочитают совершать свои мерзкие дела под покровом ночи. А сейчас день. К тому же солнечный.

Дейд смотрел на Уэйна, скрипя зубами от бешенства. Кортни же молча повернулся и не спеша пошел дальше по набережной.

С тех пор они больше не встречались, пока Кортни не переехал в Уильямсберг. До этого произошло немало событий. Уэйн продал свою ферму по разведению мулов и приобрел другую. Выращивание табака и хлопка оказалось делом более прибыльным, нежели возня с упрямыми животными. Вскоре он встретил Катрин и женился на ней.

Однако их счастье длилось недолго. Скоро Катрин умерла. Кортни остался один. Наверное, поэтому тихий Уильямсберг и привлек его ровным, ничем не нарушаемым течением жизни. К тому же у него оказались очень приятные и добрые соседи.

Но вскоре в Уильямсберг переехал и Жюль Дейд. Узнав об этом, Уэйн потерял покой. Нет, он не боялся Дейда. Но одно сознание того, что этот отъявленный мерзавец живет где-то рядом, отравляло Кортни существование. Разоблачать его Уэйн не собирался. Это вызвало бы скандал, всякие расспросы, в том числе и о том, почему мистер Кортни Уэйн столько времени молчал.

Кортни помнил, что где-то неподалеку, в Малверне, живет Майкл Вернер. Но со времени их последней встречи прошло уже двадцать лет. Вернер вполне мог забыть о своем приглашении. Кроме того, Уэйн узнал, что Майкл Вернер женился и даже имеет взрослую дочь.

Но однажды холодным зимним утром, когда Кортни сидел в таверне и по обыкновению не спеша тянул пиво из огромной кружки, прямо у него над ухом раздался чей-то голос:

— Мы с вами знакомы, не правда ли?

Кортни поднял голову и увидел склонившееся к нему лицо Майкла Вернера.

— Боже мой, мистер Вернер! — радостно воскликнул Уэйн. Он вскочил на ноги и обнял Майкла. — В последний раз мы пили пиво примерно в такой же таверне!

Майкл кивнул:

— Совершенно верно! Это было двадцать лет назад, в тот день, когда мы покончили с Черной Бородой. Ведь вы — Кортни Уэйн, если я не ошибаюсь?

— Не ошибаетесь. Друзья называют меня просто Корт. Вы не откажетесь последовать их примеру?

— Я посчитал бы огромным счастьем стать вашим другом, Корт!

Уэйн только теперь заметил, что Майкл держит в руках большую кружку пива.

— Майкл, прошу, присаживайтесь за мой стол! — радушно предложил он. — Мы так давно не виделись. И нам, конечно, есть что вспомнить и о чем поговорить!

Майкл пересел за стол Кортни, они подняли кружки и отпили по глотку.

— А вы мало изменились с тех пор, друг Корт, — заметил Майкл.

— Разве что стал на двадцать лет старше, — улыбнулся Уэйн.

— Мы все постарели ровно на столько же, Корт. Мне говорили, что в Уильямсберге появился новый житель. Даже называли имя. Но я пропускал это мимо ушей. Теперь вижу, что речь шла как раз о вас. Давно вы здесь?

— С Рождества.

— И ни разу не приехали в Малверн! Как не стыдно! Ведь я же приглашал вас.

— Это было так давно. Мне казалось неудобным приехать вот так, ни с того ни с сего.

— Мы это исправим, Корт. Считайте, что получили от меня новое приглашение. А теперь расскажите, чем занимались все эти годы.

Кортни допил кружку, отставил ее и начал свой рассказ. Майкл внимательно слушал.

Наконец Уэйн надолго замолчал и потом сказал:

— Вот вроде бы и все. Теперь ваша очередь, Майкл.

— Вскоре после нашей последней встречи я переехал в Малверн и с тех пор живу там. Похоронил отца. Не могу не выразить соболезнования по поводу кончины вашей супруги. Не знаю, что бы я делал, если бы потерял Анну!

Майкл помолчал немного, а потом подробно все рассказал. Как начал управлять плантацией, как полюбил Анну, молодую жену своего отца. И как женился на ней после его смерти.

— Вижу, вы научились неплохо справляться с плантацией, Майкл, — улыбнулся Кортни.

— Но все же не так хорошо, как хотелось бы, — вздохнул Майкл, уставившись в пивную кружку. Его лицо сразу стало печальным, а голос хриплым.

— Что с вами, друг мой? — встревоженно спросил Кортни. — Какие-нибудь неприятности?

— Я попал в полосу неудач, Корт. Гордость не позволяла мне признаться в этом даже самым близким друзьям и любимой жене. Вы первый, кому я доверил свою тайну.

— Как такое могло случиться? Ведь, судя по вашему рассказу, дела на плантации шли хорошо.

— Прошлой осенью был недород хлопка. Он просто подкосил меня. Но этого мало. Я наделал много такого, чего никогда себе не прощу. Вы помните, в тот раз я рассказывал вам о своих увлечениях скачками, картами, женщинами? Уже не говоря о многочисленных дуэлях, денежных пари, кутежах в дорогих ресторанах и многом-многом другом. Все это я оставил, женившись на Анне... До недавнего времени... Что со мной случилось, ума не приложу! Одним словом, я вновь принялся за старое. И наделал долгов. Я рассчитывал погасить их, продав хлопок нового урожая. Но небо было против меня. Прошлогодний урожай погиб, а я остался с пустым карманом и огромными долгами. После долгих раздумий решил занять денег у ростовщика. В Уильямсберге есть такой. Зовут его Жюль Дейд. И вот сейчас я направляюсь к нему...

— К кому? К Дейду?! Ради всех святых, не делайте этого, мой друг!

— Почему? Разве не все ростовщики одинаковы?

— Не все, друг мой! Я вам сейчас кое-что расскажу об этом Дейде.

И Уэйн подробно поведал Майклу все, чему был свидетелем.

— Значит, Дейд — законченный мерзавец? — задумчиво спросил Майкл, выслушав рассказ Кортни.

— Мерзавец из мерзавцев!

— Но что же мне тогда делать? Где достать денег? Хотя бы до будущего урожая... Причем я не могу признаться во всем Анне... Это убьет ее! Ведь она уверена, что у меня с прошлым покончено раз и навсегда...

— Я могу дать вам в долг, Майкл.

— Вы, Корт?

— Да. У меня есть деньги. И я готов вас выручить. Только назовите сумму. Я тотчас же вам ее вручу, а вы вернете мне долг после продажи хлопка нового урожая.

— Корт, я с благодарностью принимаю ваше предложение. Конечно, мне неудобно. Но другого выхода нет. Однако я очень бы попросил вас об одном одолжении.

— Каком?

— Никогда ничего не рассказывать Анне.

— Друг мой, я твердо обещаю вам это.

— Понимаю, Корт, что вы отнеслись ко мне как к близкому другу. Но очень прошу вас взять с меня расписку. Мало ли что может случиться с каждым из нас. В любом случае ваши деньги не должны пропасть...

***

«Итак, я сдержал слово, — думал Кортни. — Анна от меня так и не узнала, зачем ее супругу потребовалась огромная сумма денег».

Будь Майкл жив, Уэйн никогда бы не стал торопить его, а дал бы любой срок, чтобы собрать нужную сумму. Кроме того, Кортни не признавался даже самому себе, что, давая деньги в долг Майклу, хотел еще и досадить Дейду...

После смерти Майкла Кортни ради приличия выждал некоторое время. Но бизнес есть бизнес. Денежные операции всегда остаются денежными операциями. Когда же он не получил от Анны даже подтверждения о признании займа, то послал ей напоминание. В конце концов, тогда мистер Уэйн почти не знал миссис Вернер. И просто ждал, что она по меньшей мере подтвердит обязательство своего покойного супруга.

Обо всем этом думал Кортни, пока его экипаж не остановился у подъезда дома Дейда. Он вышел из коляски, перепрыгнул через пару выщербленных каменных ступенек и громко постучал. В окошке загорелся свет, послышалось лязганье засова, и из-за полуоткрытой двери показалось лицо Дейда.

— Вы?! — в ужасе воскликнул он, узнав нежданного гостя.

— Я! — резко ответил Уэйн, не давая Дейду захлопнуть дверь.

Он навалился на дверь плечом, распахнул ее настежь и, не дожидаясь приглашения, вошел в дом.

— Мне надо сказать вам несколько слов, — железным тоном сказал Уэйн. — Дейд...

Кортни оборвал фразу, заметив, что Дейд пытается пробраться к столику в прихожей, на котором лежал пистолет. Сделав два шага вперед, Уэйн преградил хозяину путь, затем взял пистолет и зашвырнул его в дальний угол.

— Сегодня — никакой стрельбы, Дейд!

Схватив Жюля за руку и крепко сжав запястье, Кортни потащил его в комнату.

— Чего вы хотите от меня, сударь? — пытался вырваться Дейд.

— Из-под навеса в Малверне каким-то загадочным образом исчезли все тюки с хлопком.

— Какое это имеет ко мне отношение?!

— Самое прямое, Дейд. Хлопок украли вы! Или же это сделал по вашему наущению другой негодяй — Натаниэль Биллс!

— Я не знаю никакого Натаниэля Биллса!

— Дейд, у меня нет ни времени, ни терпения выслушивать вашу ложь.

— У вас нет доказательств!

— Никаких доказательств и не требуется! Я знаю, что кража подстроена вами. Этого достаточно. Мне также известно, что вы еще не успели продать хлопок и спрятали его!

— Ложь, ложь!

Кортни отпустил руку Дейда и холодно сказал:

— Извольте проследить, чтобы весь хлопок миссис Вернер завтра к утру был на месте.

— Вы сумасшедший! — заорал Дейд. — Как вы посмели прийти в мой дом с подобным обвинением?!

Не обращая внимания на вопли Дейда, Кортни продолжал:

— Если хлопок к полудню не будет лежать под навесом в Малверне, я разоблачу вас перед всеми как бандита и члена пиратской шайки Черной Бороды. Ибо жители здешних мест достаточно натерпелись от зверств и бесчинств этих негодяев. Но даже если вас после этого не повесят, тень грязного прошлого упадет на человека, именующего себя Жюлем Дейдом, и это заставит его в тот же день убраться из Уильямсберга.

— Я сам обвиню вас в пиратстве! Скажу, что вы клевещете на меня, чтобы отвести обвинения от себя.

— Вы можете лгать сколько угодно. Мне легко будет доказать обратное. Но если вы сейчас попытаетесь убежать... — Кортни схватил Дейда за ворот рубахи и притянул к себе. — ...то я все равно найду вас везде и самолично отправлю на тот свет. Вы меня поняли? Я выполню долг, о котором забыл двадцать лет назад, когда пощадил такого мерзавца, как вы, и не всадил вам пулю в затылок!

Он отпустил Дейда, который в ужасе забился в угол.

— Итак, обдумайте все, мистер Дейд. Пока еще у вас есть выбор. Я не буду вас преследовать, несмотря на все мое презрение. Даже позволю продать хлопок миссис Вернер в счет уплаты ее долга. Если же вы не вернете украденное, то горько пожалеете. Сейчас вы теряете только хлопок. И вам сверх того вернут долг. В противном случае вам грозит в лучшем случае страшный позор, а в худшем — смерть на виселице!

Кортни повернулся и, хлопнув дверью, вышел на улицу...

Глава 15

Расставшись с Мишель у двери ее комнаты, Маклевен полетел к себе, не чуя под собой ног от радости. Его переполняло чувство предвкушения новой встречи с этой изумительной девушкой. Он был почти уверен в том, что продолжение возникшего на борту корабля случайного знакомства с Мишель Вернер сулит в будущем нечто серьезное и счастливое. Недаром же судьба вновь свела их!

С самой первой встречи Ян часто думал о Мишель. Даже слишком часто. Ее образ постоянно витал в его сознании. Причем он не просто вспоминал красоту девушки — ее лицо, фигуру, густые волосы, легкую и изящную походку. Молодого шотландца гораздо больше привлекал духовный мир Мишель, ее острый ум и интеллект. Маклевен с презрением относился к молодым особам, которые только и болтали что о женихах, предпочитая знатных и богатых. С Мишель все было иначе. С такой женщиной можно соединить свою судьбу, думал Ян, шепча во тьме своей комнаты во дворце Фонтенбло имя Мишель Вернер...

До сих пор все складывалось иначе. Ян Маклевен с его богатством и знатностью считался завидным женихом. Девушки и молодые женщины сами искали с ним встреч в надежде произвести наилучшее впечатление. То, что Мишель не стремилась к встрече и не навязывалась ему, озадачивало и интриговало Яна. Тем более что сам он считал себя тонким психологом и знатоком не только женщин, но и вообще людей. Тогда на корабле он был уверен, что возникшее у него довольно поверхностное чувство к хорошенькой и неглупой девушке непременно вызовет взаимность. Но когда Ян попытался поцеловать ее, то последовал такой резкий и даже яростный отпор, что это его озадачило. Может быть, Мишель относится к женщинам, которые испытывают отвращение к мужчинам? Вряд ли. В Мишель угадывался бурный темперамент, а глаза горели ненасытной жаждой жизни. Или же она боролась со своими чувствами из-за каких-то соображений, ему пока не известных? Это более походило на правду. Что ж, во всех обстоятельствах с этой девушкой нужно быть очень внимательным, осторожным и корректным. Тем более что Ян чувствовал: со временем он мог бы и жениться на Мишель. Теперь же, когда они опять встретились, Ян уже не хотел ее вновь потерять.

В комнате было душно, стоял какой-то неприятный запах. Ян подошел к окну и распахнул его. Сразу же стало легче дышать. Маклевену казалось, что все в королевском дворце запудрено, загримировано, замазано кремами, залито духами, одеколоном и поэтому фальшиво и омерзительно. Проведя в Фонтенбло неделю, он уже рвался домой, в свой замок среди зеленых полей и рощ, с пасущимися стадами коров и овец, с негромким лаем дворовых собак... Конечно, Париж — прекрасный город! Ян не мог не восхищаться его огромными зданиями прекрасной архитектуры, просторными площадями, красивыми улицами. Но все же здесь он никогда не чувствовал себя дома. Дворец Фонтенбло, несомненно, великолепен. Но слишком велик для повседневной жизни. Больше всего Яна раздражал во Франции королевский двор. Молодой шотландец его просто не выносил. Король и его приближенные, казалось, понятия не имели о том, как живет простой народ. Они не удостаивали своим вниманием жалкие, бедные домишки, теснившиеся на окраинах Парижа. Им было совершенно невдомек, что по улицам ходят полуголодные, оборванные люди, многие из которых поражены страшными недугами.

Придворных интересовали только развлечения и удовольствия, которым, казалось, не будет конца...

Дома, в Шотландии, отец Яна, лорд Маклевен, держал хозяйство в крепких, но добрых руках. Никто из его людей не знал, что такое голод. У каждого была крыша над головой. Господа никогда не оскорбляли своих подданных. Те же платили им за это сердечной преданностью и самоотверженным трудом. Ян Маклевен, наследник поместья и замка, поклялся отцу свято следовать традициям их рода и передать их будущему поколению.

Свою мать Ян почти не знал. О ней напоминал только огромный портрет, висевший на стене в одной из самых больших комнат замка. Его сестры больнее переживали смерть матери, ибо были тогда совсем детьми и нуждались в материнской ласке.

Отец очень любил жену и больше уже никогда не женился, хотя и не сторонился женщин. Безвременная смерть старшего сына Дугласа подкосила силы Малкольма Маклевена, и он сдавал на глазах.

Ян хорошо помнил Дугласа, его мужественное лицо, привлекавшее почти классическими чертами. Несмотря на большую разницу в возрасте, братья были очень дружны. Они любовно опекали Маргарет и Элизабет.

После гибели Дугласа семья Маклевенов стала еще сплоченнее. Но теперь, когда отец состарился, именно Яну предстояло заботиться о ее будущем. В какой-то степени этим объяснялось и его желание поскорее устроить свою личную жизнь. Поэтому Ян, решив про себя, что найдет в Мишель достойную жену, решил, не откладывая дела в долгий ящик, поспешить со свадьбой.

Сейчас, стоя у окна и с наслаждением вдыхая врывавшийся из парка в комнату свежий воздух, Ян еще острее почувствовал тоску по дому. Он устал от странствий и ни за что не поехал бы во Францию, если бы не приглашение короля Людовика. Тот очень любил видеть при своем дворе людей незаурядных, лица которых отмечены печатью ума. Французский монарх знал еще отца Яна. Да и его самого очень ценил. Так что отказаться от приглашения было просто невозможно.

Теперь Ян был рад, что приехал, ведь он вновь встретился с Мишель Вернер. Узнав, что после спектакля она пробудет в Фонтенбло еще по крайней мере дня два, Маклевен решил не терять времени даром и попытаться договориться с девушкой о новой встрече, на этот раз в Париже. Правда, для этого Яну пришлось бы отложить на пару недель возвращение на родину, но игра, возможно, стоила свеч. Ибо молодой шотландец решил во что бы то ни стало получить от Мишель согласие стать его женой...

***

На следующее утро Мишель проснулась поздно. Нежась в мягкой постели, она с удовольствием думала о предстоящей встрече с Яном Маклевеном. Ведь он оказался единственным при дворе, с кем можно было говорить по-английски...

Позавтракав свежей клубникой со сливками, хлебом со сливочным маслом и выпив стакан крепкого чая, Мишель попросила горничную помочь ей одеться. На этот раз она выбрала зеленое бархатное платье, которое отлично сочеталось с зеленой же широкополой шляпой. Облачившись в этот наряд, Мишель села перед зеркалом и предоставила горничной заняться ее прической. Та очень искусно подправила и аккуратно уложила вдоль висков вьющиеся локоны, а остальные волосы собрала в пучок на затылке.

Раздался стук в дверь. Горничная выскочила в коридор, и там начался довольно громкий спор. Мишель сразу же узнала голос Маклевена. Дверь снова открылась, и горничная, хитро улыбаясь, доложила:

— Пришел мистер Маклевен, мадемуазель. Говорит, что вы его ждете.

— Да, Николь. Мы хотели с ним немного погулять на свежем воздухе.

— Приятной прогулки, мадемуазель, — присела в реверансе Николь, улыбаясь уже во весь рот.

Мишель почувствовала, как под ироничным взглядом прислуги на щеках у нее заиграл стыдливый румянец. Она подумала, что все француженки, независимо от возраста и положения, неизменно смотрят на отношения мужчины и женщины сквозь призму любви и флирта. Николь явно не была исключением.

Восторженный взгляд Яна возблагодарил ее за все труды, связанные с выбором платья и прически. Он взял ее руку в перчатке, поцеловал и склонился в поклоне.

— Сегодня великолепная погода, мадемуазель, — сказал он по-французски. — Но вы, несомненно, затмите даже ее.

Мишель почувствовала, что опять краснеет. Но все же чуть наклонила голову, благодаря за комплимент.

— Спасибо, сударь. Но не могли бы мы перейти на английский? А то я начинаю опасаться, что забуду его.

— Понимаю вас, Мишель. Я сам, бывая во Франции, начинаю скучать по родному языку.

Пока они шли по коридору, Мишель незаметно изучала своего спутника. Сегодня на нем были клетчатый плед, юбка цветов другого шотландского клана и темный камзол. Несмотря на необычность этого национального костюма, он показался Мишель очень красочным и привлекательным. Кроме того, в нем фигура шотландца дышала здоровьем и силой.

— Парк вам понравится, Мишель, — сказал Ян, как только они спустились с парадного крыльца. — Он состоит из нескольких очень красивых садов. Хотя лучше гулять в них весной. Но сегодня солнечный и ясный день. И вы получите большое удовольствие. Чувствуете, как чист и свеж воздух? Он вам не напоминает родные края?

— Вы были в Виргинии?

— Да. Я проезжал через этот штат во время своего кругосветного путешествия. И обратил внимание на тамошние плодородные земли. Мне даже стало завидно при виде бескрайних полей хлопка и табака. Очень понравились ваши небольшие, на вид непрочные, но живописные домики. Они напоминают белых лебедей на озерах в зеленых парках.

Мишель рассмеялась:

— Почему же непрочные? Вовсе нет! Например, моему дому уже более полувека. И я уверена, что он простоит еще столько же. А может быть, даже дольше.

Ян тоже засмеялся:

— Простите меня, Мишель. Я не хотел вас обидеть. И еще раз скажу: ваши домики очень уютные и красивые, они подходят умеренному климату Виргинии. У нас же в Шотландии преобладают большие каменные дома и замки. Мы не можем себе позволить строить деревянные жилища. В стране очень мало лесов. Зато много камня. Вот мы им и пользуемся. Кроме того, каменные стены надежно защищают от ураганов и зимних ветров, столь частых в нашем климате. А потом, наша страна гораздо старше вашей. Вы с гордостью говорите о том, что ваш дом стоит более пятидесяти лет. А замку Маклевенов — уже двести. И он простоит еще столько же. Если не вечно.

— Такой древний! — вздохнула Мишель. — А английские колонии в Северной Америке еще так молоды. Я слышала, что Шотландия — красивая страна. Это так?

— Да. Хотя она и отличается от вашей Виргинии. У нас более суровая и угрюмая природа. Но в ней есть своя, особая красота. И каждый шотландец бережно хранит в сердце память об истории своей родины. Но хватит расхваливать свои страны. Лучше полюбуемся тем, что нас окружает сейчас. Вот, например, бронзовая статуя богини Дианы в окружении охотничьих собак. Этот сад носит ее имя. А еще его называют «Садом королевы».

— Он мне напоминает парки Виргинии. Только здесь все слишком прибрано. Трава подстрижена. Ветви деревьев подрезаны.

И все же Мишель чувствовала себя свободной и отдохнувшей. Ей хотелось забыть обо всем и наслаждаться природой, обществом этого милого и умного шотландца.

— Давайте немного посидим, — предложил Ян, подводя Мишель к уютной скамеечке у фонтана.

— С удовольствием, — кивнула Мишель. — Здесь так тихо и спокойно. Можно подумать, что вокруг на много миль нет ни души, кроме нас двоих.

Ян взял ее руку и сжал в своих ладонях. Даже через перчатку Мишель ощущала тепло его красивых сильных пальцев.

— Я бы хотел, — прошептал он, — чтобы мы действительно были здесь совсем одни.

Мишель бросила на Яна быстрый взгляд и тут же отвернулась. Она почувствовала, как лихорадочно забилось ее сердце, а тело налилось томящей блаженной теплотой. Совсем, как этой ночью в постели, когда она не могла заснуть из-за эротических грез.

Она проклинала Арно Димпьера, который пробудил в ней женскую сущность, что только мешало ей. Но разве тогда не сама она проявила инициативу и соблазнила своего балетмейстера против его желания? А сейчас, похоже, готова проделать то же самое с этим очаровательным молодым шотландцем.

Она смотрела на его красивые руки, покрытые золотистым пушком от падающих на них лучей утреннего солнца. Они чуть заметно дрожали. И Мишель догадывалась о переполнившей душу Яна страсти. Она чувствовала, как и ее тело охватывает дрожь. Но надо взять себя в руки! Немедленно!

Мишель осторожно высвободила свою руку, как бы желая разгладить чуть помявшуюся юбку, и сделала вид, что не расслышала последних слов Яна. Она поспешно заговорила:

— Я бы очень хотела увидеть Шотландию! Посмотреть, как живет ваша семья. Она очень большая? У вас много братьев и сестер?

Маклевен не подал вида, что понял состояние Мишель. Но больше не брал ее за руку, хотя и продолжал сидеть совсем близко, почти касаясь ее плечом.

— В семье нас, кроме отца, трое: я и две мои сестры — Маргарет и Элизабет. Маргарет на несколько лет старше меня. А Элизабет — младше. Она примерно вашего возраста. Был старший брат, Дуглас. Но три года назад его убили.

Мишель почувствовала, как задрожал голос Яна, и положила ладонь на его руку:

— Ян, извините меня. У меня никогда не было ни братьев, ни сестер. Но могу представить себе всю тяжесть вашей потери. Как он погиб?

— Самым глупым образом. Однажды вечером Дуглас пошел к своему другу Роберту Кэмпбеллу.

Маклевены уже лет двести дружат с Кэмпбеллами. Но у тех и других есть смертельные враги — семья Макдональдс. Когда Роберт провожал Дугласа домой, они наткнулись на братьев Макдональдс. Завязалась драка. А точнее, поножовщина. Тогда-то все и произошло...

Мишель передернуло оттого, что Ян так спокойно говорит о кровавой стычке и гибели своего родного брата.

— В вашей стране часто бывает такое... Ну, подобные драки, заканчивающиеся смертью? — спросила она, отводя взгляд.

Ян посмотрел на нее глазами, которые мгновенно стали ледяными:

— Боюсь, что часто. Шотландцы живут родами — кланами. И многие кланы из века в век враждуют. Это продолжается и сейчас. Но я вижу, вас взволновал мой рассказ, Мишель! Впрочем, это неудивительно: все это почти невозможно понять тому, кто не знает Шотландии. Я лично привык к подобным случаям. И воспринимаю их как одну из жестоких особенностей жизни в своей стране.

Мишель почувствовала, что пора заговорить о другом. Она поднялась со скамейки:

— Пойдемте. Вы обещали мне показать и другие уголки этого прекрасного парка.

— Вы правы, Мишель. Сегодня слишком хороший день, чтобы говорить о крови и смерти. Давайте я лучше покажу вам партер королевского парка. Его создали еще при отце нынешнего короля — Людовике XIV. Особенно хорош фонтан с бронзовыми скульптурами...

Вторая половина дня пролетела быстро. Однако после прогулки среди цветников, фонтанов и газонов парка Мишель не чуяла под собой ног от усталости.

— Мне кажется, что мы прошли пешком самое малое десяток миль! — сказала она, когда они вернулись к парадному подъезду королевского дворца.

— Простите меня, Мишель. Я дома настолько привык ходить пешком по своим огромным угодьям, что даже не подумал о вас, которой подобные путешествия внове.

— Дело не в расстоянии, а в моих туфлях, — улыбнулась Мишель. — Они оказались тесными и очень жмут. Думаю, ни один мужчина не смог бы долго ходить в такой обуви.

Ян посмотрел на ноги Мишель, потом ей в лицо. И оба рассмеялись.

В это время из-за угла показались Луи и Сибелла.

— Ах, вот вы где! — воскликнул Луи. — А мы-то обыскались!

— Простите меня, Луи, — сказала, отсмеявшись, Мишель. — Мы долго гуляли по парку с моим старым другом Яном Маклевеном. Познакомьтесь, пожалуйста! Ян, это Сибелла и Луи, мои товарищи из студии Арно Димпьера.

Только тут она заметила странное выражение глаз Луи.

— Луи, что вы на меня так смотрите?

Луи бросил взгляд на Мишель, а потом — на Маклевена:

— Неужели настоящие друзья должны сбиться с ног, разыскивая друг друга? Мы сейчас осматривали дворец и хотели, чтобы вы тоже участвовали в этой экскурсии.

У Мишель от удивления глаза полезли на лоб.

— Извините, Луи, но я давно не видела моего друга Яна и хотела некоторое время провести с ним. А дворец я смогу осмотреть и завтра.

Луи прикусил нижнюю губу и, помолчав, сказал с еще большим раздражением:

— Мы хотели также сообщить вам, что король намерен устроить сегодня торжественный вечер. Будет много танцев, вина и вкусных яств. А мы приглашены в качестве почетных гостей.

Мишель попыталась было поднять настроение Луи и дружески ему улыбнулась:

— Звучит очень заманчиво! Ян, вы придете? Как знать, может быть, там и вправду будет не так уж скучно. До вечера! Спасибо за прогулку!

Маклевен посмотрел сначала на Мишель, потом на Луи и Сибеллу. Но не сказал ни слова. Сибелла, оценив ситуацию, схватила Луи за рукав:

— Пойдем, Луи! Я тоже хотела бы отдохнуть перед вечером.

Когда они ушли, Ян повернулся к Мишель и негромко сказал:

— А этот молодой человек влюблен в вас!

Мишель вспыхнула и довольно резко ответила:

— О чем вы, Ян? Луи — просто мой хороший друг. И все!

— Может быть, для вас он просто хороший друг. Но вы для него значите куда больше...

Мишель хотела сказать еще что-то, но вдруг задумалась. Она вспомнила поведение Луи накануне и теперь... Неужели Маклевен прав?!

Она помолчала, потом улыбнулась:

— Думаю, что вы ошибаетесь. Но не будем сейчас обсуждать эту тему. К тому же мне надо приготовиться к торжеству. До вечера!

— Я увижу вас завтра, Мишель? Мне бы хотелось показать вам весь королевский дворец.

Предупреждаю, если вы не согласитесь, то я почувствую себя очень одиноким.

Мишéль помедлила с ответом. А как же Луи? Для него будет новым ударом, если она проведет еще один день с Маклевеном... Но, с другой стороны, разве в Париже она не видится каждый день с Луи и другими своими друзьями из студии? Неужели сейчас она должна отказать Яну?

Мишель улыбнулась Маклевену, с нетерпением ожидавшему ответа:

— Мне будет очень приятно снова с вами встретиться, Ян. И вместе осмотреть королевский дворец!

Глава 16

Бальный зал был залит ярким светом сотен свечей в канделябрах, тянувшихся вдоль стен, в свешивавшихся с потолка люстрах и обвивавших колонны. Мишель приоткрыла дверь в зал и замерла на пороге. Почему-то ей стало страшно. Шедший сзади Андрэ удивленно посмотрел на свою воспитанницу:

— Что с вами?

— Не знаю. Почему-то я нервничаю.

— Перестаньте! Постойте здесь немного и успокойтесь.

Мишель глотнула воздуха и утвердительно кивнула. Она не стала говорить Андрэ, что ее пугает перспектива вновь окунуться в смрадное море злословия, сплетен и скабрезностей, которыми жил двор французского монарха.

Они с Андрэ еще долго стояли у дверей, наблюдая за тем, что происходило в зале.

— С кем танцует король? — спросила Мишель.

— С мадам де Винтльмиль.

— Кто она?

— Сестра мадам де Малли.

— По крайней мере его величество не изменяет семье своей любовницы!

Андрэ тупо уставился на свою воспитанницу. Наконец смысл ее слов дошел до него, и он рассмеялся.

Прошло еще несколько минут, и Мишель заметила в зале Луи, танцевавшего с пожилой дамой с толстым слоем притираний на лице. На ней было золотого цвета платье, а шею обвивало огромное бриллиантовое колье. Потом она увидела Яна, партнершей которого была весьма привлекательная девушка или очень молодая женщина в розовом платье.

Музыка смолкла. Танцевавшие перемешались, возвращаясь к стоявшим вдоль стен стульям или прямо на месте меняя партнеров. Андрэ сделал знак своей воспитаннице, и они, переступив порог, оказались в зале. В тот же момент перед Мишель возникло улыбающееся лицо короля Людовика. Ее сердце запрыгало от волнения, она робко улыбнулась и чуть ли не насильно заставила себя поднять глаза на монарха. Мишель сразу же поняла, что ее ожидает великодержавное приглашение на танец, которое тут же и последовало.

— Я был бы счастлив, — сказал, похотливо улыбаясь, король Франции, — если бы вы согласились стать моей партнершей на ближайший танец. Если не ошибаюсь, это будет кадриль.

— Я счастлива, ваше величество, — пробормотала Мишель дрожащим голосом, приседая в глубоком реверансе.

Король кивнул Андрэ и взял своей пухлой рукой маленькую ладошку Мишель. В тот же момент оркестр заиграл кадриль. Король сделал первое движение и заскользил вместе с юной партнершей по залу. Мишель сразу же отметила, что танцевал Людовик очень легко и даже грациозно. Время от времени он с улыбкой смотрел в глаза партнерше, одобрительно кивая головой. Это заставило Мишель еще более нервничать. Тут же вспомнились рассказы и сплетни о пристрастии монарха к женскому полу. Она с ужасом думала о том, что делать, если король предложит ей нечто выходящее за рамки общепринятой морали. Обидеть короля отказом было бы невозможно. Но, с другой стороны, Мишель твердо решила не уступать даже самому королю Франции.

Ей казалось, что танец никогда не кончится. Мишель удивлялась, как у нее хватило сил поддерживать непринужденный разговор с монархом. С ее стороны это выглядело настоящим геройством. Наконец музыка кончилась, и король отвел ее к креслам у стены, где стоял Андрэ.

— Вы танцевали великолепно, мадемуазель Вернер, — сказал Людовик. — Впрочем, иного и нельзя было ожидать от профессиональной балерины.

Пока король отпускал Мишель комплименты, его глаза блудливо шарили по ее телу. Мишель стала пунцовой. Монарх не замечал или просто делал вид, что не замечает смущения девушки.

— Я хотел бы просить вас подарить мне еще один танец, — сказал он. — Но сначала мне необходимо оказать внимание и другим гостям.

Когда король отошел, Мишель, все еще не в силах сдержать волнение, сказала:

— О Боже! Андрэ, я думала, что умру! Никогда не чувствовала такого страха. Даже при первом выходе на сцену!

Андрэ тихо засмеялся:

— Я знаю, может показаться очень странным, что обычный человек, но в короне, производит столь огромное впечатление на остальных смертных. Но вы вели себя великолепно, дорогая! Во всяком случае, не упали в обморок, как сделали бы многие другие!

— Я боялась именно этого. Конечно, танцевать с французским королем — это незабываемо. Представляю, как буду рассказывать об этом на родине. Но какую же пытку мне пришлось вынести!

— Я не хотел бы видеть ваших мучений, миледи! — раздался голос за спиной Андрэ.

Он принадлежал Яну, и Мишель с улыбкой повернулась к нему:

— Что ж, если вы видели, как я танцевала с королем, то не могли не догадаться о моем состоянии.

— Почему же? Я неоднократно слышал о том, что король Людовик — великолепный танцор. Он танцует очень легко и очаровывает партнершу.

Мишель сложила веер и легонько ударила им по руке Маклевена.

— Вы же отлично понимаете, Ян, что я имею в виду! У меня просто сердце замирало при мысли, что танцую с самим королем Франции.

Ян отступил на шаг и низко поклонился:

— Итак, миледи, если вы считаете, что после танца с его величеством можете позволить себе иметь дело с простыми смертными, то прошу подарить следующий танец одному из них. То есть мне.

Мишель чуть наклонила голову и сразу же театрально гордо подняла ее:

— Думаю, что могу себе это позволить.

— Тогда прошу вас, миледи!

Все трое дружно засмеялись...

***

Андрэ смотрел им вслед со смешанным чувством. Мишель и Ян выглядели прекрасной парой, казалось, они идеально подходили друг другу.

И все же он не мог удержаться, чтобы не вздохнуть сокрушенно. Конечно, Андрэ хотел счастья своей воспитаннице. Но в чем оно, счастье? В достижении вершин балетного искусства и славе? Возможно, и так. А что, если Мишель нужно простое человеческое счастье? Она может выйти замуж за этого порядочного, красивого юношу, притом знатного и богатого. У них будет прекрасная семья, дети. Что еще может желать женщина? И чего стоят в сравнении с этим дождь цветов и гром оваций?

Андрэ еще раз вздохнул, а затем рассмеялся про себя. Зачем мучить себя такими мыслями? Все равно Мишель поступит так, как сочтет нужным. И будет права...

От танца с Яном Мишель получила куда большее удовольствие, чем от кадрили с королем. Когда музыка смолкла, она оперлась на руку Маклевена и вновь отошла к стене. Ян поблагодарил ее легким поклоном, извинился и, сказав, что ему надо поговорить кое с кем из гостей, отошел. Мишель опустилась на стул, откинулась на спинку и постаралась расслабиться. Но в тот же момент почувствовала, как кто-то тронул ее за плечо. Она обернулась и увидела рядом с собой Луи. Он был в синем парчовом костюме и таком напудренном парике, что стал почти неузнаваемым.

Луи церемонно поклонился. Это выглядело смешно, и Мишель не могла не засмеяться. Но он даже не улыбнулся в ответ и обратился к ней с подчеркнутой официальностью:

— Мадемуазель, могу я просить вас оказать мне честь?

— Можете, месье, — с деланной жеманностью ответила Мишель. — Хотя, откровенно говоря, я не уверена, что мы с вами знакомы. Правда, вы мне кого-то... напоминаете. Очень отдаленно. Но нет! Я, очевидно, ошибаюсь и принимаю вас совсем за другого человека. Не столь элегантного.

— Ну довольно, Мишель! Пойдем танцевать. Музыка уже зазвучала.

Бросив косой взгляд на Яна, Мишель взяла за руку Луи, и они заскользили по блестящему полу. Внимательно посмотрев в глаза юноше, она убедилась, что за последние часы Луи немного поостыл. Это обрадовало Мишель, которой очень не хотелось с ним ссориться.

— Луи, разве это не великолепно? — спросила она, широко улыбаясь. — Наше выступление прошло успешно и, кажется, произвело большое впечатление на короля и придворных. К тому же мне удалось увидеть мадам де Малли! А вы даже не сказали, что у короля такая безобразная любовница. Как не стыдно! Сегодня я гуляла по парку. Он чудесен! Как хорошо, что нам разрешили остаться здесь еще на один день!

Луи улыбнулся, но довольно кисло. Затем посмотрел на Мишель и выпалил уже совсем обиженным тоном:

— Вам так понравились Фонтенбло и королевский двор? Или же больше обрадовала встреча со старым другом лордом Маклевеном?

— Почему вы так говорите, Луи?

— Как?

— Злобно и противно. Я заметила, что со вчерашнего ужина вы очень переменились. Что случилось?

— Я мог бы спросить, Мишель, что случилось с вами? Почему вы вдруг перестали уделять внимание своим настоящим друзьям?

— А почему вы считаете, будто круг моих настоящих друзей ограничивается только вами, Мари и Кафе о Лэ? Между прочим, я познакомилась с

Яном Маклевеном задолго до того, как встретилась с вами.

Мишель не хотела говорить Луи, что их первое знакомство с Яном было не столь уж безоблачным. В конце концов, какое ему дело до этого? Почему она должна отчитываться перед ним в своих поступках? И откуда такое негодование из-за того, что у нее есть друзья вне студии? А может, Ян прав? И Луи просто влюблен в нее и ревнует?

Раздражение Мишель сразу же рассеялось. Если это правда, то она не должна ссориться с Луи. Ибо сама уже знала, что такое ревность и как это чувство может порой заставить человека страдать.

— Луи, — мягко сказала она, — я тебя очень люблю и ни в коем случае не хочу причинить боль или как-то обидеть. Ты — мой друг, надеюсь, настоящий. Но у меня есть и другие друзья, которым я должна иногда уделять внимание. Не надо ревновать! Это, кстати, тебе совсем не идет.

Но тут танец кончился. Луи схватил Мишель за руку и потащил в нишу за колонны. Не успела Мишель сообразить, что их здесь никто не видит, как Луи обнял ее и привлек к себе. Причем так внезапно, что в первый момент Мишель даже не подумала сопротивляться. Когда же почувствовала, как его губы требовательно и жадно впиваются в ее рот, то уперлась обеими руками в грудь Луи и оттолкнула его от себя. Он ее друг, почти брат, но никогда не станет любовником!

— О Луи... Луи... — с мягким укором прошептала она, готовая разрыдаться.

Луи продолжал смотреть ей в глаза. Его губы дрожали.

— Значит, нет? — горестно спросил он. — Ты не хочешь этого? Я тебе нужен только для забавы? А за мужчину ты меня попросту не считаешь?

Мишель грустно посмотрела на него:

— Неправда, Луи. Ты — мужчина. Но я не люблю тебя так, как тебе бы хотелось. Хотя ты мне очень дорог. Как брат, которого у меня никогда не было.

— Брат! — почти с презрением повторил Луи.

Он отпустил Мишель и повернулся, чтобы уйти. Она попыталась удержать его:

— Луи, не обижайся! Мы же не властны над своими чувствами. Ты знаешь это не хуже меня!

— Я наблюдал за тобой и Димпьером. За этой так называемой любовью, насквозь фальшивой. Терпел, хотя очень страдал за тебя. Ваш роман кончился ничем, как и следовало ожидать. Теперь появился этот шотландец, лорд Маклевен. Больше я терпеть не намерен! И ждать тоже.

Мишель горестно вздохнула:

— Луи, при чем тут Ян? Мои чувства к тебе совершенно иного свойства. Это не та любовь, которую воспевают романтики.

— Мне все ясно!

И Луи исчез в толпе гостей. Мишель осталась в нише, чувствуя себе совершенно опустошенной. Вся радость этого вечера вдруг куда-то исчезла. Ее душили рыдания, а из глаз катились слезы. Она никак не могла понять, почему взаимоотношения людей в жизни так сложны и запутанны...

На следующий день Ян, как и обещал, показал Мишель королевский дворец. Они переходили из одной комнаты в другую. И каждый раз Мишель поражалась разнообразию их убранства и роскоши. Но в глубине души ее не оставляла мысль о Луи и случившейся накануне резкой перемене в их отношениях.

В одном из залов Ян неожиданно повернулся к Мишель, взял ее двумя пальцами за подбородок и еле слышно спросил:

— Что с вами сегодня, Мишель? Я что-то сделал не так или чего-нибудь не сделал?

Она потупила взор:

— Что вы имеете в виду, Ян? Все было так, как нужно. Мне вовсе не за что на вас обижаться!

— Мишель, — ласково ответил Маклевен, — в вашем лице, как в зеркале, отражается настроение. Прочесть его ничего не стоит. С самого утра вы очень тихая, немногословная. В глазах — печаль, хотя вы и стараетесь ее скрыть. Что случилось?

Мишель медленно подняла голову и с грустью посмотрела в глаза Яна. Его доброта не позволяла ей открыть истинную причину своего настроения. Она понимала, что причинила бы боль молодому шотландцу. Кроме того, Мишель подумала, что подобное чистосердечное признание в какой-то степени было бы предательством по отношению к Луи.

Она улыбнулась и, стараясь по возможности не покривить душой, ответила:

— Мне сегодня немного не по себе. Извините меня, Ян, но о причинах такого состояния не хотелось бы говорить. Поймите меня правильно. Но поверьте, что вы здесь совершенно ни при чем. Напротив, я очень благодарна вам за удивительную чуткость и теплоту.

— Что ж, ваши слова меня несколько успокоили. И вместе с тем дают право задать один вопрос. Мишель, сегодня вечером вы возвращаетесь в Париж. Я тоже еду туда. Скажите честно, вы не будете возражать против нашей встречи во время моего пребывания в столице?

— Но ведь вы собирались вернуться в Шотландию, — сказала Мишель, удивленно подняв брови. — И говорили, что очень скучаете по дому.

На лице Яна заиграл застенчивый румянец:

— Это правда. Я действительно так говорил. Но сейчас обнаружилось, что в Париже у меня несколько неотложных дел. Их решение потребует как минимум двух недель. А может быть, и того больше. Мне было бы очень приятно еще раз с вами встретиться.

Мишель была совсем не готова к той тихой нежности, с которой Ян произнес эти слова. Хотя и не могла себе представить, что может уехать и навсегда расстаться с Маклевеном. Поэтому его просьба означала возможность немного отсрочить разлуку. И все же она не решилась открыто обнаружить своих чувств и только утвердительно кивнула головой:

— Почему бы и нет, Ян? Я буду рада видеть вас в Париже. И попрошу мадам Дюбуа пригласить вас в ее салон. Думаю, она не будет возражать.

— Может быть, вы согласитесь пойти со мной в театр? Или поужинать вместе?

— Возможно. Хотя я буду с утра до вечера занята в студии.

— Но все же обещайте выкроить немного времени для меня! — продолжал настаивать Ян.

— Обещаю, — ответила Мишель, не в силах сдержать радостной улыбки.

— Это все, о чем может мечтать мужчина! — облегченно вздохнул Маклевен, склонившись над ее рукой.

И на его лице появилась такая же счастливая улыбка, как та, которая только что озарила лицо Мишель.

После возвращения в Париж жизнь для Мишель потекла, казалось, своим чередом. И все же кое в чем изменилась. Во-первых, стали напряженными ее отношения с Луи. А во-вторых, в ее жизни появился Ян Маклевен.

Луи избегал Мишель. Это ее очень огорчало и порой тревожило. Он перестал подходить к ней в обеденные перерывы, стараясь где-нибудь уединиться. Причем иногда его даже не могли разыскать.

Вначале Мишель и Мари не придали демонстративному поведению Луи серьезного значения. Но когда то же самое произошло в третий раз, Мари подняла глаза на Мишель и озабоченно спросила, что бы это могло означать. Мишель решила не откровенничать и лишь недоуменно пожала плечами, опустив глаза:

— Я не знаю. Он исчез сразу же, как только месье Димпьер объявил перерыв.

Кафе о Лэ придвинул к себе корзинку Мишель с провизией и вытащил оттуда ножку жареного цыпленка. Откусив кусок, он посмотрел на подруг и таинственным голосом сказал:

— С тех пор как мы вернулись из Фонтенбло, Луи ведет себя очень странно. Он чем-то очень встревожен и огорчен. Но ничего не говорит. — Мулат снова взглянул на Мишель: — Ты и впрямь не знаешь, что с ним могло случиться?

Мишель виновато отвела глаза и отрицательно покачала головой:

— Может быть, это что-то глубоко личное, чем он не хочет с нами поделиться.

— Удивительно! — продолжал Кафе о Лэ. — Ведь совсем недавно Луи мог говорить часами и обо всем. Проблема заключалась в том, как закрыть ему рот. И вдруг такое! Просто непонятно!

Мари утвердительно кивнула и сказала озабоченно:

— Да, ты прав. Я бы очень хотела узнать причину этой перемены. Может быть, тогда мы помогли бы ему.

Мишель внимательно посмотрела на подругу и вдруг поняла все. Мари любит Луи! Боже, но Луи любит не Мари, а ее, Мишель! Почему в жизни все происходит не так, как надо?

Видя, что Мари хочет еще что-то сказать, Мишель поспешила переменить тему разговора:

— Вы не знаете, отчего Дениз в последнее время вдруг присмирела? Может быть, она одумалась и решила исправиться?

— Такие люди не меняются, — отрицательно замотала головой Мари. — Так же, как леопард никогда не избавится от пятен на своей шкуре. А если она молчит и старается быть незаметной, то, значит, что-то замышляет. Будь особенно осторожна, Мишель! Ведь теперь Дениз считает своим злейшим врагом именно тебя!

Кафе о Лэ расправился с куриной ножкой и вытащил уже из своей корзинки большой кусок сыра.

— Она права, Мишель, — сказал он, прожевывая курятину. — Дениз никогда не простит тебе первой роли в новом балете. Жди от нее пакостей. И ни на минуту не забывай об этом! Впрочем, да ну ее! Одно воспоминание об этой твари отбивает у меня аппетит. Давайте лучше поговорим о чем-нибудь приятном. Например, о твоем шотландце, Мишель. Он действительно очень мил! И выглядит вполне джентльменом.

Мишель почувствовала, что щеки у нее зарделись ярким румянцем. Она потупила взор и, как бы оправдываясь, сказала:

— Он просто мой старый друг. Мы встретились на корабле, когда плыли во Францию.

Мулат лукаво улыбнулся:

— Можешь говорить что угодно, но мы с Мари видели вас вдвоем. И одного взгляда на его лицо было достаточно, чтобы понять, какие чувства этот лорд питает к тебе. А как ты сама смотрела на него! Честно говоря, дружбой там и не пахло! Признайся лучше, что увлечена этим Яном!

Мишель засуетилась, нервно перебирая что-то в корзинке для провизии:

— Если вы сию же секунду не перестанете, то не получите больше ни кусочка! — воскликнула она. — А кроме того, как я могу доверять мнению тех, кто уверял, будто любовница французского короля — писаная красавица!

— Я никогда этого не говорил! — закричал Кафе о Лэ. — Мне бы и в голову не пришло петь подобные дифирамбы женщине, похожей на свинью! — Он бросил взгляд на Мишель и, заметив ее насмешливую улыбку, сам расхохотался: — Ах, наша простушка, невинный младенец Мишель! Ты, оказывается, сама можешь сделать дурачка из кого угодно! Как же тонко сумела перевести разговор на другую тему! Мы сами не заметили, как совсем забыли про твоего шотландца!

Все снова рассмеялись и принялись опустошать корзинку Мишель. На какое-то время о Маклевене действительно все забыли. Даже Мишель. Ей самой хотелось хоть немного отдохнуть от мыслей о Яне. С тех пор как они вернулись из Фонтенбло, он просто не выходил у нее из головы.

Маклевен тоже не терял времени даром. Конечно, в первые же дни по приезде в столицу он нанес визит Мишель в доме мадам Дюбуа. Затем они несколько раз ужинали в фешенебельных ресторанах. В последние дни побывали в лучших парижских театрах.

Мишель чувствовала, что с каждой встречей ее чувства к Яну становятся все глубже. Это не только радовало ее, но и заставляло задуматься, ибо начинало отвлекать от занятий.

А тем временем Арно Димпьер готовил к зимнему сезону новый балет, в котором было несколько очень ответственных ролей. Естественно, это вызвало огромный ажиотаж среди артистов. Каждый надеялся, что одна из главных партий достанется ему. Мишель, станцевав важную роль в «Красавице и Чудовище», никак не желала после своего успеха возвращаться в кордебалет и тоже рассчитывала на одну из первых партий в новом балете. Но для этого надо было упорно работать. Ведь Димпьер никогда не даст ей желанную роль только за прошлые успехи.

Встречи с Яном продолжались. Он каждый раз рассказывал Мишель о Шотландии, о своем родовом замке и о суровой, но изумительной по красоте природе, особенно весной.

Поначалу Мишель думала, что Маклевен просто скучает по дому, точно так же, как она сама тосковала по Виргинии. Но однажды Ян прямо спросил Мишель, не согласилась бы она весной погостить в замке Маклевенов.

Мишель должна была признаться себе, что эта идея ей очень по сердцу. Она уже давно интересовалась Шотландией. А главное — ее неудержимо влекло к Яну. Но ей не давала покоя мысль: а как же балет? Она уже добилась больших успехов и в ближайшем будущем может претендовать на ведущие партии. Разве не для этого она столько училась, не об этом ли мечтала чуть ли не всю свою жизнь? И сейчас цель была совсем рядом! Уехать в такой момент?!

Мишель долго пыталась убедить Яна отказаться от поездки. Но он продолжал настаивать. Вспоминая Виргинию, где ей самой никогда не приходилось принимать каких-либо важных решений, Мишель горестно вздохнула, не зная, как поступить. Здесь она должна была все решать сама...

— О чем ты так сокрушенно вздыхаешь? — спросила Мари.

Мишель невесело рассмеялась:

— Размышляю о сложности и противоречивости жизни. Ян приглашает меня весной в Шотландию. Мне бы очень хотелось принять его приглашение. Но тогда придется покинуть труппу как минимум на месяц или даже на два. Я не могу себе этого позволить.

— Конечно, тебе придется пропустить некоторое количество уроков, репетиций и спектаклей. Но мне кажется, что Димпьер разрешит тебе на время уехать. Потом ты быстро все восполнишь. И он это отлично знает. Или ты боишься упустить какую-нибудь главную роль?

Мишель сначала покраснела, а затем от всего сердца рассмеялась. Мари взяла подругу за руку:

— Не расстраивайся, Мишель! Мы все тут одним миром мазаны. Ведь балет — это наваждение, неизлечимая болезнь. Однажды заболев ею, мы уже не можем выздороветь. Иногда мне кажется, что нас очаровал какой-то волшебник. Может быть, добрый, а возможно, и злой. Ты помнишь старую сказку о девочке, которой подарили волшебные балетные туфли? Она надела их, стала танцевать и уже не могла остановиться. До тех пор, пока не упала замертво. Так вот, мы все уже надели эти туфли. И не снимем их до своего последнего дня.

— Уж очень мрачно то, что ты говоришь, Мари!

— Любое принуждение всегда мрачно, — отозвался мулат. — В балете мы принуждаем самих себя. Причем помимо собственной воли. Но хватит философствовать! Димпьер вот-вот позовет всех в зал...

Оставшись одна, Мишель задумалась о том, что услышала. Все рассуждения ее друзей были заманчивыми и вместе с тем внушали страх...

Глава 17

Анна стояла под навесом, растерянно оглядываясь по сторонам. На ее глазах были слезы радости. Хлопок вернулся!

Фургоны начали подъезжать незадолго до полудня. Чернокожие возницы разгружали тюки с хлопком и водворяли их на прежнее место под навесом. Все упорно молчали, не отвечая ни на какие вопросы. Как Анна ни пыталась дознаться, кто украл хлопок и кто распорядился его вернуть, успеха она не имела. Лишь под конец разгрузки один из негров, видимо, старший, сказал:

— Не пытайтесь что-либо узнать, мадам. Нам приказано молчать. Если же кто-либо обмолвится хоть словом, мы не получим ни цента за перевозку и разгрузку.

От Кортни не было никаких вестей. Но Анна не сомневалась, что хлопок возвращен его усилиями.

И еще раз возблагодарила Бога за то, что в ее жизни появился Кортни Уэйн.

Она тут же послала Джона в Уильямсберг известить скупщиков хлопка о том, что аукцион состоится в назначенный день. Когда тот уехал, Анна вновь подошла к навесу и вдруг увидела стоявшего там... Натаниэля Биллса. От негодования у нее перехватило дыхание.

— Что вы тут делаете? — процедила она сквозь зубы.

— Я приехал получить деньги за работу на вашей плантации, — холодно ответил Биллс.

— Деньги? Вы украли у меня хлопок и еще имеете наглость требовать денег?

— Я не крал вашего хлопка. Во всяком случае, у вас нет никаких доказательств.

— Тогда почему вы ночью тайком сбежали?

— Все это выдумки. А вы мне должны. Уговор был, что я получу расчет сразу же после уборки урожая. Хлопок убран. Что с ним случилось потом, меня не касается.

— У меня нет никаких обязательств перед вами, мистер Биллс, после того что вы сделали. Пусть вам заплатит Жюль Дейд.

— Он отказал мне. Все эти месяцы я работал у вас на плантации. И должен получить за свой труд в том или ином виде.

— Если вы сейчас же не уберетесь отсюда, я позову слуг и они вышвырнут вас вон! — повысила голос Анна, теряя терпение.

— Кого вы собираетесь позвать, мадам? Ваших верзил чернокожих? Так они боятся меня как огня и пальцем не тронут.

— Увидим!

Анна сделала шаг вперед, но Биллс схватил ее за руку и рванул на себя.

— О нет! Вы заплатите мне! Если я не получу денег, то вам придется расплатиться еще кое-чем!

Анна попыталась вырваться, но не смогла.

— Что вы имеете в виду? — прошептала она, задыхаясь от ярости.

— Помните наш разговор у вас в кабинете? Конечно, это не покроет всего вашего долга мне. Но я согласен и на такое возмещение!

— Вы не посмеете! Кругом люди. И стоит мне закричать, как...

Она кляла себя за то, что послала Джона в Уильямсберг. Будь он здесь, этот мерзавец никогда бы не позволил себе ничего подобного.

— Кричите, — усмехнулся Биллс, поднимая хлыст. — Сейчас я заставлю вас ползать передо мной на коленях. А этот хлыст бьет очень больно. И вы посчитаете за счастье отдаться мне!

Анна бешено сопротивлялась. Но Биллс изо всей силы ударил ее хлыстом. На шее у Анны вздулся кровавый след. От страшной боли она вскрикнула. Второй удар хлыста заставил Анну упасть на колени.

— Ниже, мадам, — издевательски прошипел Биллс. — Мне давно хотелось заставить вас пресмыкаться передо мной! Спесивая сука!

На этот раз удар пришелся по спине. Тонкая одежда не смогла смягчить его. И кровавая полоса выступила уже на ткани.

— Скажите, что согласны, и я перестану вас хлестать. Мы пойдем в ваш кабинет, на тот самый диван, где вы обычно занимаетесь любовью со своим хлыщом из Уильямсберга. Думаете, я не знаю, что именно там ваше гнездышко?

Ярость заставила Анну забыть о боли. Она подняла голову и с нескрываемым презрением бросила в лицо своему мучителю:

— Вы грязное, мерзкое животное! И получите за все сполна... Так что будете помнить до могилы!

— Ах, вам мало? Ну что же, получите еще!

И он снова поднял хлыст. Но суровый голос за спиной заставил Биллса окаменеть:

— Еще один удар, Биллс, и вы без промедления отправитесь на тот свет.

Несколько секунд Натаниэль стоял с высоко поднятым хлыстом. Потом медленно повернул голову к говорившему. Анна воспользовалась этим и вскочила на ноги. Кортни Уэйн стоял в двух шагах от Биллса, наставив пистолет на него.

— Корт, дорогой! — воскликнула Анна, бросаясь к нему.

— Отойди, Анна, — остановил ее Кортни, продолжая держать на мушке Натаниэля.

Биллс медленно опустил хлыст и, презрительно скривив губы, проговорил:

— А, хлыщ госпожи Вернер из Уильямсберга!

— Здесь вам нечего делать, Биллс, убирайтесь! Откровенно говоря, я мог бы сразу же пристрелить вас за все пакости и мерзости, причиненные Анне.

Натаниэль сунул руку в карман куртки и, с ненавистью глядя на Уэйна, сказал:

— У меня нет оружия! Вы не посмеете стрелять в безоружного!

— За все, что вы натворили, я без колебания пустил бы вам пулю в лоб. Но если вы немедленно покинете поместье, я не стану препятствовать. Хотя, возможно, потом пожалею об этом.

— Я требую денег за свою работу! — ответил Натаниэль, не двигаясь с места.

— Здесь вам ничего не выгорит. Идите к Дейду. Он, возможно, вам заплатит за услугу.

— Он отказался это сделать.

— Так же поступит и Анна. И я буду на ее стороне. Вы не только украли хлопок, но и посмели избить ее хлыстом и после всего этого имеете наглость требовать оплаты за труд? Не испытывайте больше моего терпения и убирайтесь отсюда. — Уэйн, прищурив левый глаз, прицелился прямо в грудь Биллса. — Я никогда не стал бы стрелять в безоружного человека, будь он джентльменом. В вас же нет ни капли не только благородства, но даже простой честности. Повторяю: уходите! Иначе я не отвечаю за последствия.

Натаниэль вздрогнул, бросил на Анну полный звериной ненависти взгляд и, круто повернувшись на каблуках, вышел из-под навеса. Кортни подождал, пока он сел на лошадь и, пустив ее в галоп, скрылся за деревьями. Только после этого Уэйн опустил пистолет.

Анна вновь почувствовала острую боль от ран, нанесенных хлыстом. Кортни осторожно дотронулся до ее спины. Анна негромко вскрикнула.

— Сукин сын! — проворчал он. — Надо было пристрелить его! Пойдемте в дом, Анна. Надо осмотреть ваши раны, промыть их и перевязать.

Он на руках перенес Анну в дом и предоставил заботам слуг, подробно объяснив, что надо делать.

— Я буду ждать в гостиной, — сказал он Анне, — за рюмочкой коньяка.

Слуги сняли с Анны одежду, тщательно промыли раны и приготовили горячую ванну. Потом смазали больные места целебными снадобьями и перевязали.

Через час с небольшим Анна появилась в гостиной.

— Вам лучше? — спросил Кортни, поднимаясь ей навстречу.

— Во всяком случае, раны уже почти не болят. Но не дает покоя уязвленное самолюбие.

Она взяла из рук Кортни бокал с красным вином и, отпив пару глотков, нежно посмотрела ему в глаза:

— Просто не знаю, как вас благодарить, дорогой! Вы не только спасли меня от этого зверя, но даже сумели вернуть хлопок. Кстати, я уверена, что эта кража — дело рук Жюля Дейда.

— Нет никакого сомнения. Я пригрозил ему и велел вернуть тюки сегодня к полудню. Как видите, хлопок на месте. Значит, он замыслил это грязное дело и вовлек в него вашего надсмотрщика Натаниэля Биллса.

— Скажите, Корт, почему Дейд испугался ваших угроз? Очевидно, у него есть причины бояться вас?

— Не расспрашивайте меня ни о чем, Анна. Это очень неприятная история. Честное слово, вам совершенно незачем ее знать. Очень жаль, что этот мерзавец причинил вам боль. В какой-то степени и я виноват в происшедшем, поскольку чувствовал, что это мерзкий тип. Надо было уже давно его уволить.

— Корт, милый! Виновата во всем только я. Вы же предупреждали меня. Но присущее мне упрямство не позволило с вами согласиться. Вот я и поплатилась! Давайте не будем больше об этом говорить.

Анна обняла Уэйна за шею и прильнула к его губам. Кортни на мгновение отстранился и прошептал:

— Дорогая, но у вас изранена спина...

— Не имеет значения, — также шепотом ответила Анна, приложив палец к его губам. — Я вас люблю, люблю... — Она все теснее прижималась к нему.

— Но как же слуги, что они о нас подумают?

— Вы думаете, что они ни о чем не догадываются?! Я просто старалась делать вид, что наши отношения — тайна. А сейчас я хочу поскорее выздороветь. Лучше всего для этого лечь в постель. О больных же принято заботиться. Вот и проявите заботу обо мне...

В объятиях Уэйна Анна действительно очень скоро забыла и о ранах, и о муках уязвленного самолюбия, и о пропаже и возвращении хлопка...

Натаниэль Биллс, не щадя своей серой кобылы, поскакал в Уильямсберг. Когда же бока лошади покрылись пеной, он понял, что она может пасть, и чуть сбавил темп. Ведь несчастное животное оказалось единственным, что у него осталось.

Еще накануне Натаниэль приехал к Дейду, чтобы получить свою долю выручки за украденный хлопок. Однако тот не заплатил ему ни цента, а хлопок велел вернуть Анне.

— Уж не рехнулись ли вы, мистер Дейд! — вскричал Биллс, не веря своим ушам.

— Повторяю, извольте завтра к полудню вернуть в Малверн весь хлопок.

— Извините, Дейд! Но я украл его для вас. А теперь вы же приказываете вернуть хлопок и при этом не собираетесь даже заплатить за труды!

— Я тоже на этом не нажил барышей, Биллс. Почему же вы требуете свою долю? Ведь если нет выручки, не может быть и доли!

Натаниэль принялся быстро ходить из угла в угол по комнате, как всегда, стегая себя хлыстом по сапогу.

— Надеясь на вас, Дейд, я уехал из Малверна, даже не попросив у хозяйки платы за работу. Вы же мне платить отказываетесь. Что прикажете делать?

Дейд развел руками:

— Откуда мне знать? Это ваши заботы. Попробуйте завтра, когда хлопок уже будет на месте, вернуться в Малверн. Может быть, эта стерва вам что-нибудь и заплатит.

— С куда большим удовольствием она передала бы меня полиции! Но вы еще не сказали мне, почему решили вернуть хлопок. Ведь он был надежно спрятан. Что случилось?

— Мне ничего другого не остается. Уж не думаете ли вы, что я возвращаю хлопок по собственной воле?

— Но почему?! Вы должны по меньшей мере дать мне объяснения!

— Я вам ничего не должен. Вы требуете объяснений? Извините, но это мое личное дело. Вас оно никак не касается!

— Черт побери, я хочу получить свои деньги! И не остановлюсь ни перед чем!

Он наклонился через стол к Дейду и, держа в одной руке хлыст, попытался схватить того за шею. Но ростовщик резким движением отпрянул от стола и, мгновенно открыв верхний ящик, выхватил оттуда пистолет.

— Назад, Биллс! Или я продырявлю тебе башку! Убирайся отсюда! И чтобы твоей ноги больше не было в моем доме! Иначе я убью тебя без малейших угрызений совести.

Натаниэль отступил на шаг, затем повернулся и, хлопнув дверью, выскочил на улицу...

...Привязав лошадь к дереву у дороги, Биллс несколько раз глубоко вздохнул, стараясь дать волю ярости. Дейд обманул его и выгнал из дома. Анна Вернер не заплатила ни цента. Впрочем, от нее он мог бы хоть чего-нибудь добиться, не свались как снег на голову этот Кортни Уэйн.

Воспоминание об Уэйне заставило Биллса выпрямиться в седле и сжать кулаки. У него в голове вдруг мелькнула догадка, что именно Кортни Уэйн заставил Дейда вернуть украденный хлопок. Несомненно, так оно и было! Недаром же Дейд так ненавидит этого уильямсбергского хлыща, любовника Анны Вернер. И боится его. А что Анна подозревала ростовщика в краже, ясно из ее собственных слов. Конечно, Уэйн тут же бросился к Дейду, сумел запугать его и заставил вернуть тюки с хлопком! Вот оно что! Он же, Натаниэль Биллс, по милости этого щеголя не только остался без гроша, но и подвергся невиданному унижению!

Нет, он этого так не оставит. Кортни Уэйн жизнью поплатится за все! Он никогда не оставался на ночь в Малверне, а потому сегодня же должен вернуться в Уильямсберг. И проедет как раз по этой дороге...

Место, которое выбрал Биллс, идеально подходило для засады. По обочинам сужавшейся здесь дороги росли густые кусты и развесистые высокие деревья. Их ветви сплелись над дорогой, образовав темный тоннель. Здесь было где притаиться и откуда совершить нападение.

Ничего, пусть ему не удалось получить деньги, зато своего врага он сегодня отправит на тот свет. И тем самым отомстит и Анне. А после этого его ищи-свищи. Пока хватятся убийцу, Натаниэль Биллс будет уже далеко от этих мест!

Биллс еще раз осмотрел дорогу. Прямо с этого места она круто шла в гору. Значит, экипаж Уэйна неминуемо замедлит здесь скорость. А серая лошадь Натаниэля, привязанная к дереву, почти не видна с дороги. Сам же он спрячется в кустах и станет ждать...

Однако ждать пришлось долго. Уже совсем стемнело, и дорога погрузилась в почти полную тьму. Наконец издали донесся стук колес. Натаниэль высунул из-за ветвей голову и посмотрел в ту сторону. Прошло еще несколько минут, прежде чем он окончательно убедился, что к засаде подъезжает действительно коляска Кортни Уэйна.

Как Биллс и предвидел, при подъеме она замедлила скорость. Лошади с трудом тащили тяжелую коляску, несмотря на щелканье бича и понукания кучера.

Натаниэль дождался, пока лошади не поравнялись с ним, выхватил пистолет и, вспрыгнув на козлы, ударил кучера рукояткой по голове. Тот вскрикнул и упал на дорогу. Биллс тут же спрыгнул с козел, схватился за ручку дверцы и открыл ее.

— Итак, мистер Уэйн, выходите! — торжествующе крикнул он. — Теперь уже у меня в руке пистолет!

Однако в ответ изнутри не донеслось ни звука.

— Выходите, я сказал! — еще громче крикнул Натаниэль. — Нечего прятаться, подобно трусливому зайцу! Я все равно сейчас убью вас. Так посмотрите в глаза судьбе, как подобает мужчине!

Поскольку ответа снова не последовало, Биллс осторожно просунул голову в дверцу и... И остался стоять с открытым ртом. В коляске никого не было...

Кортни слегка задремал, когда услышал крик кучера и звук упавшего на дорогу тела. Всю его сонливость как рукой сняло. Почувствовав неладное, он выхватил из кобуры пистолет и посмотрел в окно. В просвете между деревьями он увидел лошадь, в которой тотчас же узнал серую кобылу Натаниэля. Кортни все стало ясно. Он тихонько открыл дверцу с задней стороны и выскочил на дорогу. Это произошло за какую-то секунду до того, как Биллс открыл переднюю дверцу. Уэйн осторожно, пригибаясь, обошел экипаж и увидел спину наклонившегося к открытой дверце Натаниэля Биллса. Кортни подумал о том, что должен был предвидеть подобную ситуацию и подготовиться к ней. Этот человек непременно должен был подкарауливать его на дороге!

Тем временем Биллс уже начал громким криком вызывать Кортни из экипажа. Уэйн для верности взялся за пистолет двумя руками и прицелился в спину Натаниэля. Стоило только нажать на спуск, и Биллс был бы мертв. Но Кортни никак не мог заставить себя это сделать.

— Эй, Биллс! — крикнул он. — Я здесь!

Натаниэль издал какое-то звериное рычание и резко обернулся, тоже с пистолетом в руках. Но прежде чем он успел прицелиться, Кортни выстрелил. Биллс все-таки успел нажать на спусковой крючок. Пуля просвистела над головой Уэйна, не причинив ему никакого вреда. Биллс же зашатался и упал на дорогу. Кортни бросился к нему и понял, что все кончено. Пуля пробила сердце Натаниэля. Он лежал на спине с открытыми глазами. Пистолет валялся рядом.

Кортни огляделся по сторонам и увидел своего кучера, пытавшегося подняться с земли. Подбежав к нему, Уэйн помог ему встать на ноги. Вся голова несчастного была в крови.

— Ты жив, Льюкас? — спросил Кортни, поддерживая кучера за плечи.

— Вроде бы жив, сэр, — отозвался тот.

Кортни осмотрел его рану.

— Ничего страшного. Просто рассечена кожа. Несколько дней поболит, а потом все пройдет.

— Кто это был? — спросил Льюкас, указывая на лежавшего у кареты Натаниэля.

— Так, бандит с большой дороги. Кто же еще? Во всяком случае, так мы скажем констеблю в Уильямсберге. А теперь давай перенесем его в экипаж. Оставлять тело на дороге не годится. Хотя этот тип и стоит того. Извини, но тебе придется сесть рядом с ним. Я же буду править лошадьми.

Хлопковый аукцион Анны прошел очень успешно. На вырученные деньги она смогла бы не только погасить все долги Дейду и Корту, но и безбедно прожить до следующего урожая. Анна, некоторое время поколебавшись, в конце концов решила все же послать Джона вернуть заем Дейду. Конечно, ей очень хотелось бы увидеть разочарованную физиономию ростовщика в момент возврата долга. Но она опасалась, что не сдержится и наговорит лишнего.

В тот же день она ждала в Малверне Уэйна. Но перед его приездом почтальон из Уильямсберга передал Анне письмо на ее имя. Анна повертела в руках конверт без обратного адреса и вскрыла его. Прочитав несколько строк, она едва не потеряла сознания. Письмо гласило:

«Госпожа Вернер! Дабы оградить вас и ваше будущее благополучие от опасности, я считаю своим долгом предостеречь вас в отношении некоего Кортни Уэйна, с которым вы поддерживаете близкое знакомство. Остерегайтесь этого человека, мадам! Он далеко не таков, каким кажется, это подлый и грязный бандит и разбойник.

Этот человек тщится доказать, что он честный гражданин, но на самом деле он был членом бандитской шайки пирата Эдварда Тича, известного как Черная Борода. Он не только участвовал в нападениях на безоружные рыболовные и пассажирские суда, но и грабил мирных жителей на всем атлантическом побережье, в том числе и близ Уильямсберга.

Известно также, милостивая госпожа, что человек, скрывающийся под фамилией Уэйн, на самом деле низкий и подлый убийца. Он подстерег вашего мужа Майкла Вернера на дороге в Уильямсберг и застрелил его.

Ваш преданный друг и доброжелатель».

Первым побуждением Анны было сжечь это письмо, даже не показывая Кортни. Но она вспомнила множество слухов, ходивших об Уэйне и особенно — о его прошлом. Вновь она подумала и о том, что Кортни упорно избегал любых вопросов о том, чем он занимался до приезда в Уильямсберг. Этого, кстати, не знал никто. Было только известно, что Кортни Уэйн сказочно богат. Но происхождение этого богатства для всех оставалось тайной. Ходили слухи о его участии в пиратских набегах шайки Черной Бороды.

Все эти сплетни и разговоры ходили уже очень давно, задолго до личного знакомства Анны с Кортни. И она не придавала им большого значения. Однако после своей первой, почти скандальной встречи с Уэйном Анна начала к ним прислушиваться. Но вот они ближе узнали друг друга, стали любовниками. Поэтому россказни о прошлом Кортни она воспринимала как бессовестные враки.

Теперь же, после истории с хлопком, Анна вновь задумалась над покрытой мраком таинственности биографией Кортни Уэйна. Вспоминая их разговоры, она вновь и вновь убеждалась в том, что Кортни упорно уходил от ответа на любой вопрос о его прошлом. А сейчас ко всем недомолвкам прибавилась и еще одна загадка. Каким образом Кортни удалось заставить Дейда вернуть хлопок?

Анна вспомнила и о том, что покойный муж много лет назад рассказал ей о своем пребывании на пиратском корабле «Эдвенчур», которым командовал Черная Борода. Майкл затесался в шайку по приказу губернатора. Именно благодаря ему пираты были обнаружены и после кровавого боя закованы в цепи. Майкл рассказывал о том, как бандиты Черной Бороды грабили прибрежные поселки, убивали людей, насиловали женщин. Уже тогда Анна люто возненавидела эту шайку, как и вообще пиратов. Так неужели же Кортни тоже был среди преступников? И все, что о нем говорят, правда?!

Она еще раз перечитала письмо. Анну больше всего поразило обвинение Кортни Уэйна в убийстве ее покойного мужа. Нет, она не могла этому поверить!

Анна бессильно опустилась в кресло у камина...

Она все еще сидела с письмом в руках, задумчиво глядя в окно, когда раздался стук колес и к подъезду подкатил экипаж Уэйна. Анну очень удивило, что на этот раз Кортни сам правил лошадьми. Она встала и пошла ему навстречу.

— Почему вы без кучера, Корт? — спросила она Уэйна, едва тот появился в холле.

— Позавчера по пути в Уильямсберг со мной случился небольшой... инцидент.

— Что стряслось? — быстро и довольно резко спросила Анна.

Кортни недоуменно пожал плечами и, чуть помедлив, ответил:

— Мы встретили Натаниэля Биллса, который ударил моего кучера Льюкаса по голове, а затем попытался застрелить меня. Льюкас поправляется, но я велел ему провести несколько дней в постели.

— А что с Натаниэлем?

— Он мертв. Биллс поджидал меня на дороге, и не выстрели я первым, то был бы уже на том свете. Констеблю в Уильямсберге я сообщил, что этот тип пытался меня ограбить, за что и получил по заслугам. Прошу вас в любых разговорах тоже придерживаться этой версии. Так будет лучше.

И прежде чем сказать что-либо еще, он сделал шаг к Анне с намерением заключить ее в объятия. Но она мягко уклонилась и подала ему письмо:

— Это пришло сегодня.

Уэйн удивленно посмотрел на Анну и неохотно взял письмо. По мере того как он читал, лицо его мрачнело, а челюсти сжимались. Дочитав до конца, Кортни поднял голову, бросил на Анну ледяной взгляд и, помахав бумажкой перед ее лицом, неприязненно спросил:

— Вы хотите знать мое мнение?

— Просто скажите, что все это ложь. Большего я не требую.

— Но все-таки хотите услышать мой ответ.

— Да, Кортни, хочу! И считаю, что имею на это право.

— При наших отношениях, мне кажется, вы могли бы, не расспрашивая меня ни о чем, выкинуть эту писанину в камин независимо от ее содержания.

— Могла бы. Но почему вы не отвечаете на мой вопрос?

— Потому что вы не имеете права его задавать!

— Имею. Я ничего не знаю о вашем прошлом. И вы никогда еще не отвечали на мои вопросы.

— Мое прошлое не имеет никакого значения для наших отношений, Анна! Я же не устраиваю вам подобных допросов.

— Потому что я сама все рассказала. Или почти все. Вам, по сути дела, не о чем спрашивать.

— Анна, прошу вас, не требуйте от меня этого!

— Я хочу знать, состояли ли вы в шайке Черной Бороды.

— А если я отвечу «да»?

— Корт! Губернатор заслал туда лазутчика. Им оказался мой покойный муж Майкл. И он рассказывал мне о страшных преступлениях, которые творили эти люди. Жизнь самого Майкла висела на волоске. Но это еще не все. В письме говорится о том, что именно вы застрелили мужа по дороге из Уильямсберга в Малверн.

— Вы в это верите?

— Я не хочу верить. И, по правде говоря, просто не знаю, чему верить! Но одно твердо знаю: я не смогу любить бандита из пиратской шайки, да к тому же убийцу своего мужа!

— Тогда говорить нам больше не о чем. Вы очень разочаровали меня, Анна!

Не говоря больше ни слова, Уэйн повернулся и направился к экипажу. Анна осталась стоять неподвижно, не веря, что Кортни может вот так, ничего не сказав, уехать. Когда же он поднялся на облучок и взял в руки вожжи, она не выдержала.

— Корт! Корт! — не помня себя от отчаяния, закричала Анна. — Не уезжайте! Умоляю вас!

Но лошади уже тронули, и экипаж покатился по аллее. Анна бросилась было следом, но гордость заставила ее остановиться.

— Будь же ты проклят, Кортни Уэйн! — прошептала она.

Однако Анна понимала, что не права. Если ей надо было непременно узнать у Кортни правду, то действовать следовало дипломатичнее и мягче, не задевая его самолюбия. Но все же, разве она не вправе знать все о человеке, которого любит?..

В последующие три дня Анна ждала вестей от Уэйна, но так и не дождалась. На четвертый она велела Джону заложить коляску и поехала в Уильямсберг.

Подъезжая к дому Кортни, Анна поразилась его сиротливому, покинутому виду. Ее сердце сжалось от недоброго предчувствия. Как только экипаж остановился у парадного входа, она спрыгнула на землю и, легко взбежав по ступенькам, постучала. Дверь тут же открылась, и на пороге показалась очень худая женщина среднего возраста.

— Слушаю вас, мадам, — сказала она, недоверчиво глядя на Анну.

— Мне нужно видеть мистера Кортни Уэйна.

— Его нет, — односложно ответила женщина и попыталась было закрыть дверь.

— Я подожду, — решительно ответила Анна, придержав дверь. — Когда он вернется?

— Тогда вам придется очень долго ждать, мадам. Мистер Уэйн сказал, что уезжает надолго.

— Уезжает?

— Вернее, уже уехал.

— Когда и куда?!

— Уехал вчера вечером. А куда — мне неизвестно. Он срочно нанял меня для того, чтобы упаковать вещи и сложить их в кладовой. А одежду велел зачехлить и убрать в шкафы.

— Вы даже не спросили, куда он едет?

— Спросила. Но мистер Уэйн ответил, что не скажет. Поскольку ни одна душа не должна этого знать. Только прибавил, что уезжает надолго.

— Но может быть, он оставил письмо или записку для меня? Я — Анна Вернер.

Увядшее лицо женщины расплылось в улыбке:

— О да, миссис Вернер! Для вас оставлено письмо. Минуточку, я сейчас принесу.

Она исчезла за дверью и через минуту появилась снова, держа в руках белый конверт.

— Вот, — односложно сказала странная обитательница дома Уэйна, передавая письмо Анне, и плотно закрыла дверь прямо перед ее носом. Анна не обратила никакого внимания на столь незаслуженное хамство по отношению к своей особе. Ей было не до того...

Дрожащими руками она вскрыла конверт, надеясь найти письмо от Кортни с объяснением причин его внезапного отъезда. Но внутри оказалась только небольшая, вдвое сложенная бумажка. Развернув ее, Анна увидела вексель Майкла с распиской Кортни: «Получено сполна». Расписка была датирована вчерашним днем.

В глазах у Анны поплыли темные круги. Руки бессильно упали, выронив вексель. Никогда еще она не чувствовала себя такой покинутой и несчастной. С момента смерти Майкла... Но если тогда предотвратить гибель мужа она была не в силах, то теперь разрушила свое счастье собственными руками.

Постояв несколько минут у запертой двери, Анна подняла вексель и медленно побрела к экипажу. На вопросительный взгляд Джона она ответила шепотом:

— Он уехал, Джон. Кортни Уэйн уехал...

Джон грустно кивнул головой:

— Да, госпожа.

— Ты об этом знал?

— Да, госпожа.

— Откуда?

— Я случайно подслушал разговор слуг. Они говорили, что мистер Уэйн уехал в... — Джон встрепенулся и быстро добавил: — Но я уверен, что он обязательно вернется!

Но Анна знала, что Кортни уехал навсегда. Подумав несколько мгновений, она сказала Джону:

— Вези меня к дому Жюля Дейда.

Джон вздрогнул и с сомнением посмотрел на хозяйку:

— Нет, госпожа! Не надо туда ездить! Это очень плохой белый человек, да будет мне позволено так сказать! Ведь у вас с ним больше нет дел.

— Не совсем так. Вези меня туда, Джон. И не спорь...

...Через полчаса Анна уже стучалась в дверь Жюля Дейда. Джон стоял около экипажа, скрестив руки на груди, и смотрел на свою хозяйку с явным неодобрением. Он хотел сопровождать ее, но Анна категорически запретила это делать.

Дверь приоткрылась, и из-за нее выглянуло столь ненавистное Анне лицо. Дейд сначала удивленно нахмурился, но тут же изобразил некое подобие улыбки:

— Миссис Вернер! Какой приятный сюрприз! А я-то думал, что все наши дела благополучно завершились!

— Не совсем так, сударь, — повторила Анна слова, только что сказанные Джону.

Дейд неуклюже поклонился и широко открыл дверь:

— Прошу в мое скромное, убогое жилище.

Дейд провел Анну в комнату, продолжая улыбаться. Ей показалось, что он чем-то доволен. Но, разумеется, не ее же приходом! Еще раз взглянув на удовлетворенную улыбку Дейда, она отбросила всякие сомнения: именно он написал грязное письмо, порочащее Уэйна!

— Чем обязан столь приятному посещению? — пытаясь быть любезным, спросил Дейд.

— Мы могли бы пройти к вам в кабинет, сударь?

— Конечно, мадам, прошу вас!

Дейд еще раз деланно поклонился и проводил Анну в кабинет. Она незаметно открыла свой ридикюль и вынула из него анонимное письмо. Сейчас Анна была рада, что не сожгла его.

Войдя в кабинет, она прямо направилась к конторке Дейда, где лежали какие-то бумаги, написанные явно его рукой. Анна бросила внимательный взгляд на один из счетов и тут же — на письмо, которое держала в руках. Почерк был одинаков.

Тем временем Дейд опустился на стул и выжидающе посмотрел на гостью:

— Итак, чем могу быть полезен, мадам?

— Кто, по-вашему, это написал? — сказала Анна, показывая подметное письмо.

Дейд взял его, быстро просмотрел и усмехнулся:

— Наконец-то правда об этом Кортни Уэйне вышла на свет.

— Отвечайте на мой вопрос, сэр. Это написали вы?

— Конечно, нет! Зачем бы я стал заниматься подобным творчеством?

Он бросил письмо на стол. Анна тут же подняла его и сличила с одной из написанных рукой Дейда бумаг.

— Тогда, может быть, вы объясните, почему почерк на этой бумаге с вашей подписью совпадает в подробностях с тем, которым было написано письмо? Правда, вы его не подписали. Но причины подобной забывчивости более чем понятны!

Лицо Дейда стало багровым. На лбу выступили капельки пота. Но в следующую минуту он уже наклонился над конторкой и злобно зашипел:

— Допустим, что письмо написал я. Что же в этом преступного? Никому не возбраняется писать письма. Особенно, если каждое слово в них — чистая правда!

— Почему вы в этом уверены?

— Потому что у меня есть надежные свидетели.

— Знать о том, что Кортни Уэйн состоял в пиратской шайке Черной Бороды, мог только тот, кто сам был ее членом. В данном случае это вы, Дейд! Кортни же никогда не был замешан в мерзких и кровавых делах. Сейчас я это знаю наверняка. В своем гнусном письме вы пытались свалить на Уэйна ответственность за те преступления, в которых виновны сами. И если это действительно так, в чем я больше не сомневаюсь, так это вы убили моего мужа Майкла Вернера. Он был опасен для вас, Дейд, потому что следил за Черной Бородой по приказу губернатора и знал в лицо каждого бандита из шайки!

Дейд вскочил и захрипел прямо в лицо Анне:

— Вы совершили безумство, явившись сюда с подобными обвинениями!

— Вы убили Майкла! — воскликнула Анна. — Я в этом уверена!

Дейд молчал и смотрел на нее полными ненависти и звериной жестокости глазами. Анна повернулась и не оглядываясь пошла к двери. За ее спиной раздался топот ног Дейда, выбежавшего из-за конторки. Анна только теперь поняла, что напрасно не вняла предостережениям Джона. Ей нельзя было одной входить в этот дом!

Дейд догнал ее:

— Вы не можете этого доказать!

— Я найду доказательства. А если даже не найду, то ославлю вас на всю округу как бандита, пирата и убийцу. Вам придется бежать отсюда!

Дейд бросился на Анну и схватил ее сзади за шею в тот момент, когда она уже взялась за дверную ручку. Запрокинув ей голову, он принялся душить женщину с силой, какой от него было трудно ожидать.

— Да, я убил вашего проклятого мужа! Он пришел ко мне просить денег взаймы, но Уэйн не дал нам заключить сделку. Кортни настроил Майкла против меня и сам ссудил ему деньги. Большие деньги! Кортни Уэйн! Я ненавижу его! Он много лет охотился за мной. Преследовал, разрушая все мои планы. Тогда я подстерег вашего мужа на дороге и попытался заставить аннулировать договор с Уэйном. Он не соглашался. Даже стал грозить, что разоблачит меня как пирата из шайки Тича, ведь он был там лазутчиком губернатора. Майкл, конечно, узнал меня! И тогда я его убил из пистолета. Люди, подобные вашему супругу, постоянно становились на моем пути. А я хотел добиться солидного положения, забыть о прошлом. Хотел, чтобы меня уважали окружающие. Для этого я стремился завладеть Малверном. И это поместье будет моим! Но если даже мои надежды не сбудутся, то и Анне Вернер не видать более своей плантации. Ибо живой вы отсюда не выйдете!

Перед глазами Анны кружились черные точки. В легких не хватало воздуха. Она чувствовала, что вот-вот потеряет сознание. Из последних сил она высвободила руку и локтем ударила своего палача в солнечное сплетение. Удар был не очень сильным, но достаточным для того, чтобы рука Дейда, сдавившая горло Анны, ослабела, а сам он согнулся от боли.

Анна успела глубоко вдохнуть и закричала что было мочи. Дейд громко выругался и снова схватил женщину за горло. Но тут раздался страшный удар в дверь, и, разбитая вдребезги, она упала в комнату. На пороге выросла могучая фигура Джона.

— Назад, черная скотина! — завизжал Дейд. — Если ты тронешь меня хоть пальцем, тебя засекут плетьми!

Джон, не обращая внимания на угрозы Дейда, одним прыжком очутился рядом с ним и заломил левую руку бандита за спину. Тот взвыл от боли и отпустил Анну, которая тут же вскочила на ноги и отступила к конторке. Джон же, не давая Дейду опомниться, схватил его своими могучими руками за горло, приподнял над полом и начал душить. Тот издал какой-то хлюпающий звук. Глаза вылезли у него из орбит. Тело конвульсивно задергалось.

Анна поняла, что еще мгновение — и Дейда не станет.

— Нет, нет! — закричала она, — Джон, не делайте этого!

— Это злодей и мерзавец! — воскликнул Джон, продолжая сжимать горло Дейда. — Он продавал моих братьев в рабство. Дьяволу место в аду!

— Ты прав, Джон. Он это заслужил. Но в ад его отправят и без вас. Поймите, чернокожего, поднявшего руку на белого, ждет ужасное наказание. Этот мерзавец получит свое сполна. Он уже признался, что убил моего Майкла. И очень скоро закачается на виселице. Я вам это обещаю!

Глава 18

Зима принесла в Париж холодные ветры и снег с дождем. Несмотря на постоянно поддерживаемый огонь в большом камине репетиционного зала, там было холодно. Танцевать приходилось в шерстяных трико и фуфайках. Глядя со стороны, можно было подумать, что здесь занимаются дрессировкой бурых медведей для выступлений в цирке.

Димпьер объявил название нового балета — «Три сестры». Музыку для него написал молодой итальянец Джованни Бартоло, которого Димпьер открыл еще год назад. Автором сюжета был сам Димпьер, заимствовавший основную идею из знаменитой сказки Шарля Перро о Золушке и ее жестокосердных сестрах. Правда, действие он перенес в волшебный лес, младшую сестру звали Виолеттой, а две старшие носили имена Лили и Роза. Среди действующих лиц был и старший брат, которому две его злые сестры постоянно наговаривали на Виолетту, называя ее лентяйкой. При этом старались убедить, что лишь они поддерживают в доме порядок. Брат этому верил, что делало жизнь Виолетты совсем несносной. Единственной отрадой для младшей сестры был бедный садовник-горбун, которого ее сестры постоянно обижали. Как и во всех вариантах старинной сказки, на сцене появлялся прекрасный принц, полюбивший девушку за трудолюбие и доброту. Он открыл брату Виолетты глаза на жестокость Лили и Розы, вознамерившихся сжить со света младшую сестру. Объявив, что эти двое недостойны называться сестрами доброй и порядочной Виолетты, он увел ее с собой и сделал принцессой.

Сюжет старой сказки произвел большое впечатление на Мишель. Ей очень захотелось танцевать в новом балете. Причем главную партию. Беда заключалась в том, что того же хотели едва ли не все танцовщицы студии. Но Димпьер не спешил объявлять состав исполнителей, поэтому атмосфера стремительно накалялась.

Дениз самоотверженно работала на всех уроках и репетициях. Мишель не могла не отдать ей должное: танцевала мадемуазель Декок отменно. Ее техника была безукоризненна. И, конечно, Дениз могла претендовать не только на одну из ведущих ролей, но и на главную. Естественно, партию Виолетты хотела танцевать и Сибелла.

При этом у нее было преимущество перед остальными, поскольку она была прима-балериной и пользовалась огромным успехом у публики. Кроме того, по характеру Сибелла очень подходила для роли Виолетты — юной, доброй и самоотверженной девушки. Чего уж никак нельзя было сказать о холодной и своенравной Дениз. Как-то раз в разговоре с Мишель Мари сказала:

— Ты можешь вообразить мадемуазель Дениз Декок воплощающей на сцене символ доброты и порядочности?

Мишель согласилась, что такое невозможно представить. Она была бы рада увидеть в этой роли Сибеллу, которая, несомненно, того заслуживала.

Сама же Мишель с грустью признавалась себе, что шансов получить главную роль в новом балете у нее почти нет. Хотя с отъездом Яна она могла целиком сосредоточиться на совершенствовании своего мастерства. Но все ее мысли были в Шотландии. Перед отъездом Маклевен все же вырвал у нее обещание приехать весной погостить. Но теперь, когда полным ходом шли репетиции нового балета, подобная поездка представлялась Мишель маловероятной.

Ей явно не хватало Яна. Она скучала без его общества, без прикосновений его руки, без восторженных взглядов, которые постоянно ловила на себе. И все чаще и чаще признавалась себе, что мечтает о близости с ним. В такие минуты она от всей души проклинала Димпьера, который пробудил в ней женщину.

Странно, но влечения к самому Димпьеру Мишель больше не испытывала. Она все еще восхищалась им, совершенством его тела, пластичностью движений. Но и только. Их отношения стали чисто дружескими. И это радовало Мишель...

Как-то раз, когда в репетиционном зале было особенно холодно, открылась дверь и вошел Димпьер с композитором Бартоло. Они о чем-то оживленно разговаривали. Присутствовавшие сразу же почувствовали, что сейчас произойдет нечто очень важное. И не ошиблись.

Димпьер знаком попросил всех подойти поближе и торжественно объявил:

— Дамы и господа! У меня для вас приятная новость. Только что я и синьор Бартоло закончили отбор исполнителей на главные роли в балете «Три сестры». Но прежде мне хотелось бы обратиться к тем, кто пока еще не получил первых партий. Конечно, они почувствуют большое разочарование. Возможно, разозлятся на меня. Кому-то наше решение покажется несправедливым. И это понятно. Ибо каждый из вас безгранично верит в свои способности и возможности. Иначе и быть не может.

Подумайте сами: можешь ли ты рассчитывать на важные роли в спектакле, если не уверен в себе? Но все вы занимаетесь в моей студии и выступаете в спектаклях моей балетной труппы. Поэтому только мне и композитору Бартоло, написавшему музыку к балету, дано судить, кого и на какую роль назначить. И если кто-нибудь почувствует себя сегодня обойденным, пусть не расстраивается. Мы поставим еще много новых балетов, в которых каждый из вас сможет попробовать свои силы.

Итак, объявляю исполнителей главных партий в балете «Три сестры». Сибелла, вы будете танцевать Виолетту. Мишель и Дениз исполнят партии двух других сестер. Ролан выступит в роли принца, Луи получает партию брата. А Кафе о Лэ я хотел бы предложить станцевать горбуна садовника.

Последнее было встречено громовым хохотом. Но мулат нимало не смутился. Он окинул всех торжествующим взглядом и гордо произнес:

— С моей великолепной осанкой изобразить горбуна, конечно, будет нелегко. Но для того чтобы в будущем получить главную роль, я готов танцевать кого угодно.

Он вдруг согнулся пополам, вытянул вперед шею, высоко поднял плечи и превратился в настоящего горбуна. Последовал новый взрыв смеха, который тут же сменился аплодисментами. И все же

Мишель заметила на многих лицах глубокое разочарование. Искоса она бросила взгляд на Дениз. По ледяному выражению ее глаз было очевидно, что та отнюдь не в восторге от выбора Димпьера. Как всегда, она о чем-то шепталась с Роланом, который внимательно слушал ее с превратившимися в две узкие щелки глазами. Вспомнив о случившемся совсем недавно, Мишель с тревогой подумала, уж не собираются ли они вернуться к своим мерзким проделкам. После того как Мишель предупредила Дениз, ее выходки прекратились. Неужели она вновь осмелится делать гадости?

— Мишель! — вернул ее к действительности скрипучий голос Димпьера. — Будьте повнимательнее! Вы явно думаете о чем-то постороннем. И это сразу заметно!

Мишель сосредоточилась и мгновенно почувствовала, как ее сольный танец заиграл новыми красками. Душу наполнило непередаваемое ощущение счастья. Все-таки ей очень повезло в жизни!..

Зимой недели летели гораздо быстрее, чем рассчитывала Мишель. Несмотря на холод в репетиционном зале, дождь и снег за окнами, она каждый день занималась в студии вместе с остальными танцовщиками и балеринами.

Все понимали, что день премьеры неумолимо приближается, и работали до изнеможения. Балет обещал стать интересной постановкой благодаря новой хореографии, разработанной Димпьером. Солистам приходилось выкладываться, чтобы четко и точно выполнить каждый номер. После репетиции не только они, но и весь кордебалет чуть ли не в буквальном смысле валились с ног.

К концу декабря Мишель вновь одолела ностальгия. Виной тому были скорее всего рождественские праздники. Эти дни в Малверне всегда были полны веселья. И Мишель отчаянно потянуло домой. Хотелось попрыгать у елки, посидеть за праздничным столом, повеселиться, станцевать что-нибудь простенькое, не классическое... При жизни отца так бывало всегда. А как там сейчас? И отмечает ли Рождество ее оставшаяся в полном одиночестве мать? После наступления зимы письма из Виргинии стали редкостью. И Мишель очень тосковала по матери и Малверну. Были даже минуты, когда она, казалось, отдала бы все, чтобы вернуться домой.

А тем временем в доме мадам Дюбуа тоже готовились к Рождеству. Предполагалось устроить несколько званых вечеров и пригласить сливки парижского общества. Мишель благодаря своей растущей известности была непременной участницей вечеров как в доме мадам Дюбуа, так и во многих других салонах французской столицы. Она с удовольствием посещала все увеселения, сожалея только о том, что рядом нет Яна. Хотя недостатка в почитателях и поклонниках у нее не было, как и в партнерах для танцев.

Мишель была бы рада, чтобы ее сопровождал Луи, но он по-прежнему держался отчужденно и даже не пришел на званый вечер, который мадам Дюбуа устроила для труппы Арно Димпьера. Хотя там были все студийцы, даже Дениз и Ролан. Эти двое пришли, как остроумно пошутил мулат, боясь что-нибудь пропустить или, хуже того, упустить.

Наконец холода миновали. Зима прошла успешно для труппы Арно Димпьера. Все выступления проходили при переполненных залах и имели огромный успех.

Работа над новым балетом шла своим чередом. Мишель все больше влюблялась в роль Виолетты, не пропуская ни одной репетиции с участием Сибеллы. Она внимательно изучала каждое ее движение, каждый жест, чтобы потом, оставшись одной в репетиционном зале, совершенствовать свою партию, которую она уже знала почти назубок.

Димпьер считал, что каждый участник студии должен быть готовым станцевать все партии в новом балете. Он назначил официальных дублеров исполнителей основных ролей. Заменой Сибелле стала Дениз. Последнюю, в свою очередь, могли подменить Мари и Челесте. Они же были дублершами Мишель. Луи мог бы станцевать две партии — Ролана и Кафе о Лэ.

Мишель очень огорчило назначение Дениз дублершей Сибеллы. Не в последнюю очередь потому, что она сама хотела танцевать главную роль вместо Сибеллы. Мишель к тому же была уверена, что Дениз, несмотря на всю отточенность своего танца, не сможет создать подлинного образа Виолетты, поэтичного и одухотворенного. Хотя решение Димпьера можно было понять. Он стремился по возможности поддерживать в студии здоровую атмосферу и видел, что сейчас надо погладить по шерстке Дениз.

К середине апреля «Три сестры» уже были почти готовы для представления на сцене. Установили декорации, добились слаженного звучания оркестра, до мелочей отработали все танцевальные номера. Все шло ровно и спокойно. Слишком спокойно... Об этом Мишель подумала уже после того, что произошло...

Несчастье случилось в первый весенний день. Сибелла и Ролан репетировали па-де-де перед всей труппой. Это был великолепный танец, очень красивый и оригинальный. По замыслу Димпьера, он олицетворял святость и целомудрие в отношениях между мужчиной и женщиной. Мишель подумала, что если любовь действительно так прекрасна, то для нее стоит жить на свете.

Номер заканчивался эффектной высокой поддержкой. Ролан поднял Сибеллу, простиравшую руки к небу, и, подержав несколько мгновений высоко над головой, уже собирался опустить ее. Но вдруг закачался, потерял равновесие и выронил балерину. Сибелла вскрикнула и упала на пол. Все бросились к ней. Но девушка продолжала стонать, на лбу у нее выступил холодный пот. Димпьер коснулся пальцами колена Сибеллы. Она громко закричала и потеряла сознание.

— Боже мой, — прошептал Арно, — бедняжка сломала ногу...

На всех лицах отразился ужас и сострадание к так неудачно упавшей подруге. И лишь в глазах Дениз Мишель прочитала олимпийское спокойствие и даже... Нет, в это было невозможно поверить! Но в них мелькнула радость!

Когда Сибеллу унесли, Мишель, Мари и Кафе о Лэ сгрудились в дальнем углу и принялись обсуждать происшедшее.

— Я уверена, что Ролан намеренно уронил Сибеллу! — покраснев от негодования, воскликнула

Мишель. — И сделал это по наущению Дениз. Если бы вы видели ее лицо, когда Арно объявил, что Сибелла сломала ногу!

Мари со вздохом положила руку на плечо Мишель:

— Думаю, ты права. Но как это доказать?

— Мари дело говорит, — мрачно отозвался мулат. — Все мы отлично знаем, что от Дениз можно ждать любой подлости. Они с Роланом вполне могли подстроить то, что случилось. Однако доказать это невозможно. Кроме того, подняв шум, мы непременно сорвем премьеру нового балета и, может быть, угробим хороший спектакль. А Дениз — дублерша Сибеллы и знает партию. Пусть она и не создаст настоящего образа, но спектакль выручит. Мы должны это признать.

Мишель чуть было не сказала, что знает партию не хуже Дениз, а уж что касается создания образа... Но в последний момент сдержалась. Ведь друзья могли подумать, что в ней просто-напросто говорит зависть! Хотя это было и не так. Или же не совсем так...

В том, что Ролан нарочно уронил Сибеллу, Мишель не сомневалась. И ее сердце переполняло негодование. Ведь эта мерзавка Дениз пользуется несчастьем Сибеллы!

Тем временем репетиции возобновились с Дениз в главной роли. Мишель старательно танцевала свою партию. Но ее мысли были далеко... Ее очень огорчало, что Димпьер не понял случившегося, а Мари и Кафе о Лэ оказались слишком осторожными и нерешительными. Неужели в мире искусства подлость — обычное дело? И нужно всегда быть начеку?

Дни становились все теплее. На деревьях набухли и начали лопаться почки, распустились цветы. В труппе Димпьера тоже чувствовалось оживление. Правда, большинство артистов продолжали сочувствовать сломавшей ногу Сибелле. Но все же говорили в основном о близкой премьере балета «Три сестры».

Мишель была, наверное, единственной, кто не принимал участия в общем ажиотаже. Несчастье с Сибеллой, очевидное равнодушие балетмейстера и даже ее лучших друзей к случившемуся — все это нанесло сильный удар по иллюзиям девушки. Она не могла не думать о Сибелле и большую часть свободного времени проводила с ней. Мишель заботилась о подруге, старалась как-нибудь развлечь, поднять ее заметно упавшее настроение. Но в глубине души очень сомневалась, что Сибелла когда-нибудь снова сможет танцевать. Уже не говоря о том, чтобы остаться прима-балериной. Но больше всего Мишель угнетала безнаказанность виновников несчастья.

На репетициях она постоянно наблюдала за Дениз. Та же чувствовала себя на седьмом небе от счастья. Обладая высокой техникой, Дениз без труда освоила партию Виолетты. Единственное, чего ей по-прежнему не хватало, так это души...

Так обстояли дела, когда пришло письмо от Маклевена, в котором Ян напоминал Мишель о ее обещании приехать весной в Шотландию. И на этот раз девушка серьезно задумалась над его приглашением.

Сидя у себя в комнате с письмом Яна в руках, Мишель вдруг почувствовала, что очень скучает по нему и безумно хочет видеть. Она вспомнила, с каким восторгом Маклевен описывал суровую красоту шотландской природы. И ей захотелось увидеть все своими глазами. А главное, сменить обстановку. Мишель уже надоели безвкусная пышность и лицемерие французского королевского двора, богатство, которое ее окружало в доме мадам Дюбуа, постоянные занятия и репетиции. Случай с Сибеллой поселил в душе девушки настороженность и недоверие к окружающим. Ей мучительно захотелось поехать в суровую северную страну, подышать свежим воздухом, отдохнуть от душной и гнилой атмосферы французской столицы. И она поедет!

Вопрос решен! Ее партию в новом балете отлично сможет станцевать Мари. Конечно, будет нелегко уговорить Арно. Но надо постараться!

А что скажет Андрэ? Эта мысль застала ее врасплох. Он, конечно, будет против подобной авантюры... Мишель задумалась. Но в конце концов, почему Андрэ должен диктовать ей, как жить? Это она должна решать сама! А потому, хочет он того или нет, она поедет в Шотландию! А для начала напишет Яну, чтобы он ждал ее.

Зима была для Анны ужасной и тянулась, казалось, бесконечно. Погода стояла отвратительная. Было холодно и сыро. Большую часть времени приходилось проводить дома. Даже Рождество на этот раз не принесло радости. Кортни так и не вернулся. И даже ни разу не написал. Анна постепенно начинала терять надежду на его возвращение.

Единственным светлым пятном в ее жизни была весть о том, что Жюль Дейд осужден за убийство Майкла Вернера и повешен. Но для одинокой Анны это было слабым утешением...

Она не могла бы точно сказать, когда впервые задумалась о поездке в Париж. Вероятно, в январе, вскоре после казни Дейда. К тому времени Анна получила три восторженных письма от Мишель и два от Андрэ. Оба сообщали, что Мишель отлично себя чувствует и успешно делает карьеру балетной танцовщицы. Особенно красочно описывался триумф Мишель в Фонтенбло, где она танцевала перед самим королем. Одним словом, все шло как нельзя лучше!

Видимо, именно тогда у Анны в голове и зародилась мысль о поездке во Францию. Правда, созревала она очень медленно. Только в марте, проснувшись как-то утром, Анна вдруг подумала: а почему бы ей действительно не поехать в Париж, не навестить дочь и Андрэ? Тем более что она чувствовала: Мишель уже никогда не вернется в Малверн. Правда, наступала весна. Надо было думать о севе. Но разве Джон не справится один? Он очень опытен и безукоризненно честен.

Анна решила посоветоваться с верным слугой. Пригласив Джона в тот же день к себе в кабинет, она сказала:

— Я как-то уже говорила, Джон, что могла бы на время доверять вам управление плантацией. Тогда вы ответили, что не хотели бы брать на себя такую ответственность, в том числе и из опасения, как бы соседи не стали смотреть на меня косо из-за чернокожего управляющего. Сейчас я хотела бы вернуться к тому разговору. Обстоятельства складываются так, что мне придется уехать. Ненадолго.

Может быть, месяца на четыре. Во всяком случае, ко времени уборки урожая я обязательно вернусь.

Джон молчал. Анна посмотрела на него умоляюще и взяла за руку:

— Джон, мне совершенно необходимо уехать. Вы же сами видите, как я устала от того, что произошло у нас прошлой осенью, и от долгой зимы. Было бы неплохо немного опомниться и отдохнуть! Кроме того, хочется повидаться с Мишель...

Джон глубокомысленно покачал головой:

— Я согласен, госпожа. Всю зиму я наблюдал за вами. Вы без устали работали и выглядели очень несчастной!

— Неужели это было заметно?

— Да, госпожа. Что ж, договорились. Вы едете в Париж к дочери и Андрэ, а я присмотрю за плантацией. Думаю, что справлюсь.

— Не сомневаюсь в этом, Джон! Я безгранично верю вам. И могла бы без колебаний доверить даже собственную жизнь. Впрочем, я ею уже вам обязана. Ведь это вы спасли меня тогда в доме Дейда!

Итак, было решено, что Анна отправляется в Париж, а Джон берет на себя управление Малверном. Ей не терпелось поскорее ехать. Но в зимнее время пересекать Атлантику было небезопасно. Тем более что Анна не привыкла к морским путешествиям. Поэтому отъезд решили перенести на начало мая. Анна не стала писать дочери о своем намерении, желая сделать ей сюрприз.

Погода не слишком благоприятствовала путешествию. Море было бурным, корабль заметно качало. И Анну вскоре скосила морская болезнь. Правда, к концу путешествия море успокоилось, и Анна пришла в себя.

Во Франции уже буйствовала весна. Кругом зеленели луга, деревья оделись листвой, распустились цветы.

Добравшись до окраин Парижа, Анна наняла экипаж и велела везти себя к особняку мадам Дюбуа. Кучер, по счастью, знал его адрес.

Поднявшись по мраморной лестнице парадного подъезда, Анна с замиранием сердца постучала. Дверь открыла горничная:

— Что вам угодно, мадам?

— Я — Анна Вернер. Могу ли я видеть госпожу Дюбуа или мадемуазель Вернер?

Горничная присела и провела Анну в гостиную. Предложив гостье кресло, она снова присела, сказала что-то по-французски и исчезла за дверью. Хотя Анна почти не знала этого языка, но поняла, что ей предложено немного подождать.

Мишель подробно описывала ей дом мадам Дюбуа. Но все же такой роскоши Анна не ожидала.

Она в изумлении вертела головой, оглядываясь по сторонам.

В это время дверь открылась, и вошла довольно пожилая женщина. Анна встала ей навстречу. Женщина обратилась к ней по-французски, но та не поняла ни слова и сконфуженно ответила на английском:

— Извините, мадам, я не знаю вашего языка.

— Ах да! — воскликнула пожилая дама, тут же перейдя на английский. — Вы, насколько я догадываюсь, мама нашей очаровательной Мишель? И приехали из английских колоний в Америке? Очень рада! Давайте знакомиться: я — мадам Дюбуа, хозяйка этого дома. Здравствуйте, миссис Вернер. Но вашей дочери нет.

— Она на репетиции?

— Нет, миссис Вернер. Мишель сейчас в Шотландии.

— В Шотландии?! — воскликнула Анна, не веря своим ушам.

— Да, в Шотландии, — повторила мадам Дюбуа с игривой улыбкой. — Видите ли, миссис Вернер, у вашей дочери роман с одним шотландским лордом. Мишель сейчас гостит в его замке.

— И давно?

— Она уехала примерно неделю назад. А в качестве сопровождающего взяла с собой Андрэ...

Глава 19

В Инвернессе Мишель и Андрэ дожидался роскошный экипаж. На козлах сидел... Ангус Лурье. Тот самый, что плыл на корабле вместе с Маклевеном. Мишель тотчас же узнала его.

— Господин Лурье, вы? — удивленно спросила она. — В роли кучера?

Лурье чуть наклонил голову и с улыбкой ответил:

— Сейчас я в своей роли. А чужую играл на корабле. Мы с лордом Маклевеном путешествовали инкогнито. Получилось так, что лорд опустился на ступеньку вниз, а я поднялся на ступеньку вверх. Теперь же я снова слуга господина Маклевена.

— Я очень рада вновь видеть вас, господин Лурье.

— Называйте меня Ангус.

— Спасибо, Ангус.

— А теперь прошу вас сесть в этот кабриолет, и мы поедем в город. Господин Маклевен заказал номер в лучшей гостинице, где вы сможете отдохнуть, принять ванну и выспаться. А завтра утром мы отправимся в замок.

По дороге в гостиницу Мишель перебирала в памяти события последних дней. И в первую очередь вспоминала подробности своего разговора с Арно Димпьером. Против ожидания балетмейстер спокойно воспринял просьбу Мишель. Более того, заверил, что сохранит за ней место в труппе. И еще сказал, что после того, как Сибелла сломала ногу, он несколько охладел к своему балету «Три сестры», хотя премьера и состоится в срок.

— Я отлично понимаю ваши чувства, Мишель, — признался он напоследок. — То, что Дениз имеет большое влияние на Ролана, несомненно. Не исключено, что он нарочно искалечил Сибеллу, чтобы дать возможность своей подружке станцевать первую роль. Но доказательств тому нет, а потому главную партию на премьере «Трех сестер» будет танцевать Дениз. Все же, согласитесь, она очень хорошая балерина. Но если выяснится, что они действительно подстроили тот несчастный случай, обоим придется очень об этом пожалеть! Вас же, Мишель, я прошу упорно заниматься и в Шотландии. Среди моих учеников нет равного вам по усердию, целеустремленности и... таланту.

Мишель посмотрела на Арно и впервые заметила, каким усталым он выглядит. Она тронула его за руку и прошептала:

— Берегите себя, Арно. Вы совершенно измотаны. Надо хоть немного отдохнуть!

— Для меня не может быть отдыха, милая Мишель. Я уже как-то сказал вам, что балет — это требовательная любовница. Она никогда не отпустит меня!

— Хорошо, пусть так. Но попросите ее быть по крайней мере к вам добрее. Поймите, Арно, мы все целиком зависим от вас. Наше будущее, наше счастье — в ваших руках. И мы любим вас, хотя, может быть, и не всегда показываем это.

Димпьер похлопал Мишель по руке и растроганно сказал:

— Я знаю, милая! Но как приятно слышать это! Поезжайте в Шотландию и ни о чем не беспокойтесь. Обещаю, что место в труппе будет вас дожидаться. Передайте мои наилучшие пожелания лорду Маклевену. Он очень приятный молодой человек!

Разговор с Андрэ оказался куда труднее.

— Дорогая! — воскликнул он, услышав о намерении Мишель поехать в Шотландию. — Мы в Париже только для того, чтобы вы сделались балериной. Вы так самоотверженно и много работали, добились больших успехов. Я вами гордился. Как же можно теперь все бросить и убежать?

— Я не собираюсь никуда убегать, Андрэ! Мне нужно отдохнуть. Короткие каникулы. И все. Кстати, Арно отлично это понимает. Почему же вы противитесь?

— А если бы Сибелла не сломала ногу и все шло по плану, вы все равно решили бы уехать?

— Не знаю. Может быть, и нет.

— Значит, все это только из-за того, что роль Виолетты вместо Сибеллы будет танцевать Дениз?

— Нет! Причина в том, что они с Роланом специально все подстроили, чтобы Дениз получила главную роль. Это жестоко и бессердечно! Ведь после такой травмы Сибелла вряд ли вообще когда-нибудь выйдет на сцену! — Мишель горестно вздохнула: — К тому же я поняла, что подобные эксцессы довольно часто происходят за кулисами. Я не хочу в этом участвовать даже как сторонний наблюдатель!

Андрэ взял ладони Мишель в свои и посмотрел на нее с глубоким сочувствием:

— Мишель, дорогая! Я даже не мог предположить, что этот случай так на вас подействует! Но поймите, не все люди на этой земле так эгоистичны и жестоки, как та пара, о которой мы сейчас говорим! Вспомните своих друзей из труппы Арно Димпьера. Ведь они доброжелательны и всегда готовы помочь. Разве не так?

Андрэ выжидающе смотрел на Мишель. Она утвердительно кивнула головой:

— Да, иногда это действительно так. Но Луи уже давно почти не разговаривает со мной, Мари и Кафе о Лэ больше интересуются тем, как бы получить хорошую роль. То, что случилось с Сибеллой, их мало волнует! О, не подумайте дурного, Андрэ! Я не собираюсь бросать балет. Но сейчас мне надо на время уехать. Поймите меня правильно!

Заметив странный огонек в глазах Андрэ и поняв, о чем тот сейчас подумал, Мишель вдруг принялась оправдываться:

— Мне очень нравится лорд Маклевен, Андрэ! Приятно его общество. И я не вижу причин, почему бы не принять это приглашение.

Андрэ воздел руки к небу:

— Хорошо, милая! Я просто беспокоюсь, что все ваши труды на балетной сцене могут пропасть даром. Поймите, если вы влюбились в лорда Маклевена и хотите выйти за него замуж, то это означает неминуемый конец вашей артистической карьеры.

— Я это знаю! А потому не собираюсь впутываться в амурные дела. Просто хочу увидеть еще незнакомый мне мир. Вы считаете, что мое желание — каприз?

Андрэ неохотно согласился, что так не считает. И на вопрос Мишель, поедет ли вместе с ней в Шотландию, утвердительно кивнул головой...

И вот они в Шотландии. Мишель почувствовала себя легко и свободно. Несмотря на всю любовь к балету, она вдруг поняла, какой однообразной и серой была ее жизнь в Париже. Только уроки, репетиции... Иногда скучные и надоевшие великосветские приемы. Димпьер был прав: балет — это ненасытная, требовательная любовница, из объятий которой надо время от времени вырываться.

Лучшая в городе гостиница оказалась большим, уютным и комфортабельным домом, построенным из дерева и камня, а сам Инвернесс — маленькой живописной деревней, состоявшей из уютных домиков, совершенно не похожих на те, к которым Мишель привыкла у себя на родине.

Ее комната в гостинице была небольшой, но очень чистой и со вкусом обставленной. Снизу доносился запах готовившейся еды. И Мишель тут же почувствовала острый приступ голода. Тем более что на корабле кормили, мягко говоря, неважно.

Как только Мишель освежилась и переоделась, Андрэ спустился на кухню и заказал не очень обильный, но сытный ужин...

Ночь Мишель проспала так крепко, что даже не видела снов. Позавтракав овсянкой и выпив чашку кофе, она почувствовала себя готовой к любым приключениям. Ангус уже погрузил их багаж, и не прошло и получаса, как экипаж катил по широкой, наезженной грунтовой дороге. Утро было солнечным, но прохладным. Андрэ поспешил завалить свою воспитанницу подушками и прикрыть ей ноги пледом. Мишель сразу стало тепло и очень уютно. Она приникла к окну и внимательно осматривала проплывавшие мимо окрестности.

Все было именно так, как рассказывал Ян. Природа оказалась гораздо суровее, чем в Виргинии. Но ее дикая красота поражала своим великолепием. Невысокие холмы были покрыты зеленым травяным ковром. Здесь и там виднелись заросли вереска с пурпурными головками цветов. Прозрачный свежий воздух был пропитан запахами всевозможных растений, совсем недавно потянувшихся навстречу солнцу.

Проехав приличное расстояние, путники остановились перекусить на вершине одного из холмов. Свежий воздух придавал особый вкус еде, извлекаемой из огромной корзины, заботливо упакованной хозяином гостиницы в Инвернессе. Две бутылки хорошего вина еще больше подняли настроение.

После столь обильного пиршества Мишель, несмотря на ухабы, на которых постоянно подпрыгивала карета, погрузилась в глубокий сон. Сколько он продолжался, сказать трудно, но Мишель проснулась оттого, что Андрэ весьма бесцеремонно тряс ее за плечо:

— Проснитесь же, дорогая! Мы уже подъезжаем к замку Маклевенов. Советую вам привести себя в порядок.

Мишель протерла заспанные глаза и выглянула из окна экипажа. Карета взбиралась вверх по длинной петлявшей дороге. В конце ее, на самой вершине холма, возвышалось огромное каменное здание, напоминавшее экипаж, в котором они сейчас ехали. С каким-то неосознанным страхом Мишель смотрела на зубчатые стены, высокие башни с узкими бойницами, глубокие рвы с перекинутыми через них мостами. Все это выглядело очень мрачно и неуютно, и Мишель невольно подумала о том, как можно жить в подобном жилище.

Опомнившись, она срочно занялась собой. Протерла глаза влажным платком, аккуратно зачесала волосы назад, а лицо тронула румянами и пудрой, но, посмотрев на себя в маленькое зеркальце, Мишель все же решила, что выглядит усталой.

Как только экипаж подкатил к огромному порталу замка, две половинки тяжелых дубовых дверей медленно растворились и вышел величественный мажордом. А за ним буквально выскочил сам Ян Маклевен.

— Мишель! Наконец-то вы приехали! — задыхаясь, проговорил он, отстраняя мажордома и самолично помогая гостье выйти из кареты. — Боже, как я счастлив!

Он повернулся к Андрэ и пожал ему руку.

— Андрэ, все мои слова приветствия Мишель относятся и к вам. Добро пожаловать в замок Маклевенов!

Оглянувшись, Мишель увидела в дверях двух очаровательных девушек.

— Насколько я понимаю, это ваши сестры, Ян?

— Вы не ошиблись, Мишель. Пожалуйста, познакомьтесь с Маргарет. — И он взял за руку рослую девушку с такими же пышными и красивыми, как у него, волосами. — А это — Элизабет.

Вторая сестра была ростом поменьше, но очень бойкая, с большими карими глазами.

Мишель улыбнулась сначала Маргарет, а затем Элизабет. Обе ответили ей искренними улыбками.

— Я очень рада встретиться с вами, — сказала Мишель, — так как знаю о вас по рассказам брата.

— Мы тоже о вас наслышаны, — ответила Маргарет за себя и за сестру. — Сначала думали, что Ян преувеличивает, восторгаясь Мишель Вернер. Но теперь видим, что на самом деле он был даже немногословен. Милости просим в наш замок, Мишель!

Внутри замок оказался не менее внушительным, чем снаружи. Огромный холл с каменными стенами, увешанными фамильными портретами и старинным оружием, произвел на Мишель просто ошеломляющее впечатление.

— Давайте сначала пройдем в вашу комнату. После дороги вы, наверное, хотели бы освежиться и немного отдохнуть. Мы знаем, что значит трястись долгие часы в экипаже! А потом поужинаем.

В комнате Мишель встретила миловидная горничная. Сделав реверанс, она представилась:

— Здравствуйте, мисс. Меня зовут Анни. Я буду вам служить до конца пребывания в замке. Если вам что-нибудь понадобится, сразу же обращайтесь ко мне.

— Спасибо, Анни, — улыбнулась ей Мишель. — Но сейчас я хочу только переодеться, вымыться и отдохнуть с дороги. После тряски по ухабам у меня, кажется, болит каждая косточка.

— Я вас отлично понимаю, мисс. Подобное путешествие не может не измотать. Разрешите разложить ваши вещи и помочь переодеться.

Облачившись в мягкий теплый халат, Мишель осмотрелась и нашла свое новое жилище очень удобным. Высокий потолок позволял свежему воздуху, проникавшему через небольшие форточки в длинных, в виде прорезей окнах, заполнять всю комнату. Вдоль стен сверху донизу тянулись старинные гобелены с изображением охотничьих сцен. В углу стояла большая деревянная кровать на высоких ножках с разрисованными затейливым орнаментом спинками под пурпурным балдахином. В углу поместился туалетный столик с миниатюрным стулом. А у двери находились фарфоровый таз и кувшин для умывания. Пол покрывал толстый пушистый ковер, по которому было приятно ступать босиком.

— Какое платье вы бы хотели надеть к ужину? — спросила Анни.

— Голубое.

— Простите за смелость, мисс. Но я бы посоветовала вам накинуть на плечи платок или шаль. В столовой довольно прохладно.

Мишель поблагодарила девушку кивком головы. Та присела и выпорхнула за дверь. Мишель сбросила халат, зарылась под одеяло и тут же уснула...

Ужин был накрыт в огромном, довольно мрачном зале, по углам которого стояли фигуры рыцарей в латах. По стенам были развешаны мечи, пики, щиты и другое старинное оружие. Сверху спускались люстры со множеством свечей. Дубовый стол окружало множество дубовых же стульев с высокими спинками.

Ян встретил Мишель у дверей и подвел к столу, во главе которого сидел старый лорд Маклевен. Знаком он предложил Мишель сесть справа, а сыну — слева.

— Отец, это мисс Мишель Вернер, о которой я вам много рассказывал, — торжественно сказал Ян. — Мишель, это мой отец, лорд Малкольм Маклевен.

— Очень рада познакомиться с вами, ваша светлость, — с очаровательной улыбкой обратилась Мишель к хозяину замка. — Какое удивительное совпадение! Моего покойного деда по отцовской линии тоже звали Малкольмом!

Старый лорд ничего не ответил, продолжая изучать гостью голубыми, наполовину потухшими глазами. Но все же в его взгляде было что-то орлиное. Поражали тяжелые веки под насупленными мохнатыми бровями, глубоко ввалившиеся глаза чуть продолговатого разреза, большой нос с горбинкой.

Малкольм долго молча смотрел на Мишель, которая от смущения готова была выбежать из комнаты. Но тут его лицо озарилось доброй улыбкой, а в глазах зажегся огонек.

— Ты сказал мне правду, сынок, — сказал он, чуть повернув голову к Яну. — Девушка действительно очаровательна и смотрит на тебя, как преданная собачонка. Это хорошо! Но я хотел бы задать ей несколько вопросов. Скажите, милая, ваш род отличается крепким здоровьем? Например, ваш дедушка, о котором только что шла речь: он был выносливым и физически крепким? Сами вы ни на что не жалуетесь? Хотя не выглядите хворой.

— Отец! — с упреком посмотрел на старого лорда Ян, явно шокированный подобным началом застольной беседы.

Малкольм рассмеялся:

— У старости есть преимущество, сынок: она позволяет человеку говорить все, что ему придет в голову. Но в данном случае у моих вопросов достаточно серьезная подоплека. Чтобы подарить мужу много сыновей, женщина должна быть здоровой. Поэтому я еще раз спрашиваю нашу гостью: нет ли у вас скрытых недугов?

Мишель была совсем обескуражена. И чувствовала растущее раздражение. Какое этот человек имеет право задавать ей такие вопросы? Это же неслыханная неучтивость, если не откровенная грубость! И ведь он явно доволен тем, что вогнал ее в краску!

Мишель подумала, что у старого лорда, кроме физической немощи, явно не все в порядке с головой. Ну нет! Она не позволит над собой издеваться!

— Вся моя семья всегда отличалась завидным здоровьем, сударь, — с каменным выражением лица ответила она. — И я сама ни на что не жалуюсь!

Старый лорд продолжал смотреть на нее строгим, пронизывающим взглядом. Мишель чувствовала, что вот-вот взорвется и наговорит дерзостей. Но в этот момент Маргарет и Элизабет громко расхохотались.

— Да перестань же, отец! — воскликнула первая. — Мишель не привыкла к таким шуткам!

Мишель посмотрела на Малкольма и вдруг заметила, что в его очень серьезных глазах, устремленных на нее, играют озорные чертики. Только теперь она поняла, что этот человек просто-напросто ее разыгрывает! Ведь старикам позволены некоторые вольности, которые среди молодежи посчитали бы неприличными. Она расплылась в улыбке, а затем, последовав примеру сестер Яна, тоже громко рассмеялась. Старый лорд, поняв, что его разгадали, тоже затрясся от беззвучного хохота.

— Ладно, — сказал Малкольм, отсмеявшись. — Если вы крепки здоровьем, то отдайте должное этому шотландскому блюду, что стоит перед вами.

Его готовят из бараньей требухи, а ее не так-то просто переварить!

— Отец, довольно! — воскликнула на этот раз Элизабет. — Можно ли так принимать гостей?!

— А как готовят это блюдо? — осведомилась Мишель.

— Вырезают у барана кишки и желудок, — с самым серьезным выражением лица ответил старый лорд, — после чего варят со всем содержимым и подают на стол. Это и есть хаггис.

— Фу! — дружно фыркнули Маргарет и Элизабет. — Отец, зачем ты говоришь подобные мерзости? Мишель, не слушайте его! Он шутит! Хаггис готовят из бараньих потрохов. Ими начиняют телячий желудок, сдабривают овсяной мукой, травами и разными специями.

— Что ж, попробуем, — улыбнулась Мишель, пододвигая к себе блюдо и вооружаясь вилкой.

Съев несколько кусочков, она лукаво посмотрела на старого лорда и сказала:

— Вам все же не удалось испортить мне аппетит, сударь, хотя вы и очень старались. Хаггис — едва ли не самое вкусное и нежное блюдо, которое мне доводилось пробовать.

— Мишель, отец очень любит подтрунивать и подшучивать над каждым, впервые приезжающим к нам в замок, — вновь засмеялась Маргарет. —

Порой даже переходит границы дозволенного. Но он очень добрый и хороший человек. Просто из оригинальности хочет выглядеть неприветливым и грубым.

Старый лорд откинулся на спинку стула и укоризненно посмотрел на дочь:

— Это клевета, Маргарет, страшная клевета! Ты портишь мне репутацию!

На этот раз громко расхохотались все, сидевшие за столом...

Когда ужин закончился, Мишель почувствовала, как она устала за этот трудный, казавшийся бесконечным день. Она посмотрела на Яна, которого определенно стесняло и даже раздражало присутствие всей семьи. Но было очевидно, что вдвоем им сегодня вряд ли удастся остаться. Мишель с сожалением вздохнула, но тут же подумала, что времени впереди еще достаточно...

Она уже почти забыла об обыкновенных земных радостях. Во время пребывания у Маклевенов Мишель снова занялась верховой ездой и рыбалкой, она гуляла по зеленым холмам в окрестностях замка, каталась на лодке и вообще наслаждалась свободой и отдыхом.

У нее никогда не было сестер. А сейчас появилось сразу две. Ибо Маргарет и Элизабет с первого дня относились к ней как к родной. И всегда сопровождали Мишель с Яном на прогулках.

Мишель доставляло удовольствие общество девушек, но в душе она хотела бы подольше оставаться наедине с Яном. Наблюдая молодого Маклевена в его поместье, Мишель все больше убеждалась в том, что Ян не рожден придворным. Поэтому так неуютно чувствовал он себя в Фонтенбло и в Париже. Во время ежедневных прогулок верхом Ян успел сильно загореть на солнце. Да и лицо самой Мишель, ничем не защищенное, стало смуглым, что ей очень шло. Правда, на носу выступили веснушки. Но, посмотревшись как-то раз в зеркало, она решила, что они придают ей пикантности. Хотя Андрэ очень ворчал по этому поводу и называл поведение своей воспитанницы легкомысленным.

Сам Андрэ большую часть времени проводил в библиотеке старого лорда Маклевена, которая оказалась очень богатой и в высшей степени интересной. Кроме того, он завел несколько знакомств в округе замка. В целом, казалось, он был доволен жизнью и всем, что его окружало.

Андрэ заставлял Мишель заниматься танцами не менее двух часов в день. Хотя постоянно ворчал, что этого мало. Ведь балерина должна постоянно поддерживать форму. Но Мишель, к ее собственному удивлению, не очень тосковала по балету и по труппе Арно Димпьера. Она наслаждалась свободой, чистым воздухом, зелеными холмами и долинами. Казалось, что ей в жизни ничего больше не надо.

Но самые сокровенные мысли девушки занимал Ян. Когда они оставались наедине, Мишель чувствовала, что только огромная сила воли не позволяет ему заключить ее в объятия. Она никак не могла решить, благодарна ли Яну за подобную сдержанность или же она вызывает в ней раздражение. Все ее существо стремилось к нему. И это стремление с каждым днем усиливалось. Она жила только предвкушением их встречи, робкого прикосновения его руки и восторженных взглядов. Мишель понимала, что после решительного отпора, полученного от нее Яном на корабле, он не сделает первого шага. Не позволит гордость. Ян должен был увериться, что Мишель любит его не меньше, чем он ее. Но она не решалась это показать...

Прошла неделя.

Все семейство Маклевенов и Мишель с Андрэ только что отужинали в большом холле. И вдруг разразилась страшная гроза, какой Мишель не видела за всю свою жизнь. Дождь барабанил по окнам, ветер выл в каминных трубах, а молнии ежесекундно прорезали черное небо. Оглушительно гремел гром.

Они еще немного посидели в небольшой комнате, примыкавшей к обеденному залу, где было тепло и уютно. Маргарет и Элизабет попеременно играли на арфе и пели. У сестер были очень приятные голоса, и слушать их доставляло Мишель большое удовольствие. Но доносившиеся из-за окон звуки разбушевавшейся стихии не способствовали вдохновению. Прошло не более получаса, как старый граф откланялся и пошел к себе. Маргарет и Элизабет спели еще пару-другую шотландских баллад, после чего попрощались и разошлись по спальням. Ян и Мишель остались вдвоем.

Мишель почувствовала, что ее сердце колотится, подобно бившимся о стекла окон каплям дождя. Жгучий огонь пробежал по ее жилам. В этот момент ослепительно блеснула молния и раздался страшный удар грома. Мишель вскрикнула, вскочила на ноги и неожиданно очутилась в объятиях Яна. Их губы слились в жадном, долгом поцелуе.

— Мишель, Мишель, — шептал Ян. — Как я жаждал этого мгновения! Если бы вы только знали!

И он все крепче и крепче прижимал ее к себе. Мишель смутно помнила, как они очутились на втором этаже, в спальне Яна. Очевидно, он отнес ее туда на руках. Языки пламени, плясавшие на сухих поленьях в камине, освещали их обнаженные тела.

Позднее, лежа в постели под толстыми одеялами, Мишель и Ян чувствовали себя как в пещере, где они укрылись от разбушевавшейся стихии. В объятиях Яна Мишель испытывала ощущение покоя и защищенности от любых несчастий. Он, наклонив голову, коснулся кончиком языка ее груди. Мишель не сдержала страстного стона. Руки Яна крепко сжали ее тело. Она чувствовала, как напрягаются его мускулы, а бедра прижимаются к ее телу. И тут же с наслаждением открылась ему навстречу. Ян ласкал ее, неотвратимо приближая сокровенный миг. Их тела слились в одно, и они забылись в сладостном блаженстве...

Глава 20

После той грозы почти каждую ночь они были вместе. Познав до конца любовь Яна, Мишель вдруг поняла, что только о ней и мечтала все последние месяцы. В ней проснулся какой-то ненасытный дьявол. Ночей ей было мало. Они все чаще оставались наедине и предавались безудержной страсти в любое время.

Почти каждый день Ян предлагал Мишель выйти за него замуж. И хотя она пока еще не дала своего согласия, искушение было слишком велико. Мишель безумно любила балет, но в то же время обожала молодого шотландца. Чувствовать его рядом, быть в его объятиях доставляло ей такую же радость, как и танцевать на сцене перед восхищенной аудиторией. Вместе с тем она постоянно задумывалась: как долго продлится это счастье? Ведь когда они поженятся, пойдут дети, начнутся бесконечные хлопоты по дому, и не угаснет ли пламя страсти? Не превратится ли жизнь в скучные, однообразные будни? Как это сплошь и рядом бывает у других...

Но, став женой лорда Маклевена, она не будет больше заботиться о деньгах, материальном благополучии, социальном положении. Статус леди Маклевен даст ей то, чего она никогда не получит на сцене. Что делать? Мишель не могла ни на что решиться.

Но ее постоянно беспокоило и еще одно обстоятельство. Если она забеременеет, замужество станет для нее единственным выходом. И тогда — прощай, сцена!..

Слава Богу, пока все обходилось. И каждый раз, когда Мишель убеждалась в этом, ее начинали одолевать сомнения. Она то почти решалась принять предложение Яна, то приходила к твердой мысли, что без балета не сможет жить. Совместить же то и другое было вряд ли возможно...

Наконец она решилась откровенно обсудить все с Яном. Однажды утром, гуляя после очередной бурной ночи около замка, Мишель остановилась у каменной скамьи и предложила Яну присесть.

— У меня к вам серьезный разговор, — сказала она, глядя куда-то вдаль.

— Слушаю вас, дорогая, — улыбаясь, ответил он, нежно сжимая ее руку.

Поколебавшись несколько мгновений, Мишель посмотрела ему в глаза:

— Ян, если я выйду за вас замуж, то...

— Что?

— Вы позволите мне и дальше танцевать на сцене?

Улыбка угасла на лице Яна.

— Мишель, я знаю, как вы любите танцевать. Но вы мне нужны здесь.

Девушка тяжело вздохнула:

— Я очень боялась такого ответа. Но разве вы не сможете время от времени ездить со мной в Париж, чтобы я могла продолжать танцевать?

— Вы же знаете, что я терпеть не могу этот город. В нем я чувствую себя больным. Кроме того, в обычае, чтобы не муж следовал повсюду за женой, а наоборот, жена за мужем. Но поверьте, дорогая, я окружу вас такой заботой и смогу подарить такое счастье, что вам нечего будет больше желать!

— То, что я счастлива с вами, Ян, это правда, — ответила Мишель, чувствуя, как на глаза у нее навертываются слезы. — Но все же я не уверена, что смогу оставить балет. Он слишком много для меня значит. Покинув сцену, я оторву от себя часть души.

— Но вы сможете танцевать для меня, дорогая, для наших будущих детей. Прямо здесь, в замке Маклевенов. Разве этого для вас мало?

Мишель вдруг сделалось смешно. Она представила себя беременной, с большим животом, изображающей Виолетту из «Трех сестер». Но ее смех был горек...

— Умоляю вас, Мишель! — продолжал настаивать Ян. — Будьте моей женой. Уверяю, что очень скоро вы и думать забудете о балете! Я сделаю вас счастливой! Самой счастливой на свете!

В тот же день после прогулки вопрос неожиданно решился сам собой. Почтальон привез для Мишель письмо из Парижа. Взглянув на конверт, она сначала испугалась. Вдруг что-то случилось с матерью?

В волнении разорвав конверт, Мишель вынула из него исписанную крупным почерком бумагу и прочла следующее:

«Дорогая Мишель! Простите, но я должен как можно скорее получить от вас ответ на это письмо.

Премьера балета «Три сестры» все еще откладывается. О причинах я расскажу вам при встрече. Сейчас же хочу уведомить, что рассчитываю показать балет в Париже в ближайшем будущем. И предлагаю вам роль Виолетты. Если вы согласны, то прошу немедленно вернуться в Париж, чтобы приступить к репетициям. Я умоляю вас согласиться. Вы понимаете, как эта роль важна для вас, как ваше участие в спектакле — для меня.

Прошу ответить как можно скорее.

Ваш

Арно Димпьер».

Мишель почувствовала, как земля уходит у нее из-под ног. Она опустилась на стул и долго не могла прийти в себя. В этот момент дверь открылась, и в комнату вошел Андрэ.

— Что с вами, дорогая? — спросил он, заметив бледность на лице воспитанницы.

— Прочтите, Андрэ. Димпьер предлагает мне главную роль в балете и просит немедленно вернуться в Париж.

Она протянула ему письмо. Андрэ прочитал его, несколько раз меняясь в лице. Потом бросил взгляд на Мишель и убежденно сказал:

— Дорогая! Это просто чудесно. Надо срочно укладываться!

Мишель показала письмо вошедшему Яну.

— Мне предлагают главную роль в новом балете. Исполняется мечта всей моей жизни. Но для этого я должна срочно вернуться в Париж.

Теперь побледнел уже Маклевен:

— Значит ли это, что вы тотчас же уедете, бросите меня и откажетесь от сделанного вам предложения?

Мишель растерянно посмотрела на него:

— Ян, вы должны меня понять! Мне предлагают не просто новую роль. Это главная роль. Такой шанс выпадает раз в жизни!

— Нет, я не понимаю вас, Мишель. Ведь вы говорили, что любите меня. Если это действительно так, то при чем тут балет, письмо какого-то хореографа и срочный отъезд в Париж?

— Вы хотите лишить меня шанса, о котором я мечтала всю жизнь, Ян?

— А вы рискуете нашей любовью и будущим счастьем. Неужели вы не понимаете, что только так можно расценить ваше решение?!

— Я не предаю нашу любовь. Но как вы не можете понять, что, настояв на своем, сделаете меня несчастной на всю жизнь? Это вселит в меня комплекс неполноценности. Я всю жизнь буду терзаться мыслью, что по своей воле отказалась от мечты, к которой стремилась с самого детства!

— Мне ясно лишь одно: если вы и вправду меня любите, то должны остаться здесь и стать моей невестой.

— Дорогой, но если вы разрешите мне танцевать, почему я не могу стать вашей женой?! — воскликнула Мишель, уже не в силах сдержать слез. — Вы принуждаете меня сделать выбор, а это может означать лишь то, что вы меня недостаточно любите!

Ян сделался мрачнее тучи и, повернувшись к двери, бросил через плечо:

— Нет, Мишель! Это вы сделали выбор. И не пытайтесь все свалить на меня. Поступайте, как знаете!

Мишель в тот же день написала ответ Димпьеру, в котором принимала его предложение. Затем они с Андрэ наскоро собрались, тепло простились с Маргарет и Элизабет, со старым графом и тронулись в путь. Ян даже не вышел их проводить...

Дорога в Париж показалась Мишель ужасной. Она чувствовала себя отвратительно. А ее сердце, казалось, было готово разорваться от горя. Но...

Но очень часто мы недооцениваем крепости своих сердец. Оно не разорвалось и у Мишель. Более того, по мере приближения к Парижу билось все ровнее. В немалой степени этому способствовал Андрэ, неустанно расписывавший перед девушкой ее грядущий успех в главной роли нового балета.

Мадам Дюбуа встретила их в холле. Обняв Мишель, она многозначительно улыбнулась ей и шепнула на ухо:

— Вы просто не представляете, какой сюрприз вас ожидает!

Мишель переглянулась с Андрэ.

— У нас просто неделя сюрпризов! Но, мадам Дюбуа, мы сейчас так устали, что, может быть, подождем до завтра? После хорошего сна и сюрприз покажется еще более приятным.

— Нет, нет! — замахала руками мадам Дюбуа. — Сию минуту! Вы просто не знаете, что вас ожидает!

С этими словами она открыла боковую дверь. Мишель заглянула в комнатку рядом с холлом, и дом огласился ее радостным криком. Посередине комнатки стояла Анна.

В следующую секунду Мишель уже была в объятиях матери. Боже, как долго она мечтала об этой минуте!

— Ты прекрасно выглядишь, Мишель! — воскликнула Анна. — Я думала, что увижу бледное лицо и истощенную непрерывными занятиями, тощую фигурку. А ты просто цветешь! — Она перевела взгляд на Андрэ: — Вы хорошо присматривали за моей дочерью, старый друг! Господи, я так скучала без вас обоих! Но вам надо отдохнуть. Я знаю, что такое дальняя дорога!

Мишель отрицательно покачала головой и нежно улыбнулась матери:

— Действительно, единственное, о чем я все эти дни мечтала, так это о горячей ванне и мягкой постели. Но сейчас мне кажется, будто я спала всю неделю!

За ужином Анна рассказывала дочери о том, что делается в Малверне. Но ни словом не обмолвилась ни о долге, который обнаружился после смерти мужа, ни о Кортни Уэйне. Мишель, в свою очередь, ничего не рассказала матери о Маклевене и их отношениях. Вместо этого они долго говорили о новом балете и предстоящем выступлении Мишель в главной роли.

— Вот и все, мама! — воскликнула под конец Мишель. — Теперь ты знаешь, как я живу.

Анна хитро посмотрела на дочь и елейным голосом произнесла:

— Нет, милая, я знаю еще не все. Мадам Дюбуа сказала, что ты ездила в Шотландию к какому-то молодому человеку. Она подозревает, что у тебя с ним роман.

Голос Мишель сразу же стал жестким и агрессивным:

— Мама, мадам Дюбуа — прекрасная женщина. Но немного болтлива. А сейчас, честно говоря, я действительно устала. Ты извини, но мне просто необходимо срочно лечь в постель! Но я счастлива, что ты наконец приехала.

Мишель встала и вышла из комнаты. Андрэ последовал было за ней, но Анна остановила его:

— Вы-то, надеюсь, вернетесь?

— Анна, я тоже очень устал и спешу в объятия Морфея.

— Не помню, чтобы когда-нибудь усталость мешала вам разговаривать. Прошу вас, тотчас же возвращайтесь и расскажите мне все о молодом шотландце и его отношениях с моей дочерью!

Весь следующий день они спали, отдыхали и говорили буквально обо всем, кроме самого сокровенного. Так что к Димпьеру Мишель попала лишь на другое утро. Анна и Андрэ увязались за ней.

Арно приветствовал всех троих радостной улыбкой. Мишель сразу же отметила, что Анна произвела на него хорошее впечатление.

— Теперь я понимаю, откуда у Мишель такое очарование, — пошутил он. — А вы, моя милая ученица, выглядите очень отдохнувшей и набравшейся сил. Надеюсь, вы там занимались?

— О, Андрэ не давал мне расслабляться!

— Вот и прекрасно! Я хочу, чтобы премьера «Трех сестер» состоялась как можно скорее. Сразу же, как только вы обретете прежнюю форму. К сожалению, Сибелла не сможет выступить в главной роли. Доктора по секрету сказали мне, что не уверены, выйдет ли она вообще когда-нибудь на сцену. Но даже если выйдет, то очень не скоро.

— А Дениз?

— Я долго думал и наконец решил, что она не годится для этой роли. То, что первоначально я ее назначил дублершей Сибеллы, было большой ошибкой. Она никакая не Виолетта! Я также сделал некоторые изменения среди исполнителей мужских партий. Ролан будет танцевать Брата, а Луи — Принца. Думаю, для вас он будет более подходящим партнером. Ну а теперь настало время открыть дверь, за которой вся труппа с нетерпением ждет встречи с вами...

Мишель просто затискали в объятиях. Ей даже было стыдно вспоминать о том, что совсем недавно она считала себя никому здесь не нужной. Мари, Луи и Кафе о Лэ с трудом сумели пробиться к своей подруге.

— Ты простил меня, Луи? — спросила она.

— Это мне надо просить у тебя прощения, Мишель. Я вел себя как последний дурень!

— Значит, мы снова друзья?

— Да! А вот и наша Мари. Только когда ты уехала, я понял, как много она для меня значит!

— Боже мой, как я рада!

Мулат потянулся к Мишель и поцеловал ее в щеку:

— Мишель, ты ни разу не взглянула на еще одного своего преданного друга.

— Ты ошибаешься! — запротестовала Мишель, возвращая поцелуй. — Я очень часто вспоминала о тебе в Шотландии.

Она еще раз взглянула на влюбленную пару — Луи и Мари. И невольно вспомнила Яна. Комок подступил у нее к горлу. Но тут же она подумала о том, что снова окружена друзьями, а впереди ее ждет большая и интересная работа. Так зачем же расстраиваться? Разве это не счастье?

На следующий день сразу же после репетиции Мишель навестила Сибеллу. Она думала застать ее унылой и подавленной, бледной и больной. Но к своему огромному удивлению, нашла подругу в прекрасном настроении, радостной и улыбающейся.

— Я так рада тебя видеть! — воскликнула Сибелла, как только Мишель приоткрыла дверь и просунула голову в комнату.

— Как ты себя чувствуешь? — спросила Мишель участливо. — Выглядишь замечательно! А я-то думала увидеть тебя совсем несчастной!

Сибелла засмеялась:

— Это все давно прошло. Сейчас мне значительно лучше. Я даже начинаю понемногу заниматься. Вон, посмотри! — И она кивнула головой на балетный станок у дальней стены.

— Как, ты занимаешься у станка?

— Занимаюсь, но очень осторожно. Ты знаешь, как это мне помогает! Еще немного, и я начну делать первые па!

Мишель вспомнила слова Димпьера и мягко сказала:

— Но Арно говорит, что для полного выздоровления тебе потребуется время.

— Знаю. Мне известен и приговор врачей. Они считают, что я скорее всего не смогу больше танцевать. Но эскулапы ошибаются. Я же чувствую, что с каждым днем, хотя и очень медленно, обретаю форму. И уверена, что когда-нибудь обязательно снова выйду на сцену!

Мишель помолчала немного и спросила:

— Скажи, ты не думаешь, что Ролан все это подстроил?

— Не знаю, Мишель. Может быть, и так. Но какое это имеет сейчас значение? Это произошло. И вот я прикована к постели. Теперь главное — не падать духом и делать все возможное, чтобы поскорее выздороветь!

— Сибелла, я восхищаюсь тобой! Но все же уверена, что Ролан нарочно уронил тебя по наущению Дениз. Они оба должны в конце концов понести наказание.

— Но ведь их вину невозможно доказать, Мишель.

— Я буду внимательно следить за ними. И попрошу делать то же самое всех наших друзей. Когда-нибудь они все же выдадут себя! Слава Богу, что Арно перераспределил роли среди мужчин. Теперь я танцую в паре с Луи и могу не опасаться поддержек. Иначе могло бы случиться то же самое, что и с тобой! Но я буду очень осторожна, Сибелла. Эта мерзавка Дениз способна на что угодно. Но меня она не испугает. Я уже знаю цену настоящего успеха. Ради такого можно пожертвовать всем и пойти на любой риск. Не так ли, Сибелла?

— Да, Мишель. Нет такой жертвы, которой мы бы не принесли на алтарь нашего любимого искусства. Иначе — зачем мы живем?

Глава 21

И вот настал день премьеры «Трех сестер». Мишель чувствовала себя отвратительно. Она почти не спала, голова кружилась, ее подташнивало. Утром, с трудом поднявшись с постели, Мишель подумала, что непременно провалится.

Тщетно мадам Дюбуа убеждала ее успокоиться, говорила комплименты, напоминала о ее недавних успехах, в том числе в Фонтенбло. Ничего не помогало. Наконец мадам потеряла терпение и заперла Мишель в спальне. Спустя некоторое время та забарабанила в дверь и потребовала, чтобы ее выпустили.

— Я должна быть в театре по меньшей мере за два часа до начала! — заявила Мишель и строго-настрого запретила кому-либо себя сопровождать, даже Андрэ. Тот нехотя согласился, решив, что накануне столь ответственного выступления любой артист имеет право и даже должен побыть один. Он нанял для Мишель фиакр и за два с половиной часа до начала спектакля отправил ее в театр.

Мишель и сама не понимала, почему нервничает. Ведь выступление перед королем в Фонтенбло было не менее ответственным. Но тогда она чувствовала себя спокойнее. Правда, сегодня премьера нового балета, в котором она танцует главную партию. И если не возьмет себя в руки, провалит спектакль. И в этом будет только ее вина! Мишель про себя решила, что, если это случится, она больше никогда не ступит на сцену...

Обо всем этом она думала, сидя в фиакре, который медленно направлялся к театру. Девушка так углубилась в свои невеселые мысли, что даже не заметила, как экипаж остановился.

— Мадемуазель Вернер, приехали, — донесся до нее учтивый голос кучера.

Встрепенувшись как от толчка, Мишель с помощью кучера вышла из кареты и открыла ридикюль в поисках монеты, чтобы расплатиться. Но ее палец неожиданно наткнулся на что-то острое. Она отдернула руку и увидела длинную острую шпильку, которой обычно крепится шляпка к волосам. Как этот предмет очутился в ридикюле, оставалось только гадать. Вытерев платочком выступившую на кончике пальца каплю крови, Мишель расплатилась и вошла в ворота, откуда начиналась небольшая аллея, ведущая к служебному входу театра. Уже стемнело, в аллее стоял полумрак, и Мишель невольно съежилась от недоброго предчувствия.

Она прибавила шагу. Когда до подъезда оставалось совсем немного, ей показалось, что справа в кустах кто-то прячется. Ничего необычного в этом не было. Бродяги и пьяницы нередко забредали сюда, чтобы подальше от людей распить бутылочку, а то и просто переночевать. Но не прошло и нескольких секунд, как Мишель услышала за спиной чьи-то шаги. Не оглядываясь, она побежала. Шаги сзади тоже участились. Кто-то пытался ее догнать. Мишель была уже у самой двери, когда сильные руки схватили ее сзади за плечи. Неизвестный повернул ее лицом к себе и прижал к стене. На Мишель смотрели полные бессмысленной злобы глаза, а грубые руки выкручивали запястья. От страшной боли Мишель закричала. Но бандит вновь схватил ее за плечи и с силой ударил спиной о стену.

— Так, мадемуазель, — прохрипел он, дыша на девушку винным перегаром, — это тебя зовут Мишель Вернер, тебе платят бешеные деньги за дрыганье ногами?

Мишель снова закричала, но вокруг не было ни души. А бандит заламывал ей правую руку, продолжая хрипеть в лицо:

— Ничего, милашка. Сейчас тебе будет не до танцев. Скажи-ка лучше, что тебе сломать? Руки, ноги, а может, шею?

Мишель вскрикнула так громко, что негодяй на мгновение выпустил ее и попытался ладонью зажать рот девушки. Она увернулась. Тогда бандит снова схватил ее за плечи и принялся бить головой о стену.

— Так что же тебе сломать, красотка? — повторил он, омерзительно улыбаясь.

— Кто вам за это заплатил? — крикнула ему в лицо Мишель.

— Заплатил? Мне никто ничего не платил. Просто надоело смотреть, как дамочки вроде тебя знай задирают ноги и гребут лопатой деньги.

Тут Мишель вспомнила о раскрытой сумочке, которую все еще держала в правой руке. Оттолкнувшись ногой от стены, она на мгновение заставила бандита отшатнуться, выхватила булавку, о которую только что сама укололась, и изо всех сил вонзила ее в лицо бандита. Тот взвыл и схватился обеими руками за пропоротую щеку. Воспользовавшись этим, Мишель бросилась к двери, одним рывком распахнула ее и влетела в фойе театра. Дверь на пружине сразу же захлопнулась за ее спиной.

Отдышавшись, Мишель постаралась спокойно разобраться в случившемся. Нет, это не было похоже на нападение озлобленного, пьяного хулигана.

Откуда-то он узнал ее имя и фамилию. Ему было известно, когда она приедет в театр и через какой вход войдет. А главное, этот мерзавец намеревался искалечить ее, чтобы она не могла танцевать. Во всяком случае, сегодня на премьере.

Слава Богу, этим гнусным намерениям не суждено было сбыться. Мишель пощупала левую руку и облегченно вздохнула: цела! Острая боль отдавала в плечо. На запястьях остались синяки от рук бандита. Но явных вывихов и переломов не было. С болью в плече можно справиться. Значит, она будет танцевать сегодняшний спектакль. А именно этого кому-то очень не хотелось. В том, что бандит действовал по чьей-то указке, сомневаться не приходилось.

Поднявшись по лестнице, Мишель увидела стоявшую посреди коридора Дениз. Лицо ее было бледным как мел, а губы тряслись. Глаза со звериной ненавистью смотрели на соперницу. И Мишель все стало ясно. Дениз вдруг круто повернулась и хотела было убежать. Но Мишель схватила ее за руку.

— Куда? Нет, Дениз, убежать тебе не удастся.

— В чем дело? Не понимаю! — пробормотала Дениз.

— Лжешь! Ты все отлично понимаешь! Сейчас в аллее на меня набросился какой-то пьяный бандит и пытался искалечить.

— Но при чем тут я?

— Не сомневаюсь, что это твоих рук дело. Ты наняла этого мерзавца, чтобы отделаться от меня! Все было задумано отлично: мне переломают ноги и руки, и у Арно не будет другого выхода, кроме как предложить тебе исполнить на премьере партию Виолетты.

Лицо Дениз из бледного стало багровым.

— Ты сошла с ума! Бросить мне в лицо подобное обвинение!

— Нет, дорогая, я не сошла с ума. Мне давно известны все ваши с Роланом гнусные проделки! И однажды я уже предупреждала тебя. Довольно! На этот раз это тебе с рук не сойдет! Ты можешь нанять и другого головореза. Ему, глядишь, повезет, и со мной произойдет то, что случилось с Сибеллой. Теперь ты ответишь за все!

— Не выйдет! У тебя нет доказательств!

— Увидим!

В этот момент в коридоре появился Димпьер. Дениз тут же исчезла. Арно подошел к Мишель и положил руку ей на плечо:

— Мишель, можно вас на минуточку? Я хотел бы обсудить... Боже, на кого вы похожи? Что произошло?

— Ничего особенного, Арно. Просто кое-кто очень не хотел, чтобы я танцевала на премьере. Наемный бандит попытался меня искалечить. Вот и все!

— Кто бы это мог быть? — воскликнул Димпьер, взяв Мишель за руки. Затем немного помолчал, задумавшись, и очень тихо спросил: — Дениз?

— Разумеется! Только, пожалуйста, не требуйте доказательств! Они мне уже не понадобятся. Достаточно было взглянуть в лицо этой мерзавке, когда она увидела меня целой и невредимой, и мне все стало ясно.

— Хорошо, Мишель. Я уволю ее. Не беспокойтесь!

— Сегодня же? Немедленно? — требовательно спросила хореографа Мишель.

Тот несколько секунд подумал и, вздохнув, ответил:

— Да, сегодня, если вы на этом настаиваете. Я просто подумал о том, что тогда вы останетесь без дублерши.

— Мне дублерша не нужна. А на будущее вы подготовите для этой роли танцовщицу, которая могла бы в случае чего меня заменить. Но я не собираюсь покидать сцену, так как сделала окончательный выбор.

— Выбор? Что вы имеете в виду?

— Мне предъявили ультиматум: либо семейная жизнь, либо сцена.

— Кто? Уж не тот ли молодой человек, у которого вы только что гостили?

— Да, он.

— И каков же был ваш ответ?

— Я выбрала сцену.

— Вы не забыли мои слова о том, что балет подобен требовательной любовнице?

— Нет, не забыла. Но я уверена, что справлюсь.

— Вы очень сильная и смелая женщина, Мишель! Я вами восхищаюсь! А сейчас — быстро в костюмерную. Время одеваться!

Мишель присела в реверансе и направилась в костюмерную. Странно, но вся ее утренняя нервозность и непонятное волнение исчезли...

Мадам Дюбуа как покровительница балетной студии имела в театре отдельную ложу, которую на этот раз вместе с ней заняли Анна и Андрэ. Все трое приехали за полчаса до начала спектакля. Мадам была одета по последней моде. Анна с непривычки посчитала ее наряд чрезмерно крикливым и пышным. Но Андрэ уверил ее, что мадам Дюбуа всегда внимательно следит за модой и даже является ее законодательницей. Анна покачала головой, но спорить не стала. Мадам же кланялась из ложи всему залу и приветливо махала веером то в одну, то в другую сторону. Казалось, она знала здесь каждого.

— Мадам приезжает в театр главным образом для того, чтобы себя показать, — шепнул Анне на ухо Андрэ. — Балет ее интересует постольку поскольку.

— Андрэ, у меня очень хороший слух, — отозвалась мадам Дюбуа. — Я слышала пакость, которую вы только что сказали в мой адрес. Это чистой воды клевета. Я обожаю балет. Но в театр всегда приезжаю пораньше, чтобы встретиться и поговорить с друзьями. Как только начинается спектакль, я смотрю его с вниманием самой заядлой театралки.

Анна подумала, что и она сама сегодня одета слишком вызывающе. Надо будет попросить у мадам Дюбуа адрес ее модистки, чтобы пошить себе скромные, но изящные туалеты.

От этих мыслей ее отвлек Андрэ, который, нахмурившись, обернулся к входной двери в ложу и сказал кому-то недовольным тоном:

— Извините, месье, но это частная ложа. Вы, видимо, ошиб...

— Анна! — раздался голос из темноты, прервавший на полуслове брюзжащего Андрэ.

С первого звука Анна узнала этот голос. Но у нее от неожиданности перехватило дыхание. Лишь совладав с собой, она прошептала:

— Корт...

Андрэ с удивлением посмотрел на нее и, подняв брови, спросил:

— Анна, вы знаете этого господина?

— Да, да, это мистер Уэйн, — растерянно ответила она, все еще не веря, что сзади в ложе стоит Кортни.

Андрэ довольно долго переводил взгляд с Анны на Кортни, а потом — с Кортни на Анну. И с недоумением сказал:

— Ну и сюрприз! Долго же вы его от нас скрывали! Стыдитесь!

Анна почувствовала, что заливается румянцем. Смутившись, она сделала вид, что не заметила колкости Андрэ, и повернулась к Кортни:

— Как вам удалось меня разыскать?

— С превеликими трудностями, — мрачно ответил Уэйн. — Но давайте поговорим об этом наедине. Вы не возражаете, мадам Дюбуа, если я на время украду у вас миссис Вернер?

— Разумеется, нет, мистер Уэйн! Только возвращайтесь, чтобы вместе смотреть выступление нашей очаровательной Мишель.

Они вышли в аванложу, опустив за собой портьеру.

— Корт, откуда вы узнали, что я здесь? — вновь повторила свой вопрос Анна. — Или вы вернулись в Уильямсберг?

— Да, вернулся. Сначала я думал, что уехал оттуда навсегда. Но вскоре понял, что ошибся и должен возвратиться. Это произошло почти сразу же после вашего отъезда. Джон объяснил мне, где вас искать. Я отправился морем во Францию, прибыл сюда сегодня и сразу же разыскал дом мадам Дюбуа. Там мне сказали, что все в театре. И вот я здесь! А теперь, Анна, скажите: вы можете меня простить?

— И вы еще спрашиваете! Это мне надо просить у вас прощения! За то, что не поверила вам на слово.

— Нет, Анна, у вас было полное право меня обо всем расспрашивать. Всему виной моя проклятая гордость! Так что простите меня!

— Вы знаете о Дейде?

— Да. Джон мне все рассказал. Вы такая храбрая, Анна. А ведь расправиться с этим мерзавцем следовало мне. Я же оказался таким идиотом! Будь я поумнее, давно бы догадался, что именно он убил вашего мужа, а недавно написал вам то кляузное письмо.

— Он ненавидел вас, Корт! И хотел скомпрометировать. Единственное, чего я пока не знаю, это зачем Майклу понадобились такие огромные деньги.

Кортни несколько мгновений колебался. Потом вздохнул и сказал:

— Что ж, теперь, наверное, уже можно открыть вам все...

Они еще долго сидели в аванложе. Анна то плакала от радости, то сокрушенно вздыхала. Когда свет в зале погас и дирижер встал за свой пульт, Уэйн наклонился к ней и поцеловал:

— Неужели вы могли подумать, что я вас забыл?

— Теперь я знаю, что ошибалась.

— Больше мы никогда не расстанемся.

— Никогда.

— Анна, вы согласны стать моей женой?

— Да, Корт!

— Мы поженимся немедленно. И обязательно в Париже. Чтобы плыть на корабле в Виргинию как супруги.

— Да, да, да! Ой, простите, Корт, уже началась увертюра!

Овации напомнили Мишель гром за стенами замка Маклевенов. Она снова и снова выходила на поклон, а ее все не отпускали зрители. Мишель устала и еле держалась на ногах. Но была счастлива.

Танцевала она великолепно. И сама знала это, как и публика.

«Браво, браво!» — гремел зал. А на сцену дождем сыпались цветы. После того как занавес закрылся в последний раз, Мишель, утопая в цветах, побежала за кулисы и бросилась на шею Димпьеру.

— Арно, дорогой, все это сделали вы!

— Нет, Мишель, если кого вы и должны сегодня благодарить, то только себя! Признаться, я еще не видывал такого волшебного представления. А вы были настоящей богиней! Завтра о Мишель Вернер будет говорить весь Париж.

Тут к Мишель подлетели остальные студийцы. Объятиям и поцелуям не было конца. Даже Ролан подошел и поздравил с триумфом новую прима-балерину. Наконец Димпьер хлопнул в ладоши:

— Довольно! Отпустите Мишель. Ей надо переодеться.

У дверей костюмерной Мишель уже ждали Анна, Андрэ, мадам Дюбуа и какой-то незнакомец, скромно стоявший поодаль. Все бросились ее поздравлять. Анна плакала от радости. Уже в костюмерной Анна, явно нервничая, сказала:

— Мишель, я хотела бы представить тебе своего друга из Виргинии. Его зовут Кортни Уэйн.

Уэйн подошел к Мишель и поклонился:

— Разрешите и мне присоединиться к общим поздравлениям. Честно говоря, я думаю, среди балерин нет вам равных.

Мишель присела в реверансе. Анна подошла к ней и, потупившись, сказала:

— Мишель, мы с Кортом решили обручиться. И сделать это прямо здесь, в Париже. Чтобы и ты могла присутствовать на торжестве.

Мишель постаралась подавить удивление и бросилась матери на шею. Мысли же ее были далеко, среди холмов Шотландии. «О, Ян, Ян, — думала она с упреком, — почему тебя сегодня нет здесь? Тогда бы это был самый счастливый вечер в моей жизни!»

Мишель прошла в гримерную и села перед зеркалом. Вошел Андрэ с букетом цветов и, таинственно улыбаясь, сказал:

— Это вам, дорогая.

— Положите их на стол.

Андрэ продолжал стоять с букетом и выжидающе смотрел на Мишель.

— Что вы на меня так смотрите? — удивленно спросила она.

— В букете есть записка. Мне кажется, ее стоит прочесть. Человек, доставивший этот букет, говорит, что цветы для вас были заказаны неделю назад. А это письмо просили передать с букетом.

И Андрэ вручил Мишель конверт. Странное волнение вдруг охватило девушку. Она еще не знала, что в письме. Но чувствовала: сейчас решится ее судьба.

Мишель вскрыла конверт и вынула из него небольшое письмо на дорогой бумаге, написанное ровным почерком:

«Дорогая Мишель.

Примите мои самые сердечные поздравления с грандиозным успехом. Я пишу это письмо еще до вашего спектакля. Но в триумфе уверен.

Мишель, я в отчаянии от своего глупого решения. Сейчас же уверен, что согласен делить вас со столь обожаемым вами искусством. Пусть у меня будет хотя бы частица вас, нежели совсем ничего!

Дорогая! Если я не опоздал, то еще раз прошу вас стать моей женой. Я согласен иногда оставаться в одиночестве, коль скоро того требует ваша карьера балерины. Но мое сердце всегда будет с вами. А за время, которое вы будете уделять мне, я буду вам благодарен до конца своих дней.

Пожалуйста, ответьте немедленно! Если вы напишете — «да», о чем я молю Бога, то ваш покорный слуга тотчас же отправится в Париж, и мы там обручимся.

Всем сердцем преданный вам,
Ян».

Мишель отвернулась, чтобы скрыть слезы счастья. Потом взглянула сначала на мать, а затем на Андрэ:

— Вы не против, если у нас здесь будет двойная свадьба?

Анна недоуменно посмотрела на дочь и сказала:

— Я вижу, что секреты были не только у меня! Это тот самый шотландец, у которого ты только что гостила?

— Да, мама. И сегодня — самый счастливый день в моей жизни!

Мишель бросилась на шею матери, которая заключила ее в объятия. Анна через плечо дочери посмотрела на Андрэ и улыбнулась:

— Итак, мой друг, готовы ли вы воспитывать следующее поколение женщин в нашей семье?

Литературно-художественное издание

Мэтьюз Патриция
Танцовщица грез

Редактор Л.И. Хомутова
Художественный редактор О.Н. Адаскина
Компьютерный дизайн: Н.В. Пашкова
Технический редактор Т.Н. Шарикова

Подписано в печать 28.08.98. Формат $84\times108^1/_{32}$.
Бумага газетная. Гарнитура Академия. Печать высокая.
Усл. печ. л. 25,20. Тираж 10 000 экз. Заказ № 7617.

Налоговая льгота — общероссийский классификатор продукции
ОК-00-93, том 2; 953000 — книги, брошюры

ООО «Фирма «Издательство АСТ»
Лицензия 06 ИР 000048 № 03039 от 15.01.98.
366720, РФ, Республика Ингушетия,
г. Назрань, ул. Московская, 13а
Наши электронные адреса:
WWW.AST.RU
E-mail: AST@POSTMAN.RU

Отпечатано с готовых диапозитивов
в ордена Трудового Красного Знамени
ГУПП «Детская книга» Роскомпечати.
127018, Москва, Сущевский вал, 49.